KB085110

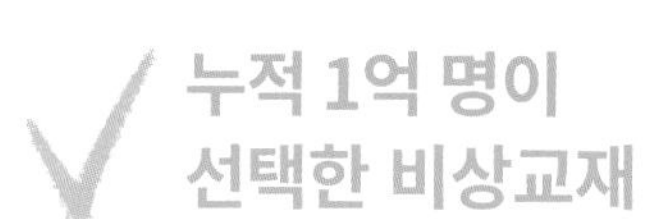
누적 1억 명이
선택한 비상교재

# 개념+유형 최상위 탑

# Top Book

# 3·1

개념+유형 최상위 탑

# 구성과 특징

Top Book

기본 실력 점검

## STEP 1 핵심 개념과 문제

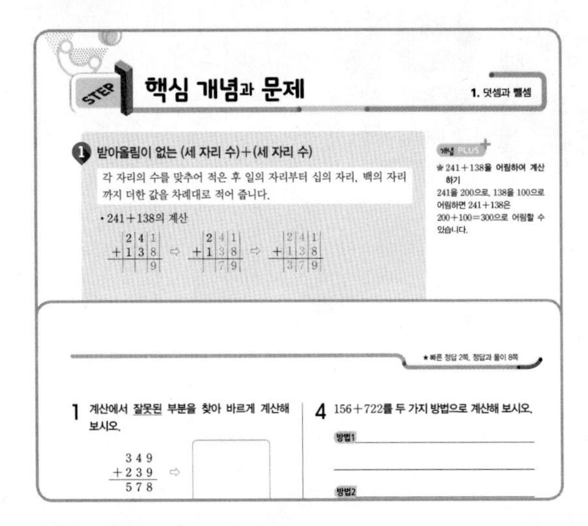

**[핵심 개념]**

핵심 교과 개념을 보기 쉽게 정리

교과 개념과 연계된 상위 개념까지 빠짐없이 정리

**[핵심 문제]**

개념 이해를 점검할 수 있는 필수 문제로 구성

상위권 실력 향상

## STEP 2 상위권 문제

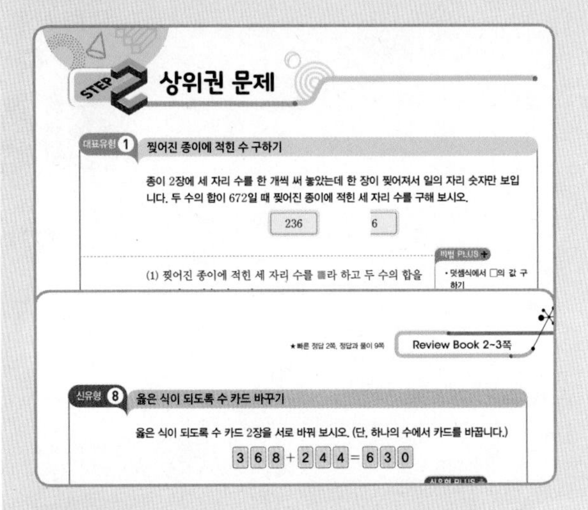

**[대표유형]**

단원의 대표 문제를 단계별로 풀 수 있도록 구성

**[유제]**

대표유형의 유사 문제로 연습할 수 있도록 구성

**[신유형]**

생활 속에서 찾을 수 있는 흥미로운 문제로 구성

Review Book

## | 복습 | 상위권 문제

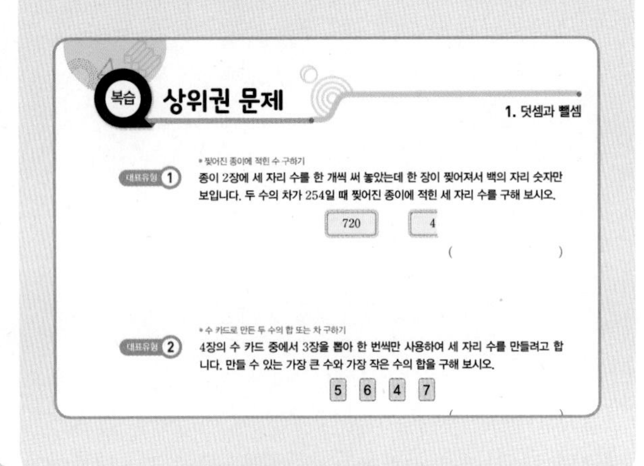

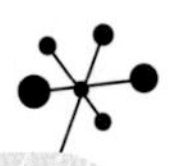

“ Top Book의 문제를 Review Book에서
1:1로 복습하여 최상위권을 정복해요. ”

상위권 실력 완성

## STEP 3 상위권 문제 확인과 응용

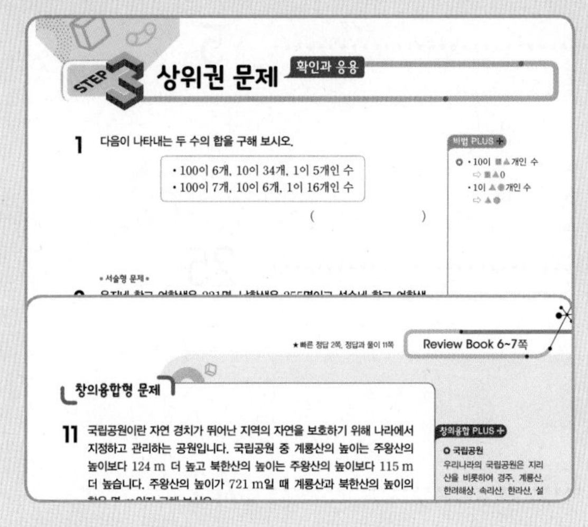

**[확인]**
대표유형 문제를 잘 익혔는지 확인할 수 있도록 구성

**[응용]**
대표유형 문제를 잘 익혀서 풀 수 있는 응용 문제로 구성

**[창의융합형 문제]**
타 과목과 융합된 문제로 구성
흥미 있는 소재의 문제로 구성

최상위권 완전 정복

## STEP 4 최상위권 문제

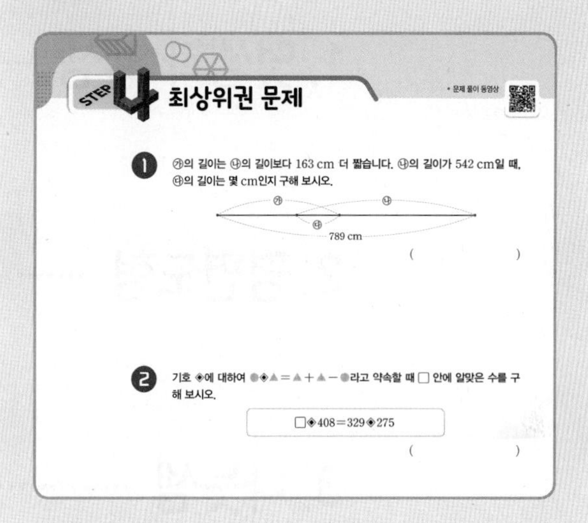

**[최상위권 문제]**
종합적 사고력을 기를 수 있는 문제로 구성
최상위권을 정복할 수 있는 최고난도 문제로 구성

## | 복습 | 상위권 문제 확인과 응용

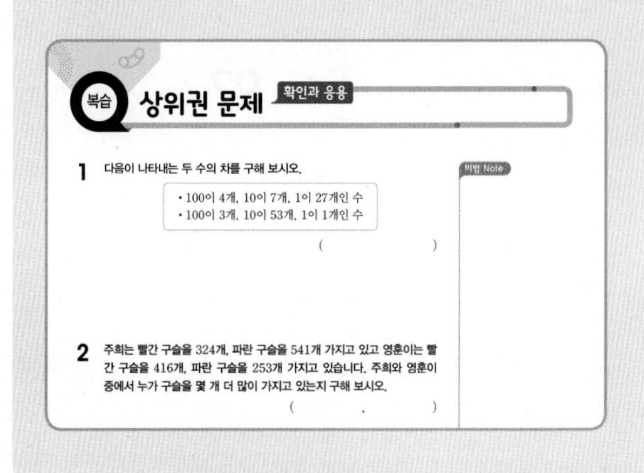

## | 복습 | 최상위권 문제

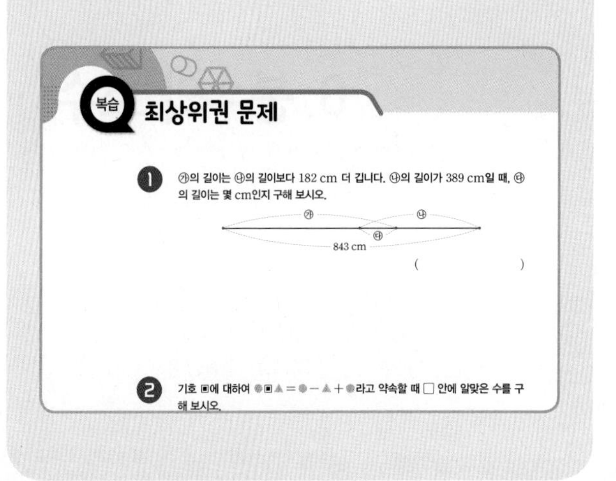

개념 PLUS 유형 최상위 탑

# 차례

# 1

# 덧셈과 뺄셈

## 1 받아올림이 없는 (세 자리 수)+(세 자리 수)

각 자리의 수를 맞추어 적은 후 일의 자리부터 십의 자리, 백의 자리까지 더한 값을 차례대로 적어 줍니다.

• 241+138의 계산

$$\begin{array}{r} 241 \\ +138 \\ \hline 9 \end{array} \Rightarrow \begin{array}{r} 241 \\ +138 \\ \hline 79 \end{array} \Rightarrow \begin{array}{r} 241 \\ +138 \\ \hline 379 \end{array}$$

**개념 PLUS**

★ 241+138을 어림하여 계산하기

241을 200으로, 138을 100으로 어림하면 241+138은 200+100=300으로 어림할 수 있습니다.

## 2 받아올림이 있는 (세 자리 수)+(세 자리 수)

• 각 자리의 수를 맞추어 적습니다.
• 일의 자리에서 받아올림이 있으면 십의 자리에, 십의 자리에서 받아올림이 있으면 백의 자리에, 백의 자리에서 받아올림이 있으면 천의 자리에 받아올려 계산합니다.

• 416+367의 계산 → 받아올림이 한 번 있는 덧셈

$$\begin{array}{r} {}^{1} \\ 416 \\ +367 \\ \hline 3 \end{array} \Rightarrow \begin{array}{r} {}^{1} \\ 416 \\ +367 \\ \hline 83 \end{array} \Rightarrow \begin{array}{r} {}^{1} \\ 416 \\ +367 \\ \hline 783 \end{array}$$

• 389+268의 계산 → 받아올림이 두 번 있는 덧셈

$$\begin{array}{r} {}^{1} \\ 389 \\ +268 \\ \hline 7 \end{array} \Rightarrow \begin{array}{r} {}^{1\,1} \\ 389 \\ +268 \\ \hline 57 \end{array} \Rightarrow \begin{array}{r} {}^{1\,1} \\ 389 \\ +268 \\ \hline 657 \end{array}$$

• 643+599의 계산 → 받아올림이 세 번 있는 덧셈

$$\begin{array}{r} {}^{1} \\ 643 \\ +599 \\ \hline 2 \end{array} \Rightarrow \begin{array}{r} {}^{1\,1} \\ 643 \\ +599 \\ \hline 42 \end{array} \Rightarrow \begin{array}{r} {}^{1\,1} \\ 643 \\ +599 \\ \hline 1242 \end{array}$$

**개념 PLUS**

★ (네 자리 수)+(네 자리 수)의 계산

(네 자리 수)+(네 자리 수)도 세 자리 수의 덧셈과 같은 방법으로 일의 자리부터 같은 자리 수끼리 받아올림에 주의하여 계산합니다.

$$\begin{array}{r} {}^{1\,1\,1} \\ 2578 \\ +3493 \\ \hline 6071 \end{array}$$

★빠른 정답 2쪽, 정답과 풀이 8쪽

**1** 계산에서 잘못된 부분을 찾아 바르게 계산해 보시오.

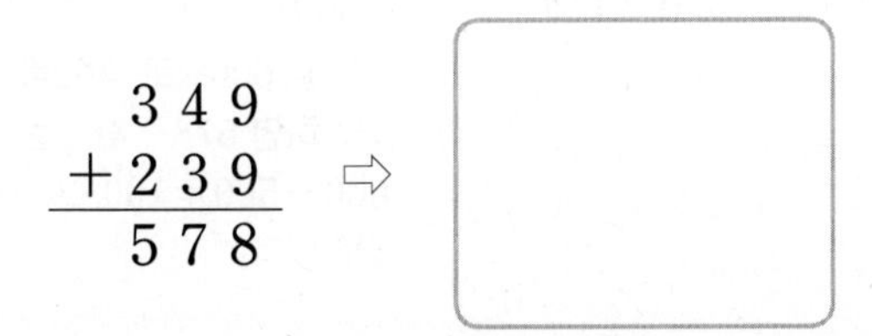


**2** 빈칸에 알맞은 수를 써넣으시오.

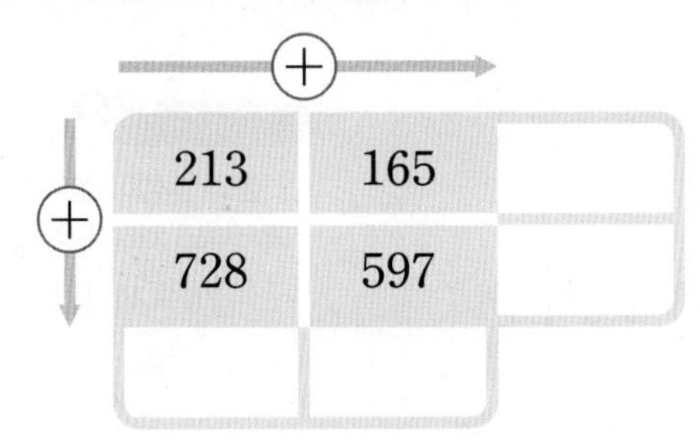


**3** 현주네 집에서 학교까지의 거리는 567 m입니다. 현주가 집에서 학교까지 갔다가 집으로 돌아온 거리는 모두 몇 m입니까?

(　　　　　　　　)

**4** 156+722를 두 가지 방법으로 계산해 보시오.

방법1 ____________________

____________________

방법2 ____________________

____________________

**5** 계산 결과가 큰 것부터 차례대로 기호를 써 보시오.

| | |
|---|---|
| ㉠ 159+526 | ㉡ 324+353 |
| ㉢ 463+311 | ㉣ 286+457 |

(　　　　　　　　)

**6** 박물관에 어제 입장한 사람은 247명입니다. 오늘 입장한 사람은 어제보다 131명 더 많습니다. 박물관에 어제와 오늘 입장한 사람은 모두 몇 명입니까?

(　　　　　　　　)

# STEP 1 핵심 개념과 문제

## 3 받아내림이 없는 (세 자리 수)−(세 자리 수)

각 자리의 수를 맞추어 적은 후 일의 자리부터 십의 자리, 백의 자리까지 뺀 값을 차례대로 적어 줍니다.

• 578−462의 계산

$$\begin{array}{r}5\,7\,8\\-\,4\,6\,2\\\hline 6\end{array} \Rightarrow \begin{array}{r}5\,7\,8\\-\,4\,6\,2\\\hline 1\,6\end{array} \Rightarrow \begin{array}{r}5\,7\,8\\-\,4\,6\,2\\\hline 1\,1\,6\end{array}$$

## 4 받아내림이 있는 (세 자리 수)−(세 자리 수)

• 각 자리의 수를 맞추어 적습니다.
• 십의 자리에서 받아내림이 있으면 일의 자리에, 백의 자리에서 받아내림이 있으면 십의 자리에 받아내려 계산합니다.

• 697−158의 계산 ─• 받아내림이 한 번 있는 뺄셈

$$\begin{array}{r}\scriptsize 8\ 10\\6\,\not{9}\,7\\-\,1\,5\,8\\\hline 9\end{array} \Rightarrow \begin{array}{r}\scriptsize 8\ 10\\6\,\not{9}\,7\\-\,1\,5\,8\\\hline 3\,9\end{array} \Rightarrow \begin{array}{r}\scriptsize 8\ 10\\6\,\not{9}\,7\\-\,1\,5\,8\\\hline 5\,3\,9\end{array}$$

• 723−356의 계산 ─• 받아내림이 두 번 있는 뺄셈

$$\begin{array}{r}\scriptsize 1\ 10\\7\,\not{2}\,3\\-\,3\,5\,6\\\hline 7\end{array} \Rightarrow \begin{array}{r}\scriptsize 6\ 11\ 10\\\not{7}\,\not{2}\,3\\-\,3\,5\,6\\\hline 6\,7\end{array} \Rightarrow \begin{array}{r}\scriptsize 6\ 11\ 10\\\not{7}\,\not{2}\,3\\-\,3\,5\,6\\\hline 3\,6\,7\end{array}$$

**개념 PLUS**

★ 578−462를 어림하여 계산하기

578을 600으로, 462를 500으로 어림하면 578−462는 600−500=100으로 어림할 수 있습니다.

**초 5-1 연계**

• 덧셈과 뺄셈이 섞여 있는 식은 앞에서부터 차례대로 계산합니다.

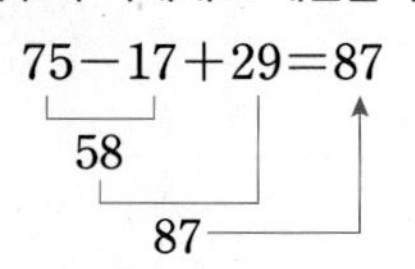


• (  )가 있는 식은 (  ) 안을 먼저 계산합니다.

75−(17+29)=29
46
29

**1** 삼각형 안에 있는 수의 차를 구해 보시오.

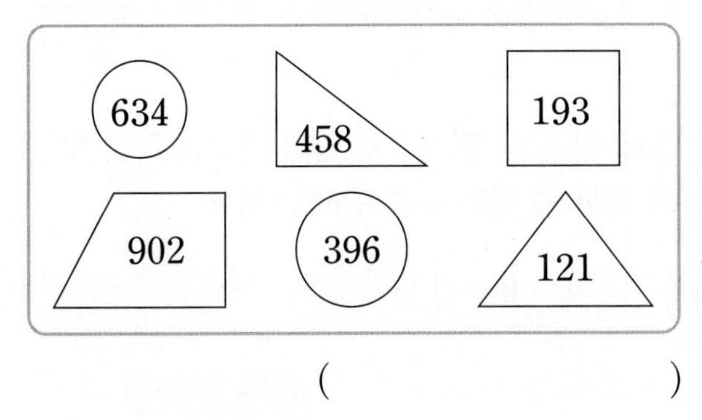


( )

**2** 계산 결과를 비교하여 ○ 안에 >, =, <를 알맞게 써넣으시오.

$720-291$ ○ $953-518$

**3** 길이가 9 m인 색 테이프 중에서 516 cm를 사용했습니다. 남은 색 테이프는 몇 cm입니까?

( )

**4** $658-314$를 두 가지 방법으로 계산해 보시오.

방법1

방법2

**5** 영주네 학교의 학년별 학생 수입니다. 학생 수가 두 번째로 많은 학년과 두 번째로 적은 학년의 학생 수의 차는 몇 명입니까?

학년별 학생 수

| 1학년 | 2학년 | 3학년 | 4학년 | 5학년 | 6학년 |
|---|---|---|---|---|---|
| 189명 | 192명 | 213명 | 176명 | 208명 | 224명 |

( )

**6** 상자 안에 딸기 맛 사탕이 156개, 레몬 맛 사탕이 267개 있었습니다. 이 중에서 115개를 포장하여 친구에게 주었습니다. 친구에게 주고 남은 사탕은 몇 개입니까?

( )

# STEP 2 상위권 문제

## 대표유형 1 찢어진 종이에 적힌 수 구하기

종이 2장에 세 자리 수를 한 개씩 써 놓았는데 한 장이 찢어져서 일의 자리 숫자만 보입니다. 두 수의 합이 672일 때 찢어진 종이에 적힌 세 자리 수를 구해 보시오.

236　　6

(1) 찢어진 종이에 적힌 세 자리 수를 ■라 하고 두 수의 합을 구하는 식을 써 보시오.

식 □ + ■ = □

(2) 찢어진 종이에 적힌 세 자리 수를 구해 보시오.

(　　　　　　)

**비법 PLUS +**

- 덧셈식에서 □의 값 구하기
  □+▲=●
  ⇨ ●−▲=□
- 뺄셈식에서 □의 값 구하기
  □−▲=●
  ⇨ ●+▲=□
  ▲−□=●
  ⇨ ▲−●=□

**유제 1** 종이 2장에 세 자리 수를 한 개씩 써 놓았는데 한 장이 찢어져서 백의 자리 숫자만 보입니다. 두 수의 차가 185일 때 찢어진 종이에 적힌 세 자리 수를 구해 보시오.

319　　5

(　　　　　　)

**유제 2** 종이 2장에 세 자리 수를 한 개씩 써 놓았는데 한 장이 찢어져서 십의 자리 숫자만 보입니다. 두 수의 차가 248일 때 찢어진 종이에 적힌 세 자리 수가 될 수 있는 수를 모두 구해 보시오.

527　　7

(　　　　　　)

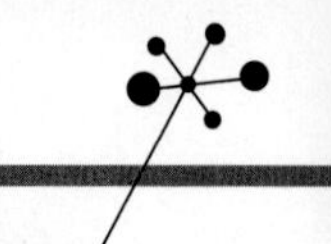

## 대표유형 2 수 카드로 만든 두 수의 합 또는 차 구하기

4장의 수 카드 중에서 3장을 뽑아 한 번씩만 사용하여 세 자리 수를 만들려고 합니다. 만들 수 있는 가장 큰 수와 가장 작은 수의 합을 구해 보시오.

0 2 4 6

(1) 만들 수 있는 세 자리 수 중에서 가장 큰 수와 가장 작은 수를 각각 구해 보시오.

가장 큰 수 (　　　　　　　)

가장 작은 수 (　　　　　　　)

(2) 위 (1)에서 구한 두 수의 합을 구해 보시오.

(　　　　　　　)

**비법 PLUS+**

- **가장 큰 수 만들기** 앞에서부터 큰 수를 차례대로 놓습니다.
- **가장 작은 수 만들기** 앞에서부터 작은 수를 차례대로 놓습니다. 이때 0은 맨 앞에 올 수 없습니다.

**유제 3** 5장의 수 카드 중에서 3장을 뽑아 한 번씩만 사용하여 세 자리 수를 만들려고 합니다. 만들 수 있는 가장 큰 수와 가장 작은 수의 차를 구해 보시오.

2 0 5 9 6

(　　　　　　　)

**유제 4** 4장의 수 카드 중에서 3장을 뽑아 한 번씩만 사용하여 세 자리 수를 만들려고 합니다. 만들 수 있는 두 번째로 큰 수와 두 번째로 작은 수의 차를 구해 보시오.

1 7 0 3

(　　　　　　　)

## STEP 2 상위권 문제

### 대표유형 3 바르게 계산한 값 구하기

어떤 수에서 267을 빼야 할 것을 잘못하여 더했더니 821이 되었습니다. 바르게 계산하면 얼마인지 구해 보시오.

(1) 어떤 수는 얼마입니까?

(　　　　　　　　　)

(2) 바르게 계산하면 얼마입니까?

(　　　　　　　　　)

**비법 PLUS +**

덧셈과 뺄셈의 관계를 이용하여 어떤 수를 구할 수 있습니다.

(어떤 수)+■=▲

⇨ ▲−■=(어떤 수)

**유제 5** 어떤 수에 152를 더해야 할 것을 잘못하여 뺐더니 346이 되었습니다. 바르게 계산하면 얼마인지 구해 보시오.

(　　　　　　　　　)

• 서술형 문제 •

**유제 6** 954에 어떤 수를 더해야 할 것을 잘못하여 뺐더니 468이 되었습니다. 바르게 계산하면 얼마인지 풀이 과정을 쓰고 답을 구해 보시오.

풀이 ______________________

______________________

______________________

답 ______________

## 대표유형 4 두 지점 사이의 거리 구하기

**지석이네 집에서 공원까지의 거리는 몇 m인지 구해 보시오.**

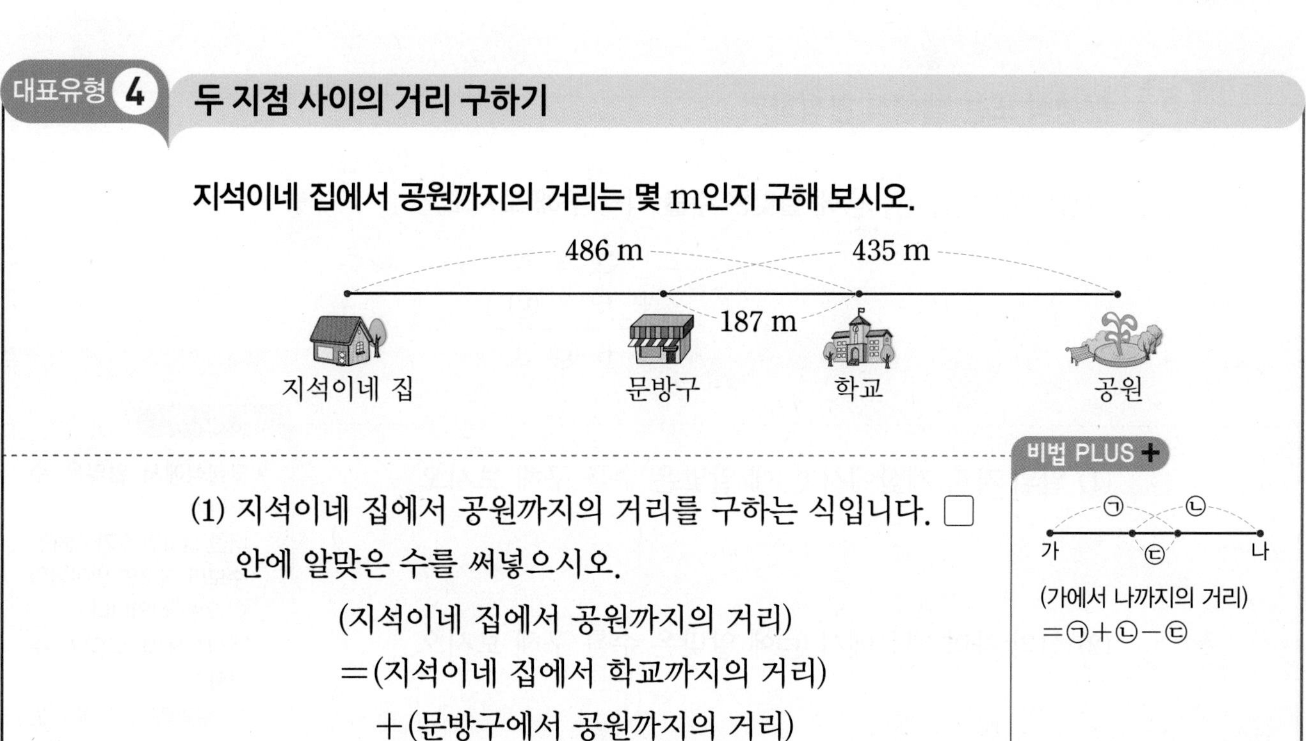


(1) 지석이네 집에서 공원까지의 거리를 구하는 식입니다. □ 안에 알맞은 수를 써넣으시오.

(지석이네 집에서 공원까지의 거리)
=(지석이네 집에서 학교까지의 거리)
+(문방구에서 공원까지의 거리)
−(문방구에서 학교까지의 거리)
=□+□−□

(2) 지석이네 집에서 공원까지의 거리는 몇 m입니까?

( )

**비법 PLUS +**

가, ㉠, ㉡, ㉢, 나

(가에서 나까지의 거리)
=㉠+㉡−㉢

**유제 7** ㉯에서 ㉰까지의 거리가 149 m일 때 ㉮에서 ㉱까지의 거리는 몇 m인지 구해 보시오.

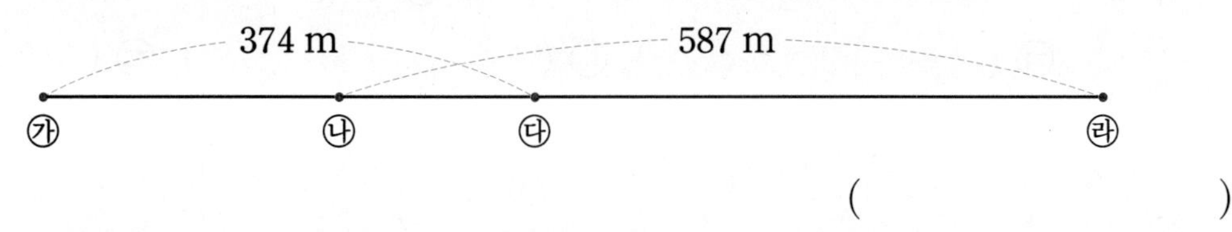


( )

**유제 8** ㉠에서 ㉣까지의 거리가 732 m일 때 ㉡에서 ㉢까지의 거리는 몇 m인지 구해 보시오.

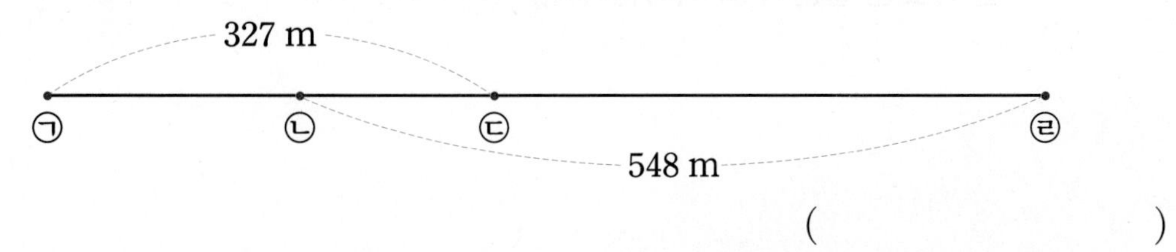


( )

STEP 2 상위권 문제

## 대표유형 5 덧셈식 또는 뺄셈식 완성하기

덧셈식에서 ㉠, ㉡, ㉢에 알맞은 수를 각각 구해 보시오.

$$\begin{array}{r} ㉠\ 4\ 8 \\ +\ 6\ 7\ ㉡ \\ \hline 1\ 6\ ㉢\ 3 \end{array}$$

(1) 일의 자리 계산에서 ㉡에 알맞은 수를 구해 보시오.

( )

(2) 십의 자리 계산에서 ㉢에 알맞은 수를 구해 보시오.

( )

(3) 백의 자리 계산에서 ㉠에 알맞은 수를 구해 보시오.

( )

**비법 PLUS +**

- **덧셈식에서 알맞은 수 구하기**
  더한 결과의 수가 더해진 수보다 작으면 받아올림이 있는 식입니다.
- **뺄셈식에서 알맞은 수 구하기**
  뺀 결과의 수가 빼지는 수보다 크면 받아내림이 있는 식입니다.

**유제 9** 뺄셈식에서 ㉠, ㉡, ㉢에 알맞은 수를 각각 구해 보시오.

$$\begin{array}{r} 9\ 8\ ㉠ \\ -\ 7\ ㉡\ 6 \\ \hline ㉢\ 9\ 7 \end{array}$$

㉠ ( ), ㉡ ( ), ㉢ ( )

**유제 10** 오른쪽 덧셈식을 보고 ㉠+㉡+㉢의 값을 구해 보시오. (단, 같은 기호는 같은 수를 나타냅니다.)

$$\begin{array}{r} 1\ 1\ \ \\ 8\ ㉠\ ㉡ \\ +\ ㉡\ 5\ ㉠ \\ \hline 1\ 4\ ㉢\ 3 \end{array}$$

( )

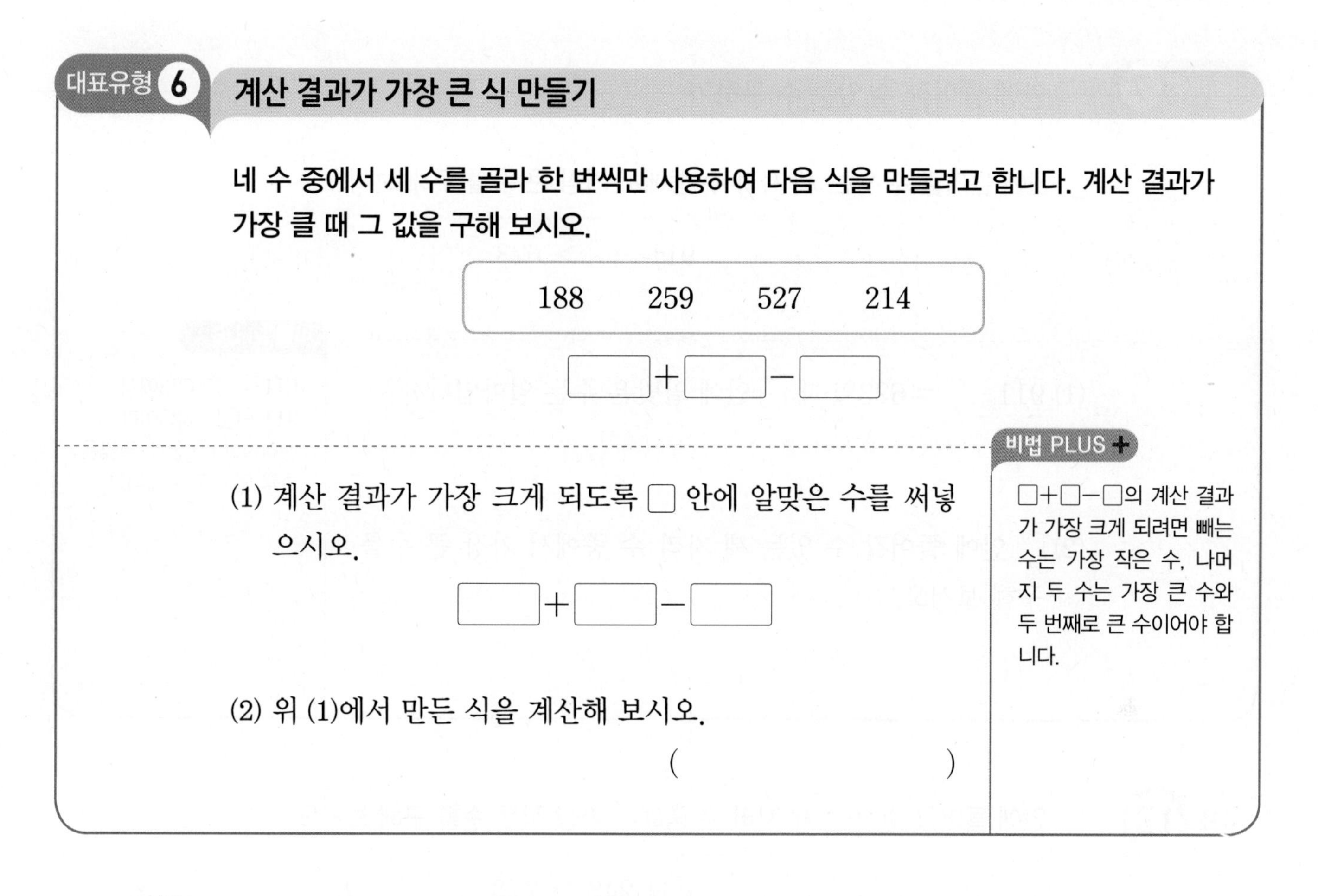

## 대표유형 6 계산 결과가 가장 큰 식 만들기

네 수 중에서 세 수를 골라 한 번씩만 사용하여 다음 식을 만들려고 합니다. 계산 결과가 가장 클 때 그 값을 구해 보시오.

188 259 527 214

□+□−□

(1) 계산 결과가 가장 크게 되도록 □ 안에 알맞은 수를 써넣으시오.

□+□−□

(2) 위 (1)에서 만든 식을 계산해 보시오.

( )

**비법 PLUS +**

□+□−□의 계산 결과가 가장 크게 되려면 빼는 수는 가장 작은 수, 나머지 두 수는 가장 큰 수와 두 번째로 큰 수이어야 합니다.

**유제 11** 네 수 중에서 세 수를 골라 한 번씩만 사용하여 계산 결과가 가장 큰 식을 만들려고 합니다. □ 안에 알맞은 수를 써넣고 계산해 보시오.

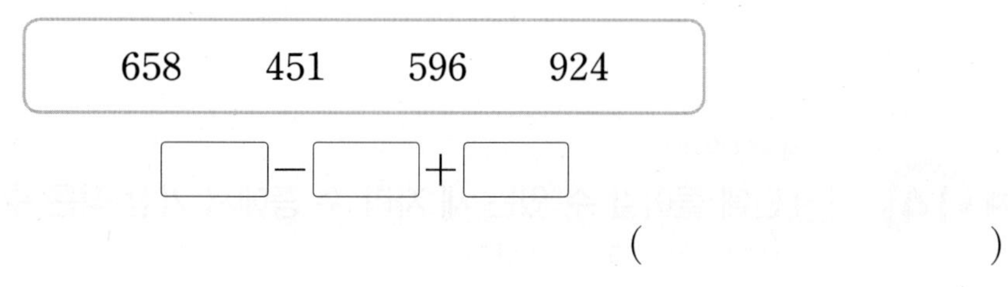

658 451 596 924

□−□+□

( )

**유제 12** 네 수 중에서 세 수를 골라 한 번씩만 사용하여 계산 결과가 가장 큰 식을 만들려고 합니다. □ 안에 알맞은 수를 써넣고 계산해 보시오.

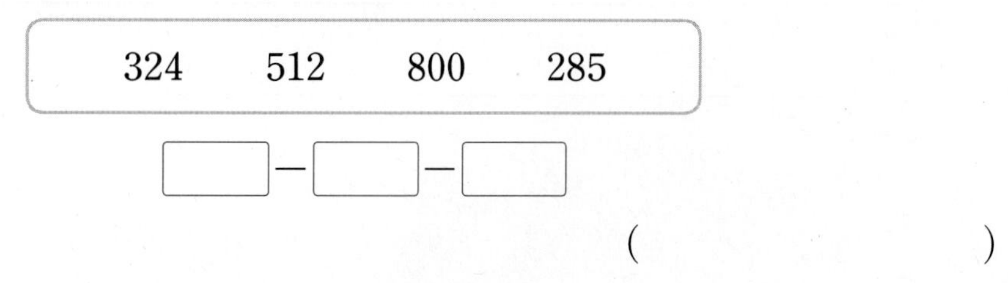

324 512 800 285

□−□−□

( )

STEP 2 상위권 문제

## 대표유형 7 □ 안에 들어갈 수 있는 수 구하기

□ 안에 들어갈 수 있는 세 자리 수 중에서 가장 큰 수를 구해 보시오.

$911-\square > 623$

(1) $911-\square=623$일 때 □ 안에 알맞은 수는 얼마입니까?

(　　　　　)

(2) □ 안에 들어갈 수 있는 세 자리 수 중에서 가장 큰 수를 구해 보시오.

(　　　　　)

**비법 PLUS +**

$911-\square>623$에서 $911-\square=623$이라 생각하고 □ 안에 알맞은 수를 먼저 구해 봅니다.

**유제 13** □ 안에 들어갈 수 있는 세 자리 수 중에서 가장 작은 수를 구해 보시오.

$\square+248 > 773$

(　　　　　)

• 서술형 문제 •

**유제 14** □ 안에 들어갈 수 있는 세 자리 수 중에서 가장 작은 수를 구하려고 합니다. 풀이 과정을 쓰고 답을 구해 보시오.

$821-\square < 307+125$

풀이

답

## 신유형 8 옳은 식이 되도록 수 카드 바꾸기

옳은 식이 되도록 수 카드 2장을 서로 바꿔 보시오. (단, 하나의 수에서 카드를 바꿉니다.)

3 6 8 + 2 4 4 = 6 3 0

(1) 합이 630이 되려면 어느 자리와 어느 자리 수를 바꿔야 하는지 모두 찾아 ◯표 하시오.

( 백 , 십 , 일 )

(2) 수 카드 2장을 바꾸어 옳은 식을 완성해 보시오.

□□□ + □□□ = 6 3 0

**신유형 PLUS +**

받아올림이 있는 경우와 받아올림이 없는 경우를 모두 생각하여 바꿔야 하는 수를 예상해 봅니다.

**유제 15** 옳은 식이 되도록 수 카드 2장을 서로 바꿔 보시오. (단, 하나의 수에서 카드를 바꿉니다.)

8 6 3 − 4 5 9 = 3 6 8

⇨ □□□ − □□□ = 3 6 8

**유제 16** 옳은 식이 되도록 수 카드 2장을 서로 바꿔 보시오. (단, 같은 자리의 카드를 바꿉니다.)

7 4 5 − 3 1 2 = 4 2 7

⇨ □□□ − □□□ = 4 2 7

**1** 다음이 나타내는 두 수의 합을 구해 보시오.

• 100이 6개, 10이 34개, 1이 5개인 수
• 100이 7개, 10이 6개, 1이 16개인 수

(　　　　　　　　)

비법 PLUS +

• 10이 ■▲개인 수
⇨ ■▲0
• 1이 ▲●개인 수
⇨ ▲●

• 서술형 문제 •

**2** 은지네 학교 여학생은 221명, 남학생은 255명이고 성수네 학교 여학생은 275명, 남학생은 226명입니다. 누구네 학교 학생이 몇 명 더 많은지 풀이 과정을 쓰고 답을 구해 보시오.

풀이

답 　　　　,

**3** 오른쪽 뺄셈식에서 ■, ▲, ●에 알맞은 수를 각각 구해 보시오. (단, 같은 모양은 같은 수를 나타냅니다.)

```
   ■ ▲ 3
 - ▲ ▲ ■
 -------
   2 ● 5
```

■ (　　　　), ▲ (　　　　), ● (　　　　)

**4** 어떤 세 자리 수의 백의 자리 수와 십의 자리 수를 바꾼 수에 189를 더했더니 548이 되었습니다. 처음 세 자리 수를 구해 보시오.

(　　　　　　　　)

처음 세 자리 수를 ■▲●라 하면 백의 자리 수와 십의 자리 수를 바꾼 수는 ▲■●입니다.

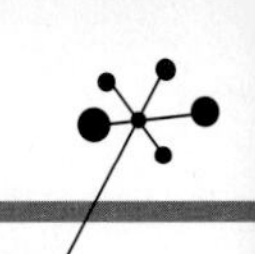

● 서술형 문제 ●

**5** 5장의 수 카드를 한 번씩만 사용하여 세 자리 수를 만들려고 합니다. 만들 수 있는 두 번째로 큰 수와 세 번째로 작은 수의 차는 얼마인지 풀이 과정을 쓰고 답을 구해 보시오.

1 0 7 4 5

풀이 ______________________________

______________________________

______________________________

답 ______________

**6** 0부터 9까지의 수 중에서 □ 안에 들어갈 수 있는 가장 작은 수를 구해 보시오.

$863-278 < 9\square0-335$

( )

**7** 길이가 128 cm인 색 테이프 3장을 그림과 같이 58 cm씩 겹쳐서 이어 붙였습니다. 이어 붙인 색 테이프의 전체 길이는 몇 cm인지 구해 보시오.

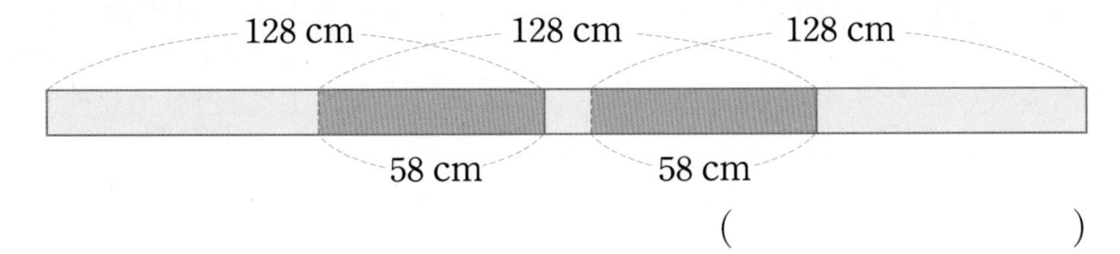


( )

비법 PLUS +

○ 색 테이프 ★장을 한 줄로 겹쳐서 이어 붙였을 때 겹쳐진 부분은 (★−1)군데입니다.

**8** 연속한 두 수가 있습니다. 이 두 수의 합이 633일 때 두 수 중에서 큰 수를 구해 보시오.

( )

**9** 상자에서 공 2개를 꺼내 공에 적힌 수의 차가 300에 가장 가까운 뺄셈식을 만들려고 합니다. 어떤 공을 꺼내야 할지 공에 적힌 수로 뺄셈식을 만들어 보시오.

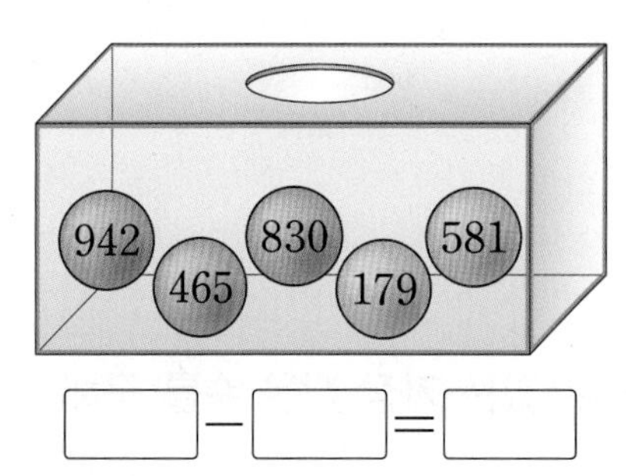


□ − □ = □

**10** 한 원 안에 있는 네 수의 합은 모두 같습니다. 색칠한 부분에 알맞은 수를 구해 보시오.

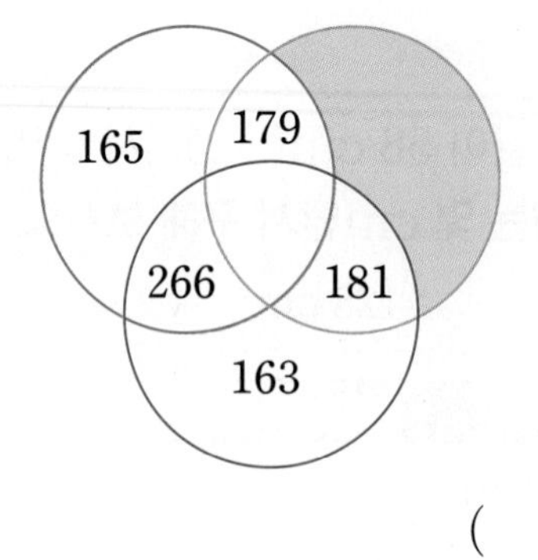


( )

비법 PLUS +

- 수를 어림하여 어림한 두 수의 차가 약 300인 경우를 알아봅니다.

- ㉠ ㉡ ㉢

  한 원 안에 있는 두 수의 합이 서로 같을 때 겹쳐진 곳에 있는 수 ㉡은 보라색 원과 초록색 원에 공통으로 들어가는 수이므로 겹쳐진 곳에 있는 수 ㉡을 뺀 나머지 수 ㉠과 ㉢은 서로 같습니다.

  ㉠+㉡=㉡+㉢
  
  같습니다.

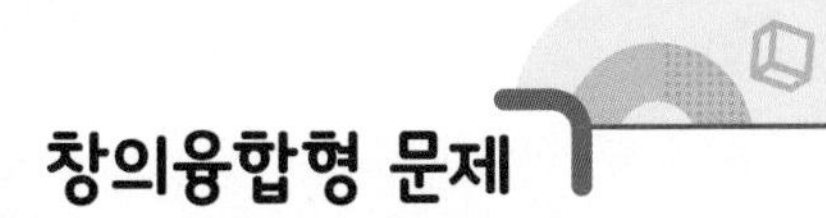

## 창의융합형 문제

**11** 국립 공원이란 자연 경치가 뛰어난 지역의 자연을 보호하기 위해 나라에서 지정하고 관리하는 공원입니다. 국립 공원 중 계룡산의 높이는 주왕산의 높이보다 124 m 더 높고 북한산의 높이는 주왕산의 높이보다 115 m 더 높습니다. 주왕산의 높이가 721 m일 때 계룡산과 북한산의 높이의 합은 몇 m인지 구해 보시오.

▲ 주왕산

▲ 계룡산

▲ 북한산

( )

**12** 열량이란 에너지의 양으로 열량을 나타내는 단위로는 킬로칼로리가 있습니다. 다음은 선유가 오늘 저녁 식사로 먹은 음식입니다. 선유가 줄넘기를 30분 동안 할 때 소모하는 열량은 312 킬로칼로리입니다. 선유가 저녁 식사로 먹은 음식의 열량을 모두 소모하려면 줄넘기를 몇 시간 동안 해야 하는지 구해 보시오.

선유가 먹은 음식의 열량

| 저녁 식사 | | |
|---|---|---|
| 쌀밥 1공기<br>300 킬로칼로리 | 김치전 1인분<br>196 킬로칼로리 | 된장찌개 1인분<br>128 킬로칼로리 |

( )

**창의융합 PLUS +**

**국립 공원**
우리나라의 국립 공원은 지리산을 비롯하여 경주, 계룡산, 한려해상, 속리산, 한라산, 설악산, 내장산, 가야산, 오대산, 덕유산, 주왕산, 태안해안, 다도해해상, 북한산, 치악산, 월악산, 소백산, 월출산, 변산반도, 무등산, 태백산 국립 공원 등이 있습니다.

**식품의 열량**
식품의 열량은 그 식품을 먹었을 때 몸속에서 발생되는 에너지의 양을 나타내며 이는 체온을 일정하게 유지하고 신체 활동을 하는 데 이용됩니다.

STEP 4 최상위권 문제

• 문제 풀이 동영상

**1** ㉮의 길이는 ㉯의 길이보다 163 cm 더 짧습니다. ㉯의 길이가 542 cm일 때, ㉰의 길이는 몇 cm인지 구해 보시오.

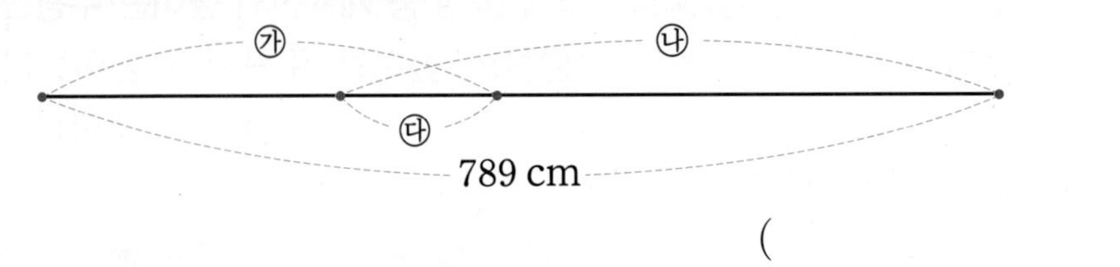


( )

**2** 기호 ◈에 대하여 ●◈▲ = ▲ + ▲ − ●라고 약속할 때 □ 안에 알맞은 수를 구해 보시오.

□◈408=329◈275

( )

**3** 다음을 만족하는 세 자리 수 중에서 가장 큰 수와 가장 작은 수의 차를 구해 보시오. (단, 일의 자리 수는 0보다 큽니다.)

- 십의 자리 수는 일의 자리 수의 3배입니다.
- 일의 자리 수와 백의 자리 수의 합은 9입니다.

( )

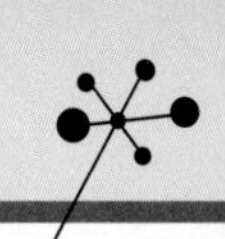

**4** 준영이와 설현이는 0부터 9까지의 수 카드를 5장씩 똑같이 나누어 가졌습니다. 나누어 가진 수 카드를 한 번씩만 사용하여 준영이가 만들 수 있는 가장 큰 네 자리 수는 9543이고, 설현이가 만들 수 있는 가장 작은 네 자리 수는 2067입니다. 나누어 가진 수 카드를 한 번씩만 사용하여 준영이가 만들 수 있는 가장 작은 세 자리 수와 설현이가 만들 수 있는 가장 큰 세 자리 수의 합을 구해 보시오.

( )

**5** 희주네 학교 학생은 500명입니다. 이 중에서 산을 좋아하는 학생은 289명이고, 바다를 좋아하는 학생은 337명입니다. 산과 바다를 둘 다 좋아하지 않는 학생이 56명일 때, 산과 바다를 모두 좋아하는 학생은 몇 명인지 구해 보시오.

( )

**6** 0부터 9까지의 수를 한 번씩만 사용하여 덧셈식을 만들려고 합니다. □ 안에 알맞은 수를 써넣으시오. (단, 받아올림이 3번 있는 덧셈식입니다.)

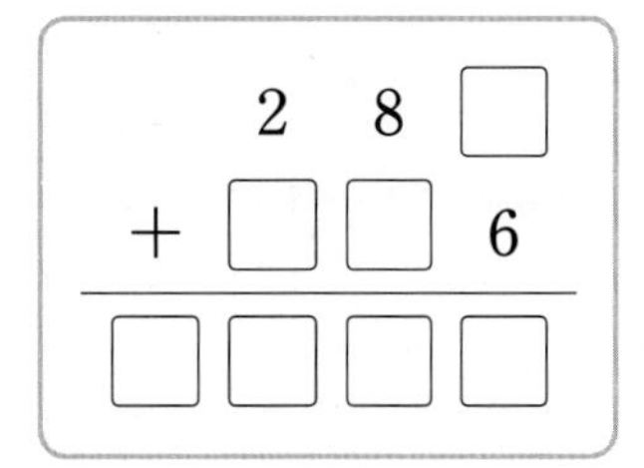

## 요하네스 비트만 (Johannes Widmann)

- **출생~사망:** 1462~1498
- **국적:** 독일
- **업적:** 독일의 수학자로 1489년 비트만이 쓴 책에서 덧셈, 뺄셈 기호가 처음으로 사용되었습니다. 덧셈 기호 '+'는 더한다는 뜻의 라틴어 'et'를 줄여서 얻었고, 뺄셈 기호 '−'는 뺀다는 뜻의 'minus'를 간단히 쓴 'm'을 흘려 쓰다가 현재와 같은 모양이 되었다고 합니다.

# 평면도형

# 핵심 개념과 문제



## 1 선분, 반직선, 직선

• 선분: 두 점을 곧게 이은 선

ㄱ ㄴ

선분 ㄱㄴ 또는 선분 ㄴㄱ

• 반직선: 한 점에서 시작하여 한쪽으로 끝없이 늘인 곧은 선

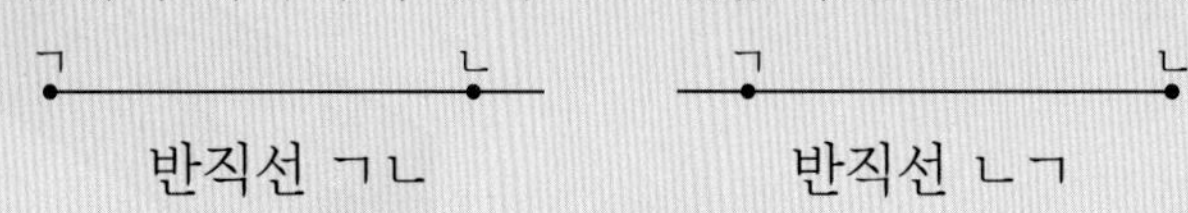


반직선 ㄱㄴ　　　　반직선 ㄴㄱ

• 직선: 선분을 양쪽으로 끝없이 늘인 곧은 선

ㄱ ㄴ

직선 ㄱㄴ 또는 직선 ㄴㄱ

## 2 각, 직각

• 각: 한 점에서 그은 두 반직선으로 이루어진 도형

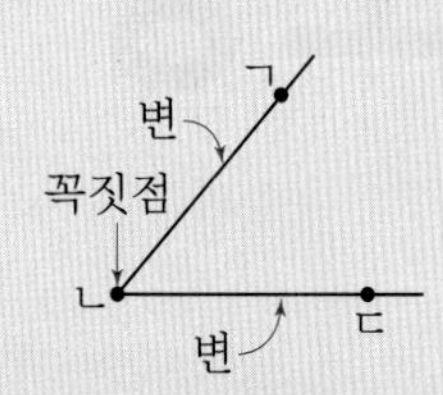


- 각 읽기: 각 ㄱㄴㄷ 또는 각 ㄷㄴㄱ
  - 꼭짓점이 가운데 오도록 읽습니다.
- 각의 꼭짓점: 점 ㄴ
- 각의 변: 반직선 ㄴㄱ, 반직선 ㄴㄷ
- 변 읽기: 변 ㄴㄱ, 변 ㄴㄷ

• 직각: 종이를 반듯하게 두 번 접었을 때 생기는 각

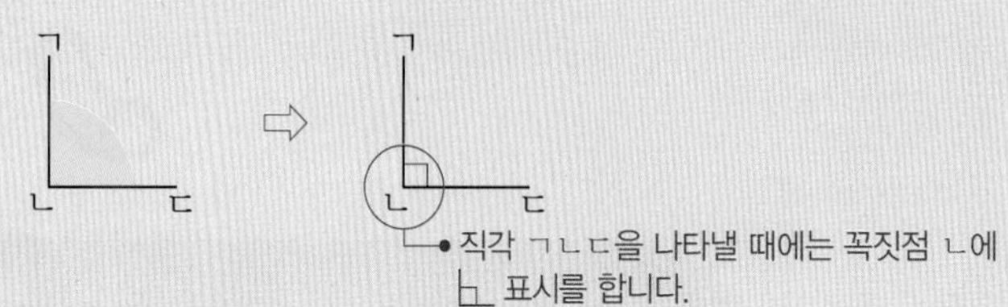


• 직각 ㄱㄴㄷ을 나타낼 때에는 꼭짓점 ㄴ에 ㄴ 표시를 합니다.

초 4-1 연계

• 각도: 각의 크기

• 1도(1°): 직각을 똑같이 90으로 나눈 것 중 하나

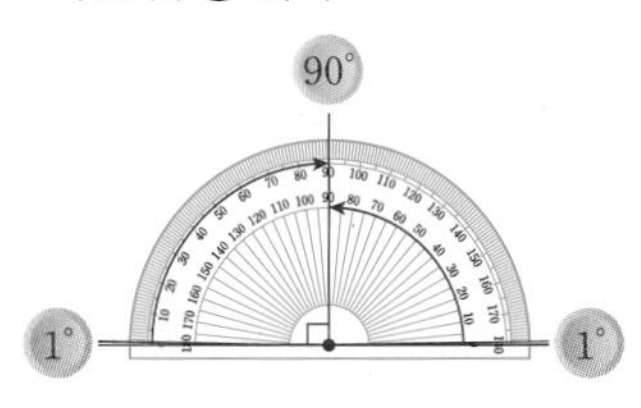


## 3 직각삼각형, 직사각형, 정사각형

| | | |
|---|---|---|
| 직각삼각형 | 한 각이 직각인 삼각형 | |
| 직사각형<br>• 마주 보는 변의 길이가 같습니다. | 네 각이 모두 직각인 사각형 | |
| 정사각형<br>• 이웃하는 변의 길이가 항상 같습니다. | 네 각이 모두 직각이고 네 변의 길이가 모두 같은 사각형 | |

참고 **직사각형과 정사각형의 관계**

• 직사각형은 네 변의 길이가 모두 같지 않은 것이 있으므로 정사각형이라고 할 수 없습니다.

• 정사각형은 네 각이 모두 직각이므로 직사각형이라고 할 수 있습니다.

초 5-1 연계

• **직사각형의 네 변의 길이의 합**

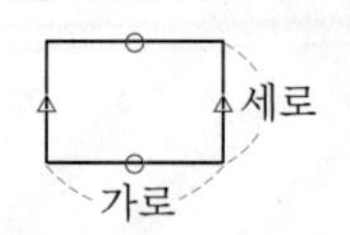


(직사각형의 네 변의 길이의 합)
={(가로)+(세로)}×2

• **정사각형의 네 변의 길이의 합**

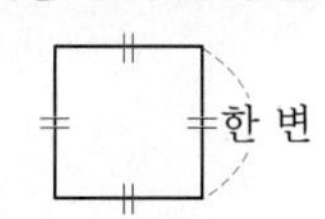


(정사각형의 네 변의 길이의 합)
=(한 변)×4

**1** 점을 이용하여 선분 ㄴㄷ, 반직선 ㄹㅂ, 직선 ㅁㄱ을 그어 보시오.

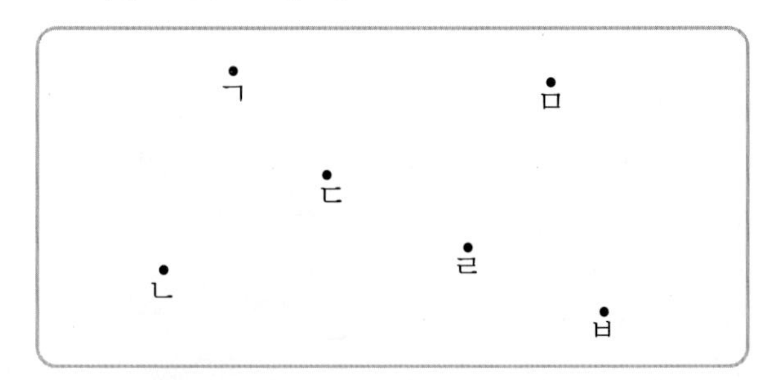


**2** 다음 도형이 각이 아닌 이유를 써 보시오.

이유

**3** 두 도형에서 찾을 수 있는 직각은 모두 몇 개입니까?

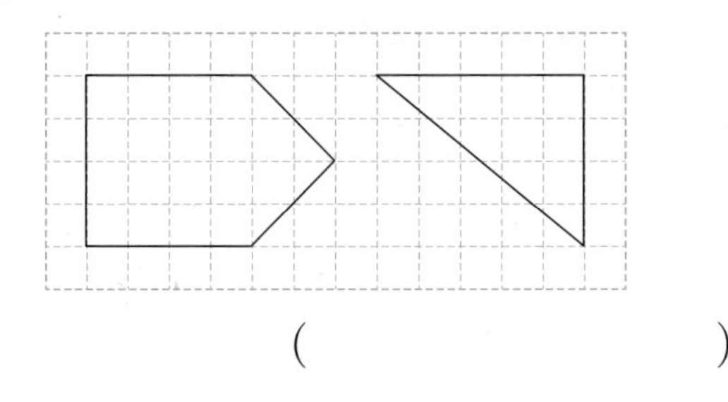

(                    )

**4** 도형에 대한 설명으로 틀린 것은 어느 것입니까? (        )

① 직각삼각형은 한 각이 직각입니다.
② 직사각형은 마주 보는 변의 길이가 같습니다.
③ 정사각형은 네 변의 길이가 모두 같습니다.
④ 직사각형은 모두 정사각형입니다.
⑤ 정사각형은 모두 직사각형입니다.

**5** 한 변이 40 m인 정사각형 모양의 공원이 있습니다. 태현이가 이 공원의 둘레를 따라 한 바퀴를 뛰었다면 태현이가 뛴 거리는 몇 m입니까?

(                    )

**6** 농구장을 위에서 내려다 보았습니다. 농구장에서 찾을 수 있는 크고 작은 직사각형은 모두 몇 개입니까?

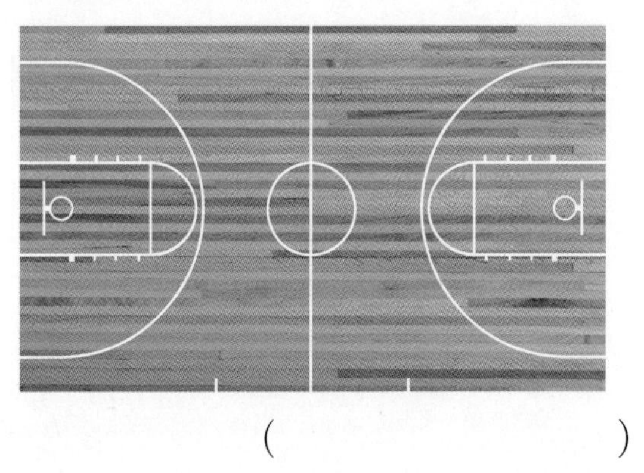

(                    )

# 상위권 문제

## 대표유형 1 찾을 수 있는 크고 작은 각의 개수 구하기

**오른쪽 도형에서 찾을 수 있는 크고 작은 각은 모두 몇 개인지 구해 보시오.**

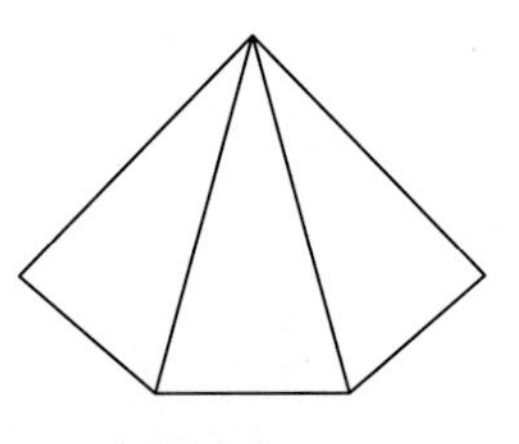

(1) 오른쪽 도형에 크고 작은 각을 나타내어 보시오.

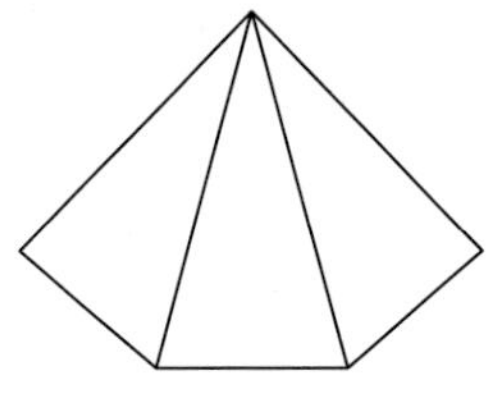

(2) 도형에서 찾을 수 있는 크고 작은 각은 모두 몇 개입니까?

( )

**비법 PLUS +**

도형에 크고 작은 각을 빠짐없이 겹치지 않게 표시하여 세어 봅니다.

**유제 1** 오른쪽 도형에서 찾을 수 있는 크고 작은 각은 모두 몇 개인지 구해 보시오.

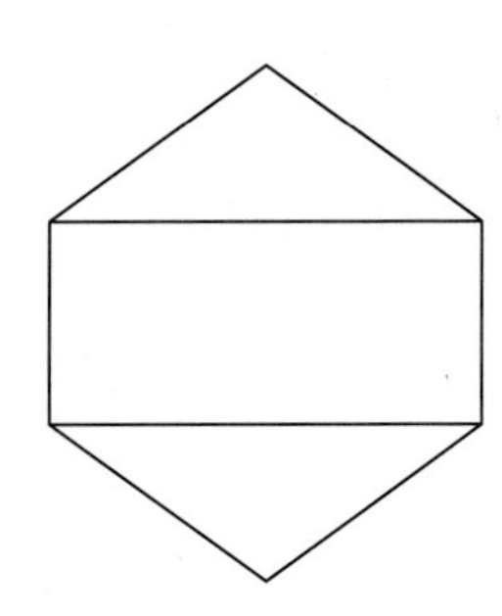

( )

**유제 2** 두 도형에서 찾을 수 있는 크고 작은 각의 개수의 차를 구해 보시오.

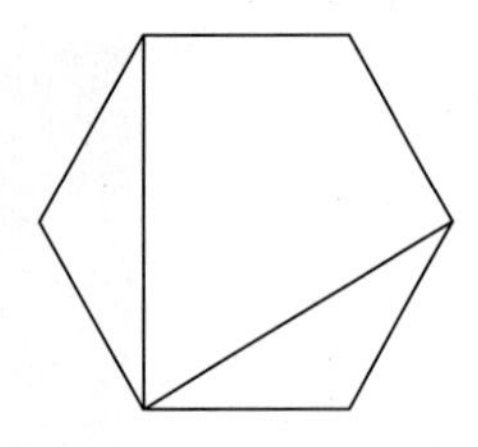

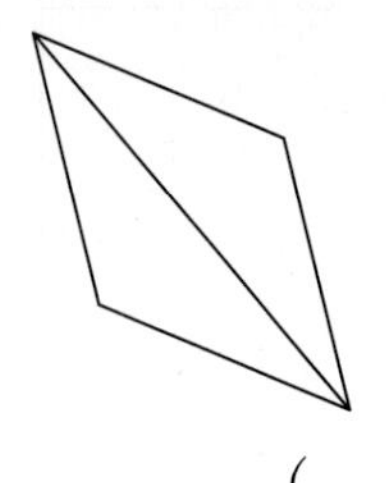

( )

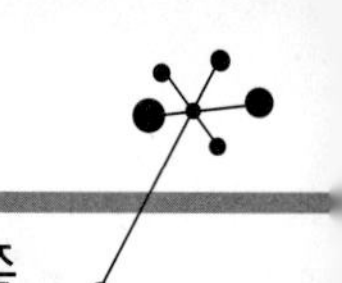



Review Book 10~11쪽

## 대표유형 2 그을 수 있는 선분, 반직선, 직선의 개수 구하기

**오른쪽에 있는 4개의 점 중에서 2개의 점을 이용하여 그을 수 있는 선분은 모두 몇 개인지 구해 보시오.**

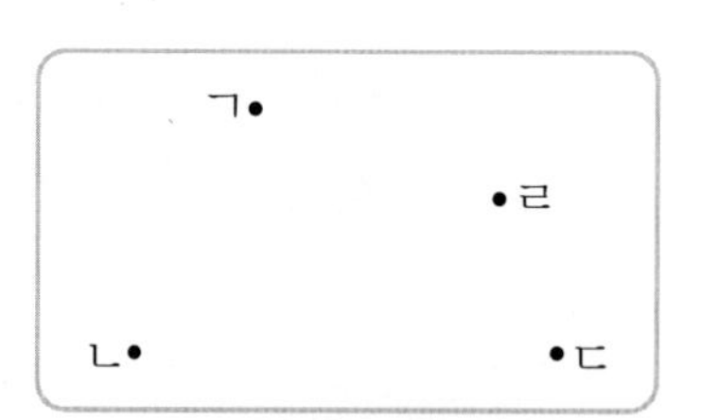


(1) 점 ㄱ부터 그을 수 있는 선분의 개수를 알아보려고 합니다. □ 안에 알맞은 수를 써넣으시오.

> 점 ㄱ에서 그을 수 있는 선분은 3개이고, 점 ㄴ에서 그을 수 있는 선분은 선분 ㄱㄴ을 제외하면 □개입니다. 이와 같이 겹치는 선분을 제외하면 점 ㄷ에서 그을 수 있는 선분은 □개, 점 ㄹ에서 그을 수 있는 선분은 없습니다.

(2) 그을 수 있는 선분은 모두 몇 개입니까?

( )

**비법 PLUS +**

2개의 점을 이용하여 그을 수 있는 선분의 개수

ㄱ ——— ㄴ

선분 ㄱㄴ과 선분 ㄴㄱ은 같은 선분입니다.
⇨ 1개

**유제 3** 오른쪽에 있는 5개의 점 중에서 2개의 점을 이용하여 그을 수 있는 직선은 모두 몇 개인지 구해 보시오.

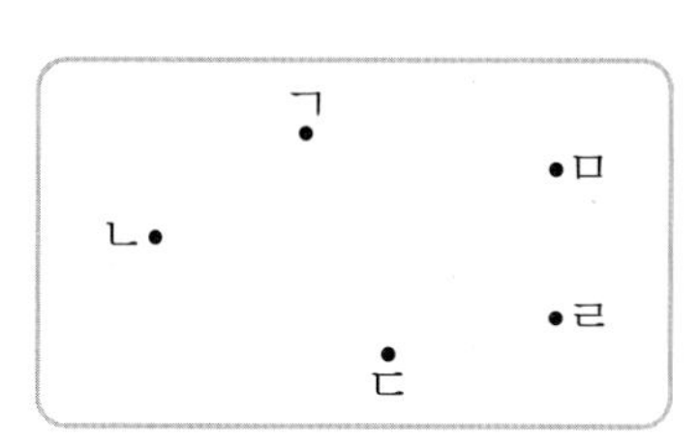


( )

**유제 4** 오른쪽에 있는 4개의 점 중에서 2개의 점을 이용하여 그을 수 있는 반직선은 모두 몇 개인지 구해 보시오.

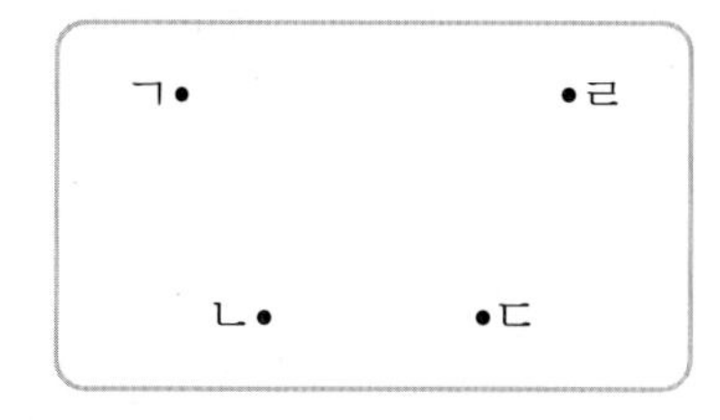


( )

## 대표유형 3 직사각형 또는 정사각형의 한 변의 길이 구하기

직사각형 가의 네 변의 길이의 합과 정사각형 나의 네 변의 길이의 합은 같습니다. 정사각형 나의 한 변은 몇 cm인지 구해 보시오.

가: 6 cm, 12 cm　　나: □ cm

(1) 직사각형 가의 네 변의 길이의 합은 몇 cm입니까?

(　　　　　　　　)

(2) 정사각형 나의 한 변은 몇 cm입니까?

(　　　　　　　　)

**비법 PLUS +**

- 직사각형은 마주 보는 변의 길이가 같습니다.
- 정사각형은 네 변의 길이가 모두 같습니다.

**유제 5** 직사각형 가의 네 변의 길이의 합과 정사각형 나의 네 변의 길이의 합은 같습니다. 직사각형 가의 가로는 몇 cm인지 구해 보시오.

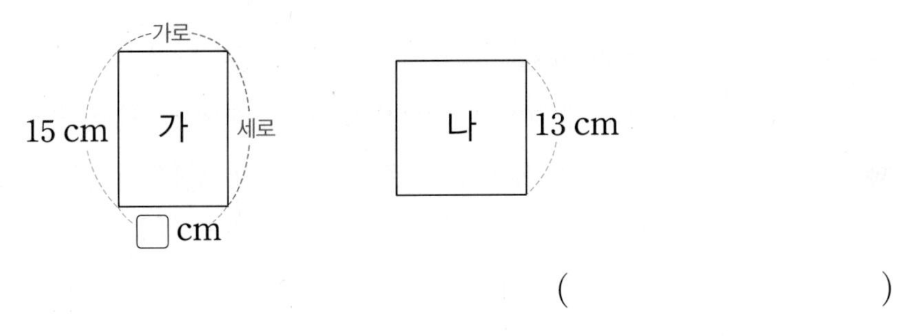


(　　　　　　　　)

• 서술형 문제 •

**유제 6** 철사를 사용하여 한 변이 20 cm인 정사각형 모양 1개를 만들었습니다. 이 철사를 다시 펴서 남김없이 모두 사용하여 직사각형 모양 1개를 만들려고 합니다. 직사각형의 가로를 14 cm로 한다면 세로는 몇 cm로 해야 하는지 풀이 과정을 쓰고 답을 구해 보시오.

풀이 ____________________

____________________

____________________

답 ____________________

## 대표유형 4 이어 붙인 도형을 둘러싼 굵은 선의 길이 구하기

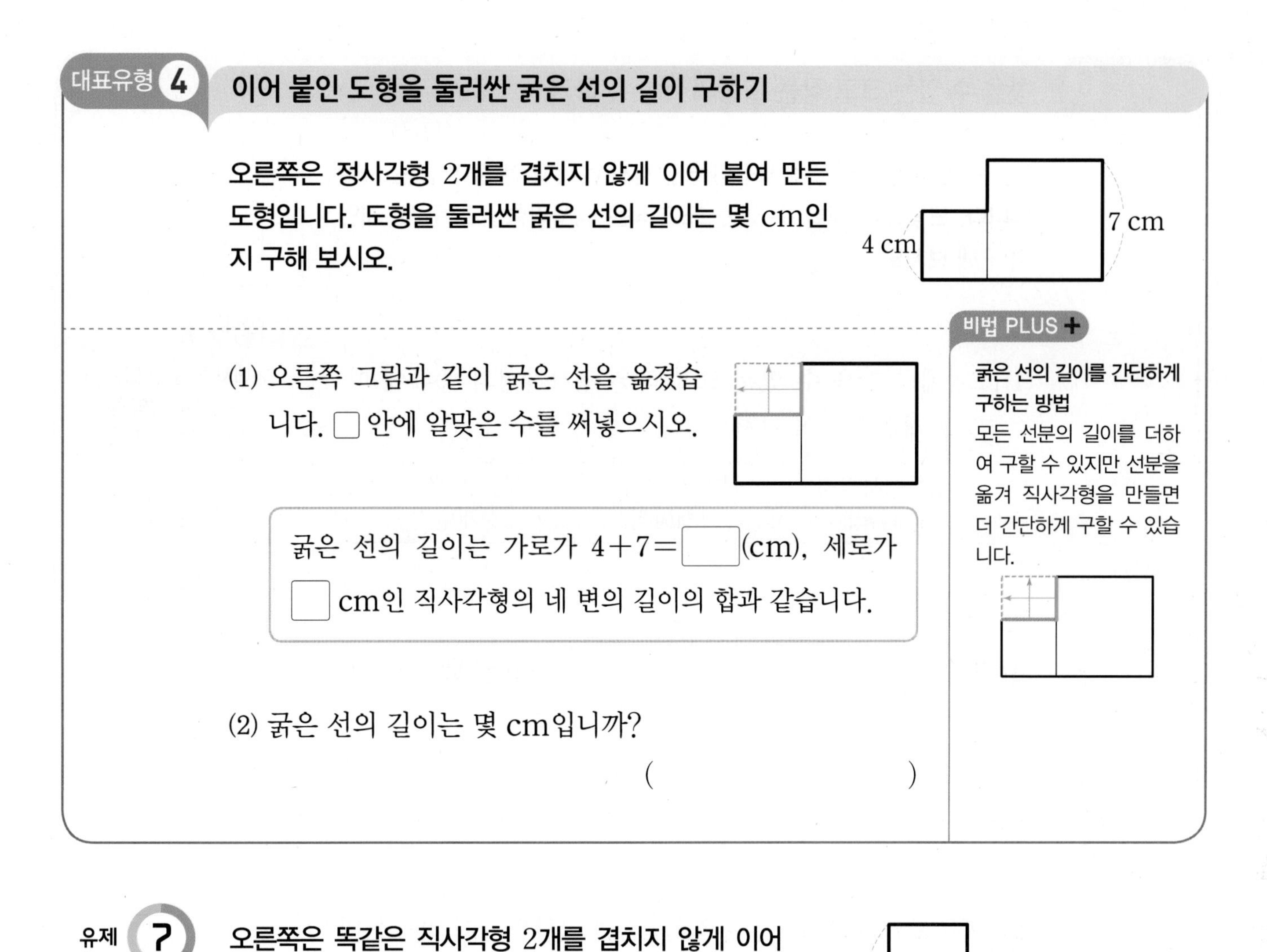


오른쪽은 정사각형 2개를 겹치지 않게 이어 붙여 만든 도형입니다. 도형을 둘러싼 굵은 선의 길이는 몇 cm인지 구해 보시오.

(1) 오른쪽 그림과 같이 굵은 선을 옮겼습니다. □ 안에 알맞은 수를 써넣으시오.

굵은 선의 길이는 가로가 $4+7=$□(cm), 세로가 □cm인 직사각형의 네 변의 길이의 합과 같습니다.

(2) 굵은 선의 길이는 몇 cm입니까?

( )

**비법 PLUS +**

**굵은 선의 길이를 간단하게 구하는 방법**

모든 선분의 길이를 더하여 구할 수 있지만 선분을 옮겨 직사각형을 만들면 더 간단하게 구할 수 있습니다.

**유제 7** 오른쪽은 똑같은 직사각형 2개를 겹치지 않게 이어 붙여 만든 도형입니다. 도형을 둘러싼 굵은 선의 길이는 몇 cm인지 구해 보시오.

( )

10 cm, 6 cm

**유제 8** 오른쪽은 직사각형과 정사각형을 겹치지 않게 이어 붙여 만든 도형입니다. 도형을 둘러싼 굵은 선의 길이는 몇 cm인지 구해 보시오.

( )

9 cm, 3 cm, 8 cm

## 대표유형 5 찾을 수 있는 크고 작은 도형의 개수 구하기

오른쪽은 크기가 같은 정사각형을 겹치지 않게 이어 붙여 만든 도형입니다. 도형에서 찾을 수 있는 크고 작은 정사각형은 모두 몇 개인지 구해 보시오.

(1) 도형에서 찾을 수 있는 크고 작은 정사각형의 종류에 따라 그 개수를 세어 보시오.

| 작은 정사각형 1개짜리 | 작은 정사각형 4개짜리 | 작은 정사각형 9개짜리 |
|---|---|---|
| | | |

(2) 도형에서 찾을 수 있는 크고 작은 정사각형은 모두 몇 개입니까?

( )

**비법 PLUS +**

도형에서 찾을 수 있는 크고 작은 정사각형의 종류
- 작은 정사각형 1개짜리
- 작은 정사각형 4개짜리
- 작은 정사각형 9개짜리

**유제 9** 오른쪽은 모양과 크기가 같은 직사각형을 겹치지 않게 이어 붙여 만든 도형입니다. 도형에서 찾을 수 있는 크고 작은 직사각형은 모두 몇 개인지 구해 보시오.

( )

• 서술형 문제 •

**유제 10** 오른쪽은 모양과 크기가 같은 직각삼각형을 겹치지 않게 이어 붙여 만든 도형입니다. 도형에서 찾을 수 있는 크고 작은 직각삼각형은 모두 몇 개인지 풀이 과정을 쓰고 답을 구해 보시오.

풀이

답

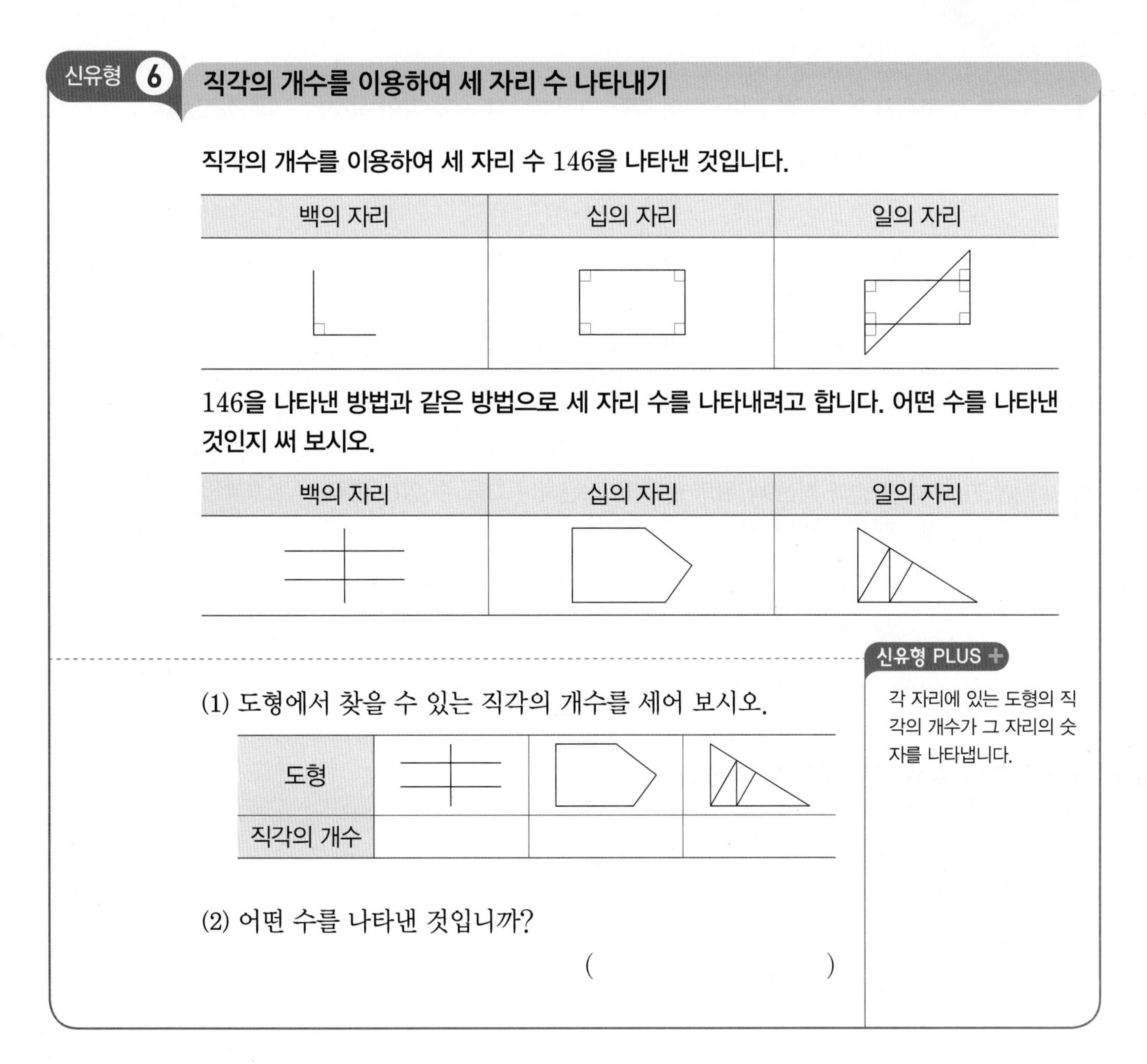

## 신유형 6 직각의 개수를 이용하여 세 자리 수 나타내기

직각의 개수를 이용하여 세 자리 수 146을 나타낸 것입니다.

| 백의 자리 | 십의 자리 | 일의 자리 |
|---|---|---|
| | | |

146을 나타낸 방법과 같은 방법으로 세 자리 수를 나타내려고 합니다. 어떤 수를 나타낸 것인지 써 보시오.

| 백의 자리 | 십의 자리 | 일의 자리 |
|---|---|---|
| | | |

**신유형 PLUS +**

각 자리에 있는 도형의 직각의 개수가 그 자리의 숫자를 나타냅니다.

(1) 도형에서 찾을 수 있는 직각의 개수를 세어 보시오.

| 도형 | | | |
|---|---|---|---|
| 직각의 개수 | | | |

(2) 어떤 수를 나타낸 것입니까?

( )

유제 11 신유형 6과 같은 방법으로 직각의 개수를 이용하여 세 자리 수를 나타내려고 합니다. 다음은 어떤 수를 나타낸 것인지 써 보시오.

| 백의 자리 | 십의 자리 | 일의 자리 |
|---|---|---|
| | | |

( )

비법 PLUS +

**1** 5개의 점 중에서 3개의 점을 이용하여 각을 그릴 때, 점 ㄹ을 각의 꼭짓점으로 하는 각은 모두 몇 개인지 구해 보시오.

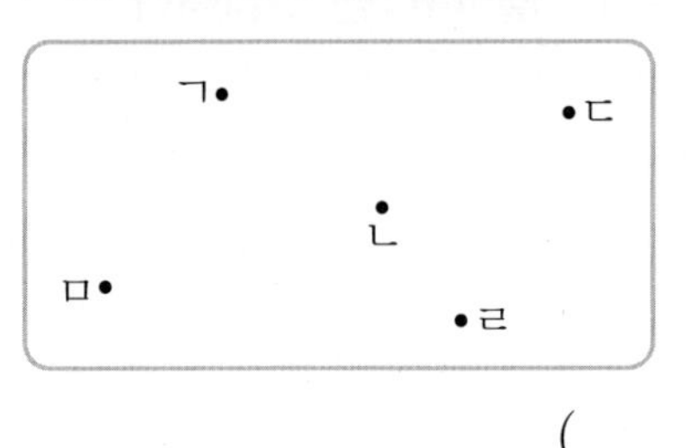


(　　　　　　　　　　)

**2** 직선 가 위의 한 점과 직선 나 위의 한 점을 이용하여 그을 수 있는 반직선은 모두 몇 개인지 구해 보시오.

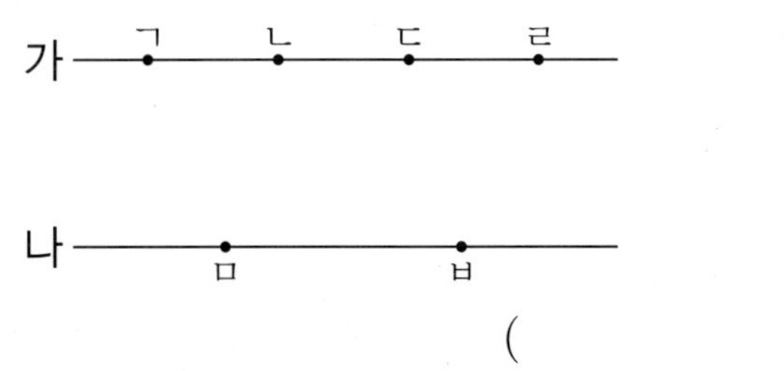


(　　　　　　　　　　)

● 반직선 ㄱㅁ과 반직선 ㅁㄱ은 시작점이 다르므로 서로 다른 반직선입니다.

**3** 오른쪽 그림 위에 직선을 1개만 그어서 찾을 수 있는 크고 작은 직각삼각형이 3개가 되도록 만들어 보시오.

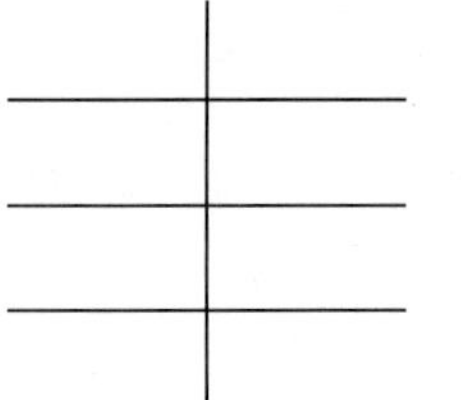

**4** 직사각형 ㄱㄴㄷㄹ에서 색칠한 사각형은 모두 정사각형입니다. 선분 ㅅㄴ의 길이는 몇 cm인지 구해 보시오.

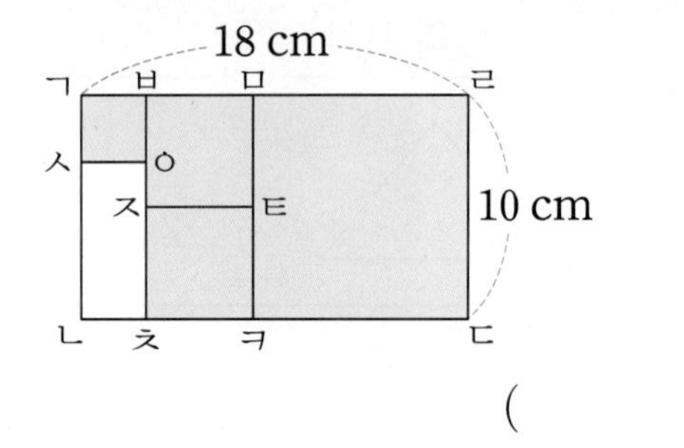


(　　　　　　　　　　)

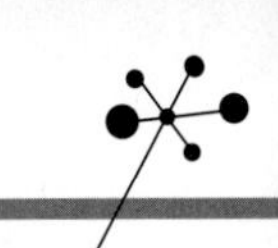

**5** 오른쪽 그림과 같이 일정한 간격으로 점이 9개 있습니다. 이 중에서 점 3개를 꼭짓점으로 하는 직각삼각형을 만들려고 합니다. 만들 수 있는 서로 다른 모양의 직각삼각형은 모두 몇 가지인지 구해 보시오.

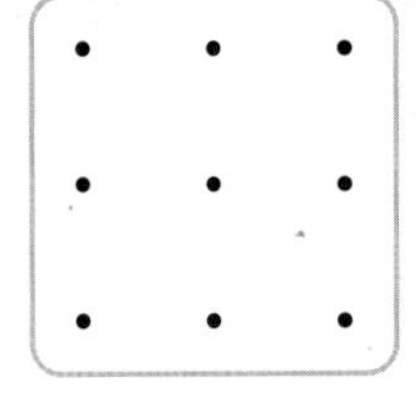

(　　　　　　　　)

**비법 PLUS +**

- 변의 길이에 관계없이 한 각이 직각이 되게 서로 다른 모양의 삼각형을 그려 봅니다.

**6** 오른쪽과 같은 직사각형 모양의 종이를 잘라 한 변이 6 cm인 정사각형을 여러 개 만들려고 합니다. 정사각형은 몇 개까지 만들 수 있는지 구해 보시오.

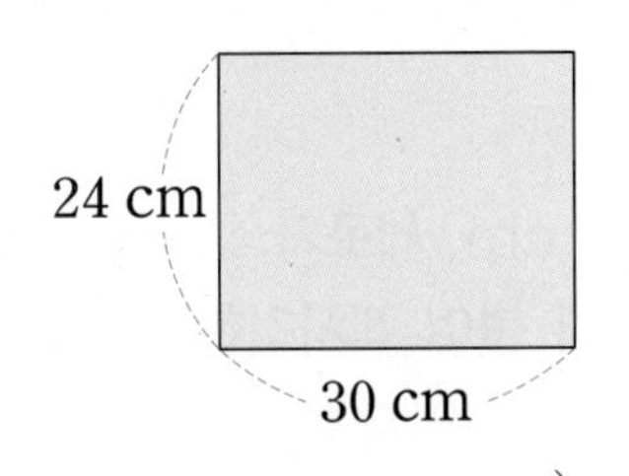


(　　　　　　　　)

• 서술형 문제 •

**7** 오른쪽은 똑같은 정사각형 3개와 직사각형 1개를 겹치지 않게 이어 붙여 만든 도형입니다. 도형을 둘러싼 굵은 선의 길이는 몇 cm인지 풀이 과정을 쓰고 답을 구해 보시오.

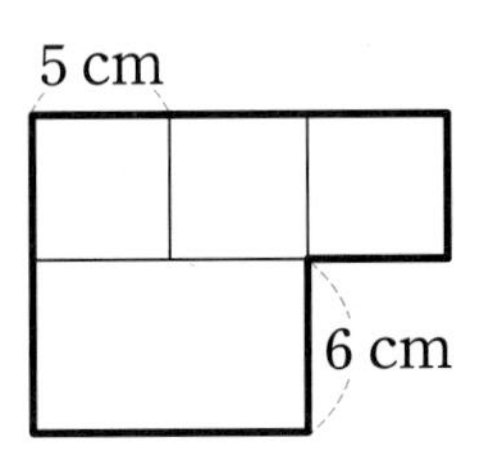


풀이 ______________________________

______________________________

______________________________

답 ______________

**8** 직사각형 모양의 종이 ㄱㄴㄷㄹ을 그림과 같이 접었습니다. 정사각형 ㄱㄴㅂㅁ의 네 변의 길이의 합은 직사각형 ㄱㄴㄷㄹ의 네 변의 길이의 합보다 10 cm 더 짧습니다. 직사각형 ㄱㄴㄷㄹ의 가로는 몇 cm인지 구해 보시오.

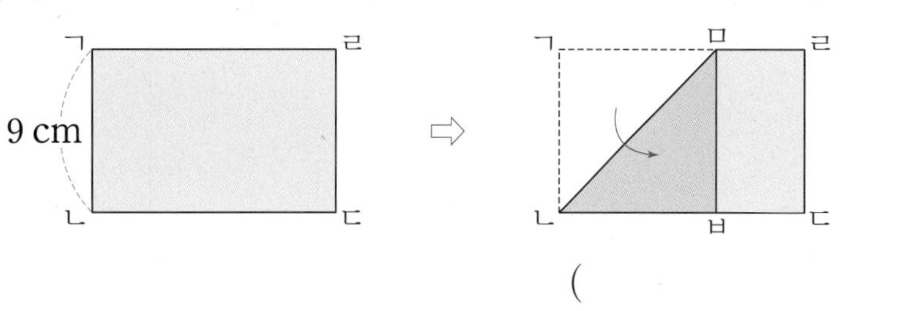


(　　　　　　　　)

비법 PLUS +

● 서술형 문제 ●

**9** 그림과 같이 가로가 10 cm, 세로가 4 cm인 직사각형 모양의 종이 5장을 2 cm씩 겹치도록 이어 붙여 직사각형을 만들었습니다. 만든 직사각형의 네 변의 길이의 합은 몇 cm인지 풀이 과정을 쓰고 답을 구해 보시오.

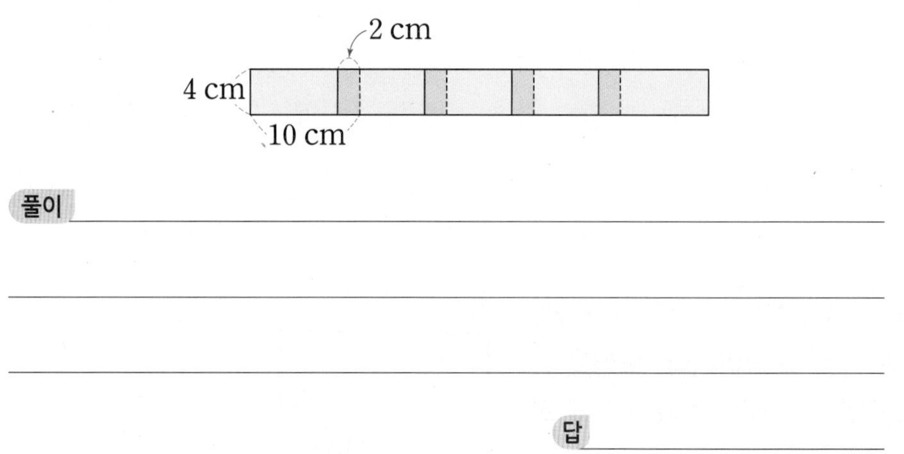


풀이

답

- (만든 직사각형의 가로)
  =(직사각형 모양의 종이 5장의 가로의 합)
  −(겹쳐진 부분의 길이의 합)

**10** 오른쪽은 크기가 같은 정사각형 12개를 겹치지 않게 이어 붙여 만든 도형입니다. 도형에서 찾을 수 있는 크고 작은 직사각형 중에서 색칠한 정사각형을 포함하는 직사각형은 모두 몇 개인지 구해 보시오.

(　　　　　　　　)

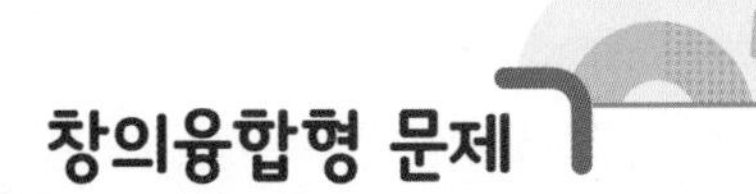

## 창의융합형 문제

**11** 하늘의 별을 찾아내기 쉽게 몇 개씩 이어서 만든 모양에 동물이나 물건, 신화 속의 인물 등의 이름을 붙여 놓은 것을 별자리라고 합니다. 헤르쿨레스자리는 헤라클레스가 제우스의 아들로 태어났으나 헤라 여신의 미움을 받아 온갖 고통을 겪으며 큰물뱀 히드라를 물리치는 모습을 나타낸 것입니다. 다음은 선우가 헤르쿨레스자리의 별들을 점으로 하여 선분으로 이어 그린 것입니다. 헤르쿨레스자리에서 찾을 수 있는 선분은 몇 개인지 구해 보시오.

▲ 헤르쿨레스자리

( )

**창의융합 PLUS +**

**헤라클레스**

헤라클레스는 제우스의 아들로, 질투에 사로 잡힌 헤라 여신에게 괴롭힘을 받았지만 용감함과 지혜를 가진 위대한 영웅으로 성장하였습니다. 헤라클레스는 죽은 뒤 신의 위치에 오른 그리스 신화 최고의 영웅입니다.

**12** 성냥개비 16개 중에서 4개만 옮겨 찾을 수 있는 크고 작은 정사각형이 3개가 되도록 모양을 만들어 보시오. (단, 성냥개비는 겹치거나 부러뜨릴 수 없고, 정사각형의 크기가 모두 같으면 안 됩니다.)

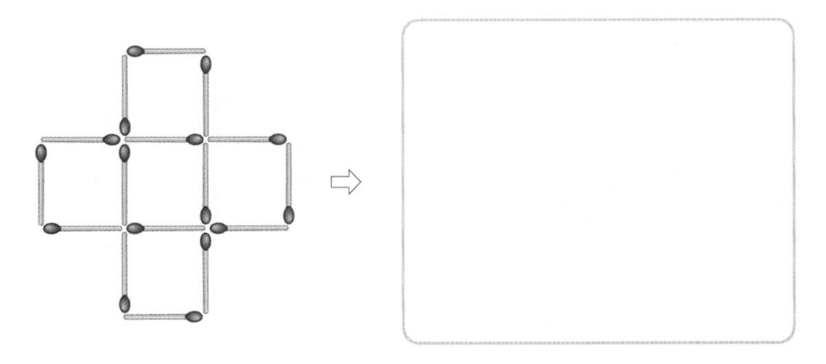

**존 워커(1781~1859)**

존 워커는 1827년 화학실험 중 우연히 두 화학물질을 섞다가 성냥을 처음 만들게 되었습니다. 나뭇개비에 두 화학물질을 바르고 종이에 유릿가루와 흙을 발라 서로 비볐더니 성냥이 되었습니다. 냄새가 적고 폭발 위험이 없는 현재의 성냥은 1847년 스웨덴 사업가들에 의해 만들어졌습니다.

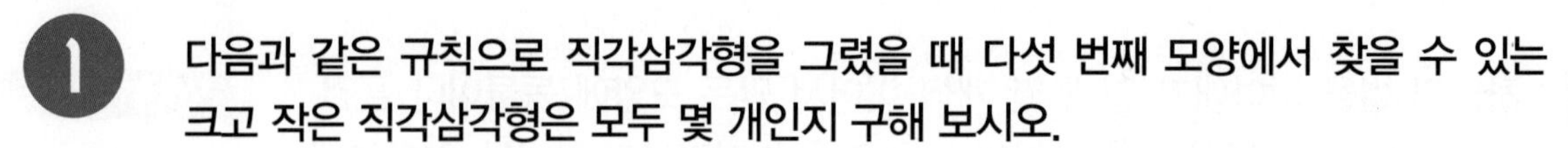

# STEP 4 최상위권 문제

• 문제 풀이 동영상

**1** 다음과 같은 규칙으로 직각삼각형을 그렸을 때 다섯 번째 모양에서 찾을 수 있는 크고 작은 직각삼각형은 모두 몇 개인지 구해 보시오.

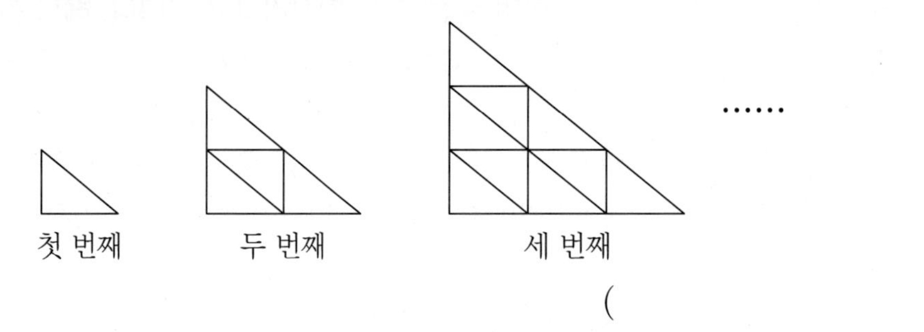


(　　　　　　　　　)

**2** 오른쪽 그림과 같이 가로가 27 cm, 세로가 21 cm 인 직사각형의 둘레에 한 변이 3 cm인 정사각형을 겹치지 않게 이어 붙이려고 합니다. 필요한 정사각형은 모두 몇 개인지 구해 보시오.

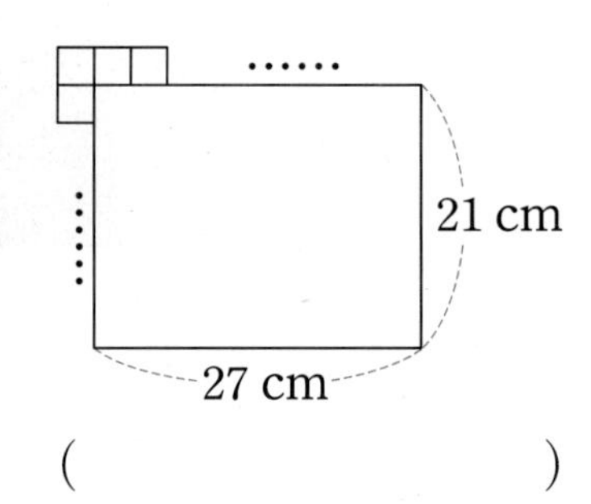


(　　　　　　　　　)

**3** 정사각형 모양의 종이를 그림과 같이 모양과 크기가 같은 두 개의 직사각형으로 잘랐습니다. 자른 직사각형 한 개의 네 변의 길이의 합이 24 cm일 때, 처음 정사각형의 네 변의 길이의 합은 몇 cm인지 구해 보시오.

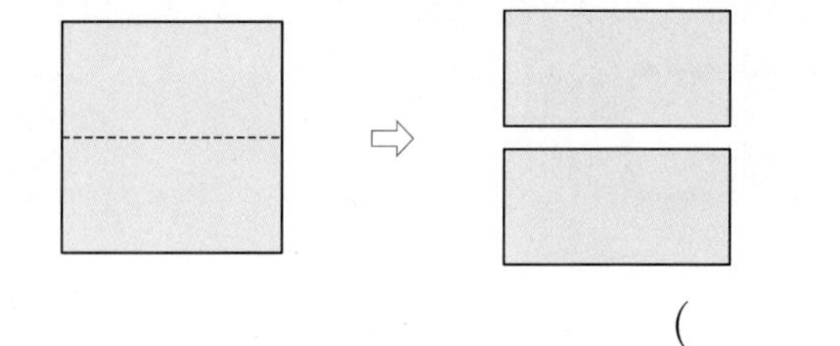

(　　　　　　　　　)

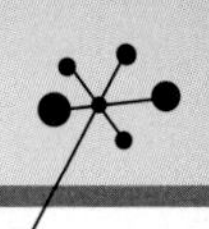

**4** 직사각형 ㄱㄴㄷㄹ을 그림과 같이 5개의 정사각형으로 나누었습니다. 변 ㄴㄷ의 길이는 몇 cm인지 구해 보시오.

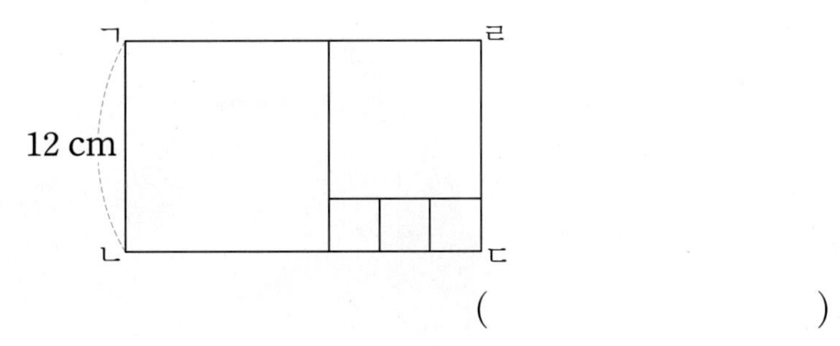


( )

**5** 한 변이 26 cm인 정사각형 2개를 겹치지 않게 이어 붙인 다음, 그 안에 한 변이 14 cm인 정사각형 3개를 겹치지 않게 이어 붙여 만든 도형입니다. 굵은 선의 길이는 몇 cm인지 구해 보시오.

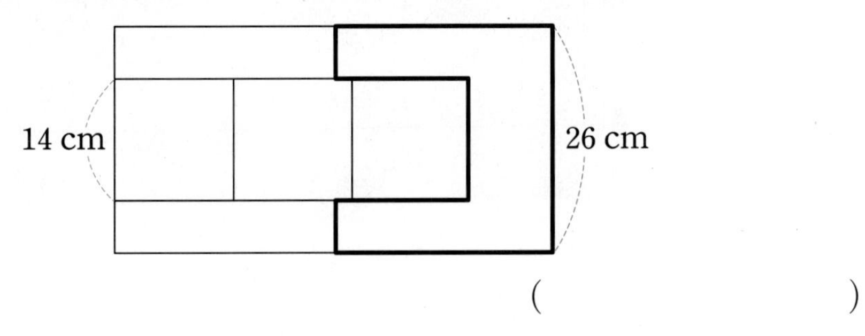


( )

**6** 오른쪽 그림과 같이 일정한 간격으로 점이 24개 있습니다. 이 중에서 4개의 점을 꼭짓점으로 하는 정사각형을 만들려고 합니다. 만들 수 있는 크고 작은 정사각형은 모두 몇 개인지 구해 보시오.

( )

## 레온하르트 오일러 (Leonhard Euler)

- **출생~사망:** 1707~1783
- **국적:** 스위스
- **업적:** 스위스의 수학자이자 물리학자로 수학, 천문학, 의학, 식물학 등 다양한 분야를 연구하였습니다. 다면체(평면도형으로 둘러싸인 입체도형)의 모서리(다면체에서 각 면이 만나는 선분들)와 변, 꼭짓점 사이의 관계를 밝힌 것을 '오일러 공식'이라 합니다.

# 나눗셈

# STEP 1 핵심 개념과 문제

## 1 똑같이 나누기 (1) — 똑같이 나누어 주는 나눗셈

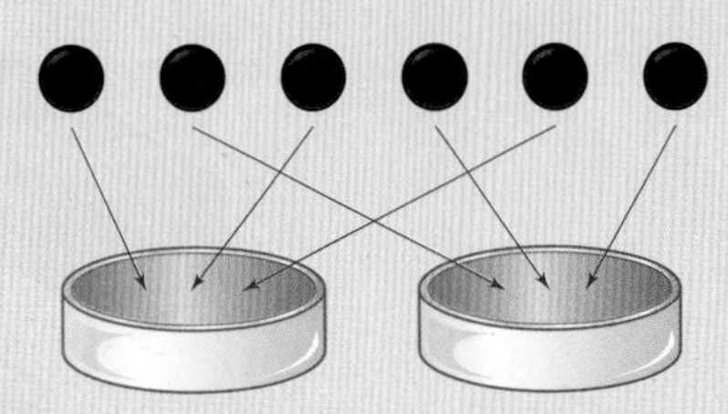

- 바둑돌 6개를 2통에 똑같이 나누면 한 통에 3개씩 담을 수 있습니다.

$$6 \div 2 = 3$$

- $6 \div 2 = 3$과 같은 식을 나눗셈식이라 하고
  6 나누기 2는 3과 같습니다라고 읽습니다.
- 3은 6을 2로 나눈 몫, 6은 나누어지는 수, 2는 나누는 수라고 합니다.

## 2 똑같이 나누기 (2) — 같은 양이 몇 번 들어 있는 나눗셈

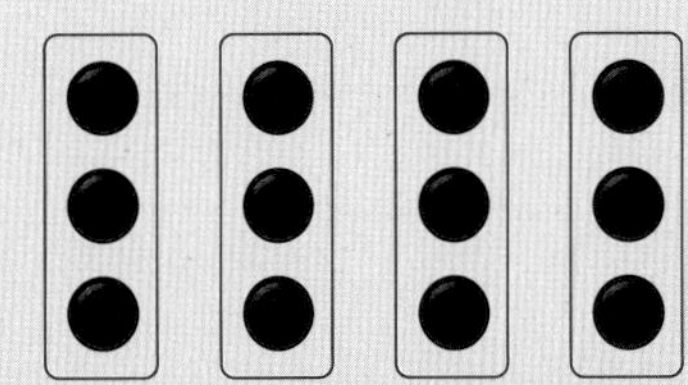

- 바둑돌 12개를 3개씩 묶어 보면 4묶음이 됩니다.
- $12-3-3-3-3=0$ — 12에서 3씩 4번 빼면 0이 됩니다. (4번)

**나눗셈식** $12 \div 3 = ④$ — 몫

**읽기** 12 나누기 3은 4와 같습니다.

## 3 곱셈과 나눗셈의 관계

- 곱셈식을 나눗셈식으로 바꾸기

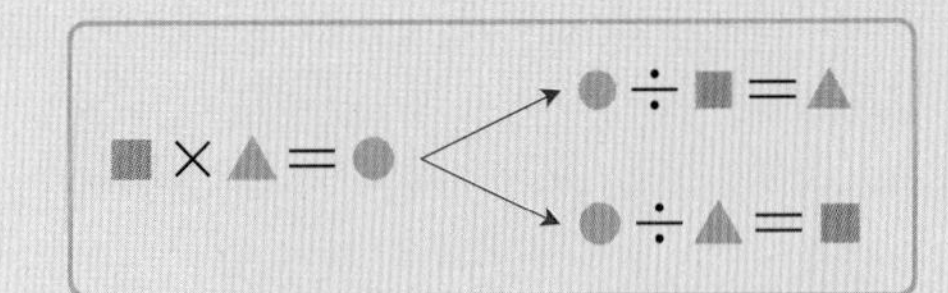


$5 \times 8 = 40$ → $40 \div 5 = 8$, $40 \div 8 = 5$

- 나눗셈식을 곱셈식으로 바꾸기

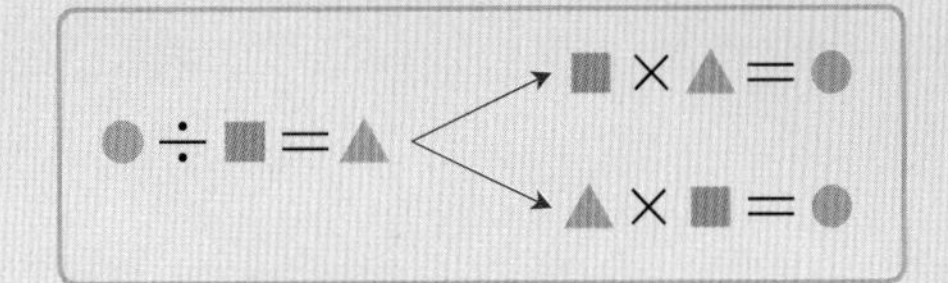


$40 \div 5 = 8$ → $5 \times 8 = 40$, $8 \times 5 = 40$

---

**초 3-2 연계**

★ **나눗셈의 몫과 나머지**

23을 5로 나누면 몫은 4이고, 3이 남습니다.
이때 3을 $23 \div 5$의 나머지라고 합니다.

$$23 \div 5 = 4 \cdots 3$$

(4: 몫, 3: 나머지)

**개념 PLUS**

★ **나눗셈에서 나누어지는 수 또는 나누는 수가 0인 경우**

- 나눗셈에서 나누어지는 수가 0인 경우 몫은 항상 0입니다.
  $0 \div 2 =$(몫)
  ⇨ $2 \times$(몫)$=0$, (몫)$=0$
- 나눗셈에서 나누는 수가 0인 경우는 없습니다.
  $2 \div 0 =$(몫)
  ⇨ $0 \times$(몫)$=2$를 만족하는 몫은 없습니다.

**1** 초콜릿 36개를 9명이 똑같이 나누어 먹으려고 합니다. 한 명이 초콜릿을 몇 개씩 먹을 수 있습니까?

식 ____________________

답 ____________

**2** 48쪽짜리 동화책을 하루에 6쪽씩 읽으려고 합니다. 동화책을 모두 읽는 데 며칠이 걸립니까?

식 ____________________

답 ____________

**3** 곱셈식을 나눗셈식으로, 나눗셈식을 곱셈식으로 바꿔 보시오.

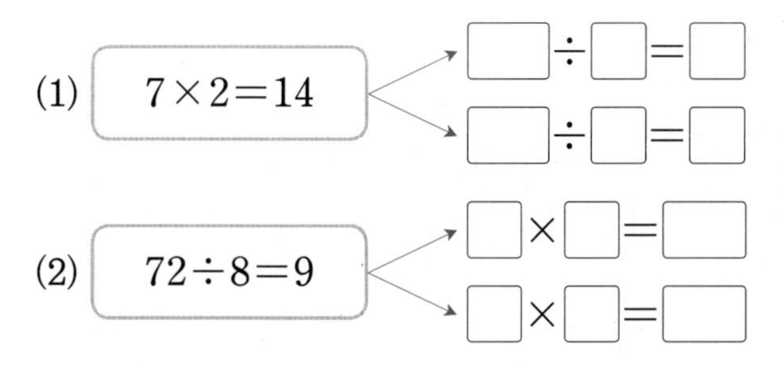


**4** 그림을 보고 곱셈식과 나눗셈식으로 나타내어 보시오.

곱셈식 ____________________

나눗셈식 ____________________

**5** 사탕 18개를 한 명에게 3개씩 나누어 주려고 합니다. 몇 명에게 나누어 줄 수 있는지 두 가지 방법으로 구해 보시오.

방법1 뺄셈으로 해결하기

식 ____________________

방법2 나눗셈으로 해결하기

식 ____________________

(　　　　　　　)

**6** 남김없이 똑같이 나누어 가질 수 있는 경우를 찾아보시오.

가. 색종이 21장을 4명이 나누어 가지기.
나. 연필 22자루를 5명이 나누어 가지기.
다. 지우개 24개를 6명이 나누어 가지기.
라. 볼펜 25자루를 7명이 나누어 가지기.

(　　　　　　　)

## 4 나눗셈의 몫을 곱셈식에서 구하기

• 곱셈식의 곱을 곱해지는 수로 나누면 곱하는 수가 몫이 됩니다.

$21 \div 3 = \boxed{7}$ ⇨ $3 \times \boxed{7} = 21$

• 곱셈식의 곱을 곱하는 수로 나누면 곱해지는 수가 몫이 됩니다.

$20 \div 5 = \boxed{4}$ ⇨ $\boxed{4} \times 5 = 20$

## 5 나눗셈의 몫을 곱셈구구로 구하기

• 나눗셈 $56 \div 8$의 몫을 곱셈표를 이용하여 구하기

| × | 1 | 2 | 3 | 4 | 5 | 6 | ⑦ (몫) | 8 | 9 |
|---|---|---|---|---|---|---|---|---|---|
| 1 | 1 | 2 | 3 | 4 | 5 | 6 | 7 | 8 | 9 |
| 2 | 2 | 4 | 6 | 8 | 10 | 12 | 14 | 16 | 18 |
| 3 | 3 | 6 | 9 | 12 | 15 | 18 | 21 | 24 | 27 |
| 4 | 4 | 8 | 12 | 16 | 20 | 24 | 28 | 32 | 36 |
| 5 | 5 | 10 | 15 | 20 | 25 | 30 | 35 | 40 | 45 |
| 6 | 6 | 12 | 18 | 24 | 30 | 36 | 42 | 48 | 54 |
| (몫) ⑦ | 7 | 14 | 21 | 28 | 35 | 42 | 49 | 56 | 63 |
| 8 | 8 | 16 | 24 | 32 | 40 | 48 | 56 | 64 | 72 |
| 9 | 9 | 18 | 27 | 36 | 45 | 54 | 63 | 72 | 81 |

$56 \div 8$의 몫을 구하려면 나누는 수인 8의 단 곱셈구구에서 곱이 나누어지는 수인 56이 되는 곱셈식을 찾으면 됩니다.

⇨ $56 \div 8 = ⑦$ ← 몫

초 3-2 연계

**★ 나눗셈식을 세로로 쓰는 방법**

각 자리에 맞춰서 몫을 써야 합니다.

$40 \div 2 = 20$ ⇨ $2\overline{)40}$ (몫 20)

개념 PLUS

**★ 나누는 수가 1인 경우**

곱셈표에서 1의 단 곱셈구구를 찾아보면 (나누어지는 수)÷1의 몫은 항상 나누어지는 수입니다.

■ ÷ 1 = ■

**★ 나누어지는 수와 나누는 수가 같은 경우**

곱셈표의 ■의 단 곱셈구구에서 곱이 ■가 되는 곱셈식을 찾아보면 ■ ÷ ■의 몫은 항상 1입니다.

■ ÷ ■ = 1

**1** 몫의 크기를 비교하여 ○ 안에 >, =, <를 알맞게 써넣으시오.

(1) $32 \div 8$ ○ $25 \div 5$

(2) $18 \div 3$ ○ $42 \div 7$

**[2~3] 곱셈표를 이용하여 나눗셈의 몫을 구해 보시오.**

| × | 1 | 2 | 3 | 4 | 5 | 6 | 7 | 8 | 9 |
|---|---|---|---|---|---|---|---|---|---|
| 1 | 1 | 2 | 3 | 4 | 5 | 6 | 7 | 8 | 9 |
| 2 | 2 | 4 | 6 | 8 | 10 | 12 | 14 | 16 | 18 |
| 3 | 3 | 6 | 9 | 12 | 15 | 18 | 21 | 24 | 27 |
| 4 | 4 | 8 | 12 | 16 | 20 | 24 | 28 | 32 | 36 |
| 5 | 5 | 10 | 15 | 20 | 25 | 30 | 35 | 40 | 45 |
| 6 | 6 | 12 | 18 | 24 | 30 | 36 | 42 | 48 | 54 |
| 7 | 7 | 14 | 21 | 28 | 35 | 42 | 49 | 56 | 63 |
| 8 | 8 | 16 | 24 | 32 | 40 | 48 | 56 | 64 | 72 |
| 9 | 9 | 18 | 27 | 36 | 45 | 54 | 63 | 72 | 81 |

**2** 장미가 28송이 있습니다. 7명이 똑같이 나누어 가지면 한 명이 장미를 몇 송이씩 가질 수 있습니까?

식 ____________________

답 ____________

**3** 구슬이 64개 있습니다. 한 명에게 8개씩 주면 몇 명에게 나누어 줄 수 있습니까?

식 ____________________

답 ____________

**4** ㉠에 알맞은 수를 구해 보시오.

$45 \div 5 =$ ㉠ $\div 2$

(　　　　　　)

**5** 어느 과수원에서 오전에 딴 귤 35개와 오후에 딴 귤 28개를 9봉지에 똑같이 나누어 담았습니다. 한 봉지에 귤을 몇 개씩 담았습니까?

(　　　　　　)

**6** 현주는 색종이 48장을 상자 6개에 똑같이 나누어 담았습니다. 그중 한 상자에 있는 색종이를 모두 꺼내어 친구 4명에게 똑같이 나누어 준다면, 친구 한 명은 색종이를 몇 장씩 받게 됩니까?

(　　　　　　)

# 상위권 문제

## 대표유형 1 바르게 계산한 값 구하기

어떤 수를 3으로 나누어야 할 것을 잘못하여 어떤 수에 3을 곱했더니 18이 되었습니다. 바르게 계산하면 얼마인지 구해 보시오.

(1) 어떤 수는 얼마입니까?

( )

(2) 바르게 계산하면 얼마입니까?

( )

**비법 PLUS +**

(어떤 수)×■=▲
⇨ ▲÷■=(어떤 수)

**유제 1** 어떤 수를 5로 나누어야 할 것을 잘못하여 어떤 수에서 5를 뺐더니 35가 되었습니다. 바르게 계산하면 얼마인지 구해 보시오.

( )

**유제 2** • 서술형 문제 •
어떤 수를 4로 나누어야 할 것을 잘못하여 어떤 수에 4를 더했더니 40이 되었습니다. 바르게 계산하면 얼마인지 풀이 과정을 쓰고 답을 구해 보시오.

풀이 ______

______

______

답 ______

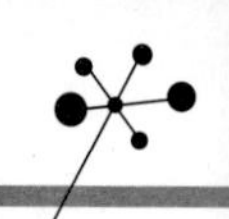

## 대표유형 2 일정한 간격으로 놓을 때 필요한 물건의 수 구하기

길이가 72 m인 도로의 양쪽에 처음부터 끝까지 8 m 간격으로 가로등을 세우려고 합니다. 필요한 가로등은 모두 몇 개인지 구해 보시오. (단, 가로등의 두께는 생각하지 않습니다.)

(1) 도로의 한쪽에 세우려는 가로등과 가로등 사이의 간격은 몇 군데입니까?

( )

(2) 도로의 한쪽에 필요한 가로등은 몇 개입니까?

( )

(3) 필요한 가로등은 모두 몇 개입니까?

( )

비법 PLUS +

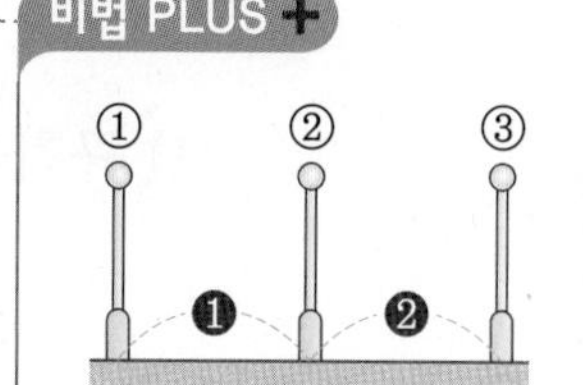


(도로의 한쪽에 필요한 가로등의 수)
=(간격 수)+1

**유제 3** 길이가 56 m인 도로의 양쪽에 처음부터 끝까지 7 m 간격으로 가로수를 심으려고 합니다. 필요한 가로수는 모두 몇 그루인지 구해 보시오. (단, 가로수의 두께는 생각하지 않습니다.)

( )

**유제 4** 길이가 54 m인 도로의 한쪽에 일정한 간격으로 나무를 10그루 심었습니다. 도로의 처음부터 끝까지 나무를 심었다면 나무 사이의 간격은 몇 m인지 구해 보시오. (단, 나무의 두께는 생각하지 않습니다.)

( )

## 대표유형 3 규칙을 찾아 ■번째 수 구하기

수를 일정한 규칙에 따라 늘어놓았습니다. 24번째 수는 무엇인지 구해 보시오.

1 1 0 1 1 0 1 1 0……

(1) 규칙을 찾아 □ 안에 알맞은 수를 써넣으시오.

규칙적으로 반복되는 수는 □, □, □이고, 반복되는 수끼리 묶으면 한 묶음 안의 수는 □개입니다.

(2) 24번째 수는 무엇입니까?

(　　　　　　)

**비법 PLUS +**

일정한 규칙에 따라 늘어놓은 수에서 규칙적으로 반복되는 수를 묶었을 때 한 묶음 안의 수가 ■개이면 ■번째, (■ × 2)번째, (■ × 3)번째…… 수는 묶음의 마지막 수와 같습니다.

**유제 5** 수를 일정한 규칙에 따라 늘어놓았습니다. 32번째 수는 무엇인지 구해 보시오.

8 6 3 5 8 6 3 5 8 6 3 5……

(　　　　　　)

**유제 6** 수를 일정한 규칙에 따라 늘어놓았습니다. 46번째 수는 무엇인지 구해 보시오.

9 0 0 4 2 9 0 0 4 2 9 0 0 4 2……

(　　　　　　)

## 대표유형 4 같은 시간 동안 간 거리 비교하기

일정한 빠르기로 1시간에 4 m를 가는 달팽이와 1시간에 6 m를 가는 애벌레가 있습니다. 이 달팽이와 애벌레가 같은 곳에서 동시에 같은 방향으로 출발했다면 달팽이가 32 m 갔을 때 애벌레는 달팽이보다 몇 m 앞서 있는지 구해 보시오.

(1) 달팽이가 32 m를 가는 동안 걸린 시간은 몇 시간입니까?

( )

(2) 달팽이가 32 m를 가는 동안 애벌레가 간 거리는 몇 m입니까?

( )

(3) 애벌레는 달팽이보다 몇 m 앞서 있습니까?

( )

**비법 PLUS +**

달팽이가 32 m를 가는 동안 애벌레는 몇 m를 갔는지 구해 봅니다.

**유제 7** 일정한 빠르기로 1분에 8 m를 가는 코알라와 1분에 3 m를 가는 나무늘보가 있습니다. 이 코알라와 나무늘보가 같은 곳에서 동시에 같은 방향으로 출발했다면 나무늘보가 27 m 갔을 때 코알라는 나무늘보보다 몇 m 앞서 있는지 구해 보시오.

( )

• 서술형 문제 •

**유제 8** 일정한 빠르기로 1분에 7 m를 달리는 장난감 기차와 1분에 5 m를 달리는 장난감 자동차가 있습니다. 같은 곳에서 동시에 반대 방향으로 출발했다면 장난감 자동차가 35 m를 달렸을 때 장난감 기차와 장난감 자동차는 몇 m 떨어져 있는지 풀이 과정을 쓰고 답을 구해 보시오.

풀이

답

## 대표유형 5 수 카드로 나눗셈식 만들기

4장의 수 카드 3, 4, 5, 6 중에서 3장을 뽑아 한 번씩만 사용하여 몫이 9가 되는 (두 자리 수)÷(한 자리 수)의 나눗셈식을 만들려고 합니다. 만들 수 있는 나눗셈식을 모두 써 보시오.

$\square\square \div \square = 9$

(1) 다음은 9의 단 곱셈구구에서 곱하는 수가 3, 4, 5, 6일 때의 곱셈식입니다. 곱셈식을 보고 몫이 9가 되는 나눗셈식으로 모두 바꿔 보시오.

$9 \times 3 = 27$, $9 \times 4 = 36$, $9 \times 5 = 45$, $9 \times 6 = 54$

⇨ (　　　　　　　　　　　　)

(2) 위 (1)의 나눗셈식 중에서 수 카드로 만들 수 있는 나눗셈식을 모두 써 보시오.

(　　　　　　　　　　　　)

**비법 PLUS +**

나눗셈의 몫이 9가 되어야 하므로 9의 단 곱셈구구를 이용합니다. 곱셈식을 나눗셈식으로 바꿔 보고, 수 카드로 만들 수 있는 나눗셈식을 모두 찾습니다.

**유제 9**

4장의 수 카드 2, 3, 4, 5 중에서 3장을 뽑아 한 번씩만 사용하여 몫이 8이 되는 (두 자리 수)÷(한 자리 수)의 나눗셈식을 만들려고 합니다. 만들 수 있는 나눗셈식을 모두 써 보시오.

$\square\square \div \square = 8$

(　　　　　　　　　　　　)

**유제 10**

5장의 수 카드 1, 2, 3, 4, 6 중에서 3장을 뽑아 한 번씩만 사용하여 몫이 7이 되는 (두 자리 수)÷(한 자리 수)의 나눗셈식을 만들려고 합니다. 만들 수 있는 나눗셈식을 모두 써 보시오.

$\square\square \div \square = 7$

(　　　　　　　　　　　　)

## 신유형 6 남거나 모자람을 이용하여 물건값 구하기

**다음은 중국 고대 수학서인 『구장산술』의 영부족(남거나 모자라는 것) 편에 나온 문제를 응용한 것입니다. 물건값은 얼마인지 구해 보시오.**

> 여럿이서 함께 물건을 구매하려고 하는데, 각자 7전씩 내면 28전이 남고, 3전씩 내면 딱 맞는다고 합니다. 물건값은 얼마입니까?
> (전: 중국 당나라 때의 화폐 단위)

(1) 물건을 구매하려는 사람을 ■명이라 할 때 □ 안에 알맞은 수를 써넣으시오.

$7\times$ ■ $=$(물건값)$+$□, □$\times$ ■ $=$(물건값)

(2) 물건을 구매하려는 사람은 몇 명입니까?

(　　　　　　　)

(3) 물건값은 얼마입니까?

(　　　　　　　)

**신유형 PLUS +**

**구장산술**
중국의 고대 수학책으로 9개의 장으로 나뉘어져 있습니다. 246개의 실전 문제는 당시 사회 모습을 알 수 있는 자료로서도 가치가 높습니다.

### 유제 11 다음 글을 읽고 물건값은 얼마인지 구해 보시오.

> 여럿이서 함께 물건을 구매하려고 하는데, 각자 6전씩 내면 16전이 모자라고, 8전씩 내면 딱 맞는다고 합니다. 물건값은 얼마입니까?

(　　　　　　　)

### 유제 12 다음 글을 읽고 물건값은 얼마인지 구해 보시오.

> 여럿이서 함께 물건을 구매하려고 하는데, 각자 6전씩 내면 18전이 모자라고, 9전씩 내면 딱 맞는다고 합니다. 물건값은 얼마입니까?

(　　　　　　　)

# 상위권 문제 확인과 응용

비법 PLUS +

**1** ■와 ▲에 알맞은 수의 합을 구해 보시오.

■÷5=▲　　4×▲=28

(　　　　　　)

**2** 수미와 친구 6명이 색종이 42장을 똑같이 나누어 가졌습니다. 수미는 가진 색종이를 하루에 3장씩 사용하려고 합니다. 며칠 동안 사용할 수 있는지 구해 보시오.

(　　　　　　)

○ 수미와 친구 6명은 모두 7명인 것에 주의합니다.

**3** 토끼 2마리가 하루에 당근 6개를 먹습니다. 모든 토끼가 매일 똑같은 수의 당근을 먹는다면 토끼 7마리가 당근 63개를 먹는 데에는 며칠이 걸리는지 구해 보시오.

(　　　　　　)

**4** 민준이는 빨리 말하기 대회에 출전하기 위해 발음하기 어려운 말을 규칙적으로 말하며 말하기 연습을 하고 있습니다. 민준이가 말한 글자가 모두 49자이면 글자 '장'은 모두 몇 번 말했는지 구해 보시오.

간장공장공장장간장공장공장장
간장공장공장장……

(　　　　　　)

○ 어떤 말이 반복되는 규칙인지 찾아보고, 반복되는 말의 글자 수와 그 말이 몇 번 반복되는지 알아봅니다.

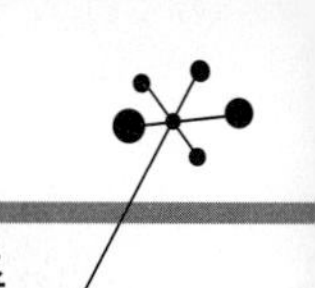



**5** 다음과 같이 크기가 같은 정사각형 3개를 겹치지 않게 이어 붙여 직사각형을 만들었습니다. 정사각형의 네 변의 길이의 합이 20 cm라면 만든 직사각형의 네 변의 길이의 합은 몇 cm인지 구해 보시오.

| | | |
|---|---|---|
| | | |

( )

**비법 PLUS +**

- 직사각형의 네 변의 길이의 합은 정사각형의 한 변의 몇 배인지 구해 봅니다.

**6** ㉮, ㉯ 두 공장에서 시계를 만들고 있습니다. ㉮ 공장에서는 1분에 7개씩 만들고, ㉯ 공장에서는 1분에 9개씩 만듭니다. ㉮ 공장이 ㉯ 공장보다 2분 먼저 시계를 만들기 시작하여 56개를 만들었을 때, ㉯ 공장에서 만든 시계는 몇 개인지 구해 보시오.

( )

• 서술형 문제 •

**7** 5장의 수 카드 [2], [4], [5], [7], [9] 중에서 3장을 뽑아 한 번씩만 사용하여 몫이 6이 되는 (두 자리 수)÷(한 자리 수)의 나눗셈식을 만들려고 합니다. 만들 수 있는 나눗셈식은 모두 몇 개인지 풀이 과정을 쓰고 답을 구해 보시오.

$\square\square \div \square = 6$

풀이 ______________________

______________________

______________________

답 ____________

**8** 나눗셈식에서 몫이 될 수 있는 수들의 합을 구해 보시오. (단, 몫은 한 자리 수입니다.)

2■÷3=▲

( )

비법 PLUS+

- 곱셈과 나눗셈의 관계를 이용하여 몫이 될 수 있는 수를 구해 봅니다.

• 서술형 문제 •

**9** 길이가 서로 다른 막대 2개가 있습니다. 긴 막대의 길이는 짧은 막대의 길이보다 12 cm 더 길고, 두 막대의 길이의 합은 20 cm입니다. 긴 막대를 잘라 짧은 막대와 길이가 같은 막대를 몇 개 만들 수 있는지 풀이 과정을 쓰고 답을 구해 보시오.

풀이 

답 

**10** 그림과 같이 가로가 37 m인 직사각형 모양의 벽에 폭이 3 m인 종이를 7장 붙이려고 합니다. 양쪽 벽의 끝과 종이 사이, 종이와 종이 사이의 간격을 모두 일정하게 한다면 그 간격을 몇 m로 해야 합니까?

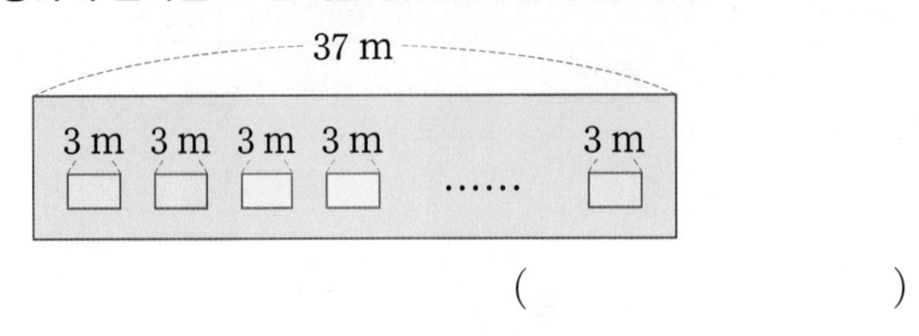


( )

- (양쪽 벽의 끝과 종이 사이, 종이와 종이 사이의 모든 간격 수)=(종이의 수)+1

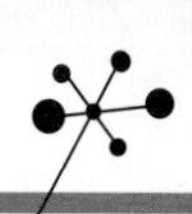

## 창의융합형 문제

**11** 기타는 현악기의 하나로 줄이 6개이고 왼손 손가락으로 줄을 눌러 음정을 고르고 오른손 손가락으로 줄을 튕겨 연주하는 악기입니다. 또, 첼로는 대형 저음 현악기로 줄이 4개이고 의자에 앉아 악기를 무릎 사이에 끼고 활로 줄을 문질러서 연주하는 악기입니다. 음악실에 기타 8대와 첼로 몇 대가 있고 줄 수를 세어 보니 모두 72줄이었습니다. 첼로는 몇 대 있는지 구해 보시오.

▲ 기타

▲ 첼로

(　　　　　　　　　)

**12** 경기를 거듭할 때마다 진 편은 제외시키면서 이긴 편끼리 겨루어 최후에 남는 두 편이 우승을 가리는 방법을 토너먼트라고 합니다. 어느 태권도 대회에 16명이 참가하여 토너먼트 방법으로 우승자를 가리려고 합니다. 경기 시간은 한 경기당 4분이 걸리고 경기와 경기 사이에 쉬는 시간은 없습니다. 첫 경기부터 결승전을 마칠 때까지의 경기 시간은 모두 몇 분인지 구해 보시오. (단, 동시에 치르는 경기는 없고, 한 경기를 마친 후에 다음 경기를 시작합니다.)

▲ 태권도 경기

(　　　　　　　　　)

**창의융합 PLUS +**

**○ 현악기**

현악기는 줄을 이용해서 연주하는 악기를 말합니다. 줄을 이용해 소리를 내는 방법으로 음악을 표현하는데 기타처럼 손으로 줄을 튕겨서 소리내는 경우와 첼로처럼 활을 이용해 소리내는 경우가 있습니다.

**○ 리그전과 토너먼트**

대부분의 대회는 모든 팀이 서로 한 번 또는 2~4번씩 겨루는 리그전 방법이나 승자 진출 방식인 토너먼트 방법으로 우승을 가리지만 때로는 두 방법을 함께 사용하여 우승을 가리기도 합니다.

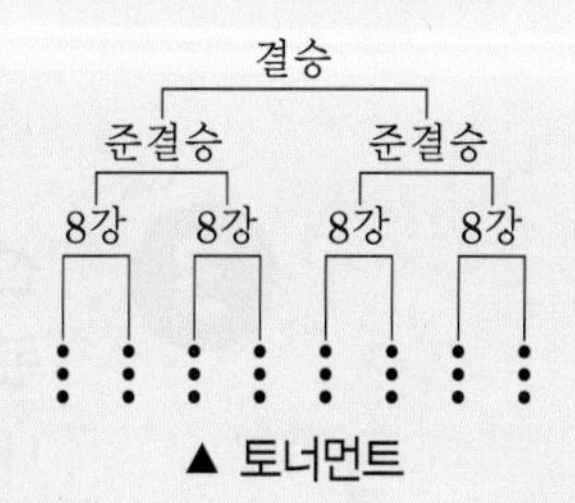

▲ 토너먼트

# 최상위권 문제

• 문제 풀이 동영상

**1** 네 변의 길이의 합이 36 cm인 정사각형을 그림과 같이 모양과 크기가 같은 직사각형 4개와 작은 정사각형 한 개로 나누었습니다. 색칠한 작은 정사각형 한 개의 네 변의 길이의 합은 몇 cm인지 구해 보시오.

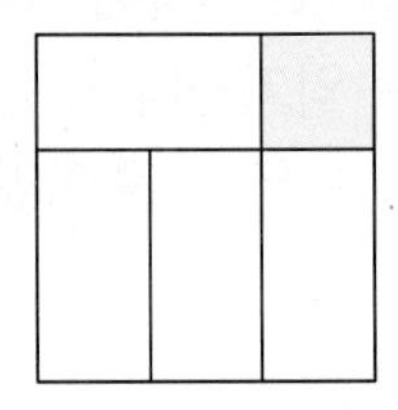

(　　　　　　　　)

**2** 다음을 만족하는 ㉠과 ㉡을 각각 구해 보시오.

• ㉠과 ㉡의 합은 40입니다.
• ㉠을 ㉡으로 나누면 몫은 7입니다.

㉠ (　　　　　　　　)
㉡ (　　　　　　　　)

**3** 선생님의 작년 나이를 7로 나누면 몫이 ■이고, 선생님의 올해 나이를 9로 나누면 몫이 ▲입니다. 선생님의 올해 나이가 25살보다 많고 50살보다 적다면 선생님의 내년 나이는 몇 살인지 구해 보시오.

(　　　　　　　　)

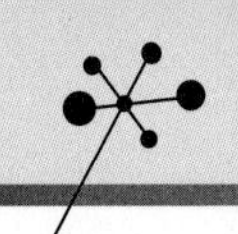

**4** 통나무를 쉬지 않고 5토막으로 자르는 데 24분이 걸립니다. 통나무를 한 번 자르고 나서 3분씩 쉰다면, 통나무를 9토막으로 자르는 데에는 모두 몇 시간 몇 분이 걸리는지 구해 보시오. (단, 통나무를 한 번 자르는 데 걸리는 시간은 일정합니다.)

( )

**5** 일정한 빠르기로 2분에 4 m를 가는 송충이와 3분에 4 m를 가는 굼벵이가 있습니다. 이 굼벵이가 송충이보다 24 m 앞에서 동시에 같은 방향으로 출발했다면 몇 분 후에 송충이와 굼벵이가 만나는지 구해 보시오.

( )

**6** 7장의 수 카드 2, 3, 4, 5, 6, 7, 8 중에서 4장을 뽑아 한 번씩만 사용하여 (두 자리 수)÷(한 자리 수)의 나눗셈식을 만들려고 합니다. 만들 수 있는 나눗셈식은 모두 몇 개인지 구해 보시오.

( )

## 요한 하인리히 란 (Johann Heinrich Rahn)

- **출생~사망:** 1622~1676
- **국적:** 스위스
- **업적:** 1659년에 출판한 『대수학』에서 나눗셈 기호 '÷'를 처음으로 사용하고, '그러므로'라는 의미를 가진 '∴' 기호도 처음으로 사용했다고 전해집니다.

# 4 곱셈

# 핵심 개념과 문제



## 1 (몇십)×(몇)

(몇)×(몇)을 계산한 값에 0을 1개 씁니다.

• 20×3의 계산

$2\times3=6$

$20\times3=60$

## 2 올림이 없는 (몇십몇)×(몇)

일의 자리의 곱은 일의 자리에 쓰고, 십의 자리의 곱은 십의 자리에 씁니다.

• 12×4의 계산

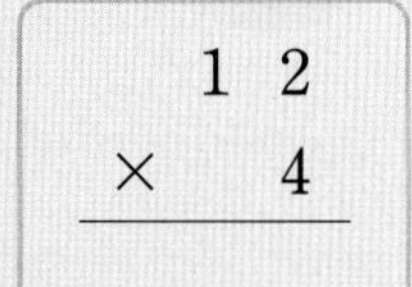


| | | |
|---|---|---|
| | 1 | 2 |
| × | | 4 |
| | | 8 |

일의 자리 수 2와 4의 곱 8을 일의 자리에 씁니다.

⇨

| | | |
|---|---|---|
| | 1 | 2 |
| × | | 4 |
| | 4 | 8 |

십의 자리 수 1과 4의 곱 4를 십의 자리에 씁니다.

## 3 십의 자리에서 올림이 있는 (몇십몇)×(몇)

일의 자리의 곱은 일의 자리에 쓰고, 십의 자리의 곱은 십의 자리에 씁니다. 이때 십의 자리에서 올림한 수는 백의 자리에 씁니다.

• 62×3의 계산

| | | |
|---|---|---|
| | 6 | 2 |
| × | | 3 |

| | | |
|---|---|---|
| | 6 | 2 |
| × | | 3 |
| | | 6 |

일의 자리 수 2와 3의 곱 6을 일의 자리에 씁니다.

⇨

| | | |
|---|---|---|
| | 6 | 2 |
| × | | 3 |
| 1 | 8 | 6 |

십의 자리 수 6과 3의 곱 18에서 8을 십의 자리에 쓰고, 1을 백의 자리에 씁니다.

**초 3-2 연계**

★ (몇십)×(몇십)

(몇)×(몇)을 계산한 값에 0을 2개 씁니다.

$20\times30=600$

0을 2개 씁니다.

**개념 PLUS**

★ 12×4를 세로로 계산하는 2가지 방법

일의 자리부터 계산하기

| | | |
|---|---|---|
| | 1 | 2 |
| × | | 4 |
| | | 8 |
| | 4 | 0 |
| | 4 | 8 |

십의 자리부터 계산하기

| | | |
|---|---|---|
| | 1 | 2 |
| × | | 4 |
| | 4 | 0 |
| | | 8 |
| | 4 | 8 |

★빠른 정답 3쪽, 정답과 풀이 22쪽

**1** 빈칸에 알맞은 수를 써넣으시오.

**2** 계산 결과를 비교하여 ○ 안에 >, =, <를 알맞게 써넣으시오.

(1) $30\times2$ ○ $20\times4$

(2) $22\times3$ ○ $11\times5$

**3** 동화책이 한 상자에 20권씩 들어 있습니다. 5상자에 들어 있는 동화책은 모두 몇 권입니까?

(　　　　　　　　)

**4** □ 안에 알맞은 수를 구해 보시오.

$70\times\square=420$

(　　　　　　　　)

**5** ㉠과 ㉡의 합을 구해 보시오.

㉠ $73\times2$　　㉡ $60\times3$

(　　　　　　　　)

**6** 선우네 학교 3학년은 한 반에 21명씩 4개 반이 있습니다. 3학년 학생이 모두 자신의 화분에 씨앗을 2개씩 심어 키우려고 합니다. 씨앗은 모두 몇 개가 필요합니까?

(　　　　　　　　)

# STEP 1 핵심 개념과 문제

## 4 일의 자리에서 올림이 있는 (몇십몇)×(몇)

> **개념 PLUS**
> 일의 자리에서 올림이 있는 경우 올림을 나타내는 수를 반드시 쓸 필요는 없지만 기억하기 위해 필요한 경우에는 쓸 수 있습니다.

일의 자리의 곱은 일의 자리에 쓰고, 십의 자리의 곱은 십의 자리에 씁니다. 이때 일의 자리에서 올림한 수는 십의 자리의 곱에 더합니다.

• 27×3의 계산

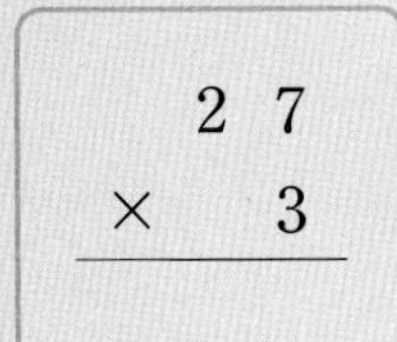

| | 2 | |
|---|---|---|
| | 2 | 7 |
| × | | 3 |
| | | 1 |

일의 자리 수 7과 3의 곱 21에서 1을 일의 자리에 쓰고, 올림하는 수 2를 십의 자리 위에 작게 씁니다.

⇨

| | 2 | |
|---|---|---|
| | 2 | 7 |
| × | | 3 |
| | 8 | 1 |

십의 자리 수 2와 3의 곱 6과 일의 자리에서 올림한 수 2를 더한 값 8을 십의 자리에 씁니다.

## 5 십의 자리와 일의 자리에서 올림이 있는 (몇십몇)×(몇)

> **중1 연계**
> ★ **곱셈의 교환 법칙**
> 두 수의 곱셈에서 두 수의 순서를 바꾸어 곱하여도 그 결과는 같습니다.
> $2\times3=3\times2=6$

일의 자리의 곱은 일의 자리에 쓰고, 십의 자리의 곱은 십의 자리에 씁니다. 이때 일의 자리에서 올림한 수는 십의 자리의 곱에 더하여 쓰고, 십의 자리에서 올림한 수는 백의 자리에 씁니다.

• 45×3의 계산

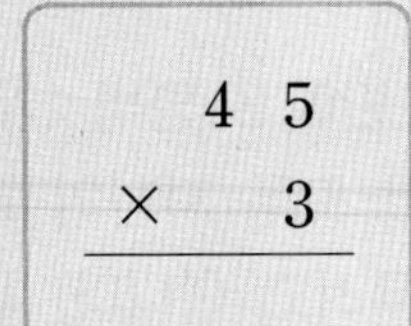

| | 1 | |
|---|---|---|
| | 4 | 5 |
| × | | 3 |
| | | 5 |

일의 자리 수 5와 3의 곱 15에서 5를 일의 자리에 쓰고, 올림하는 수 1을 십의 자리 위에 작게 씁니다.

⇨

| | 1 | |
|---|---|---|
| | 4 | 5 |
| × | | 3 |
| 1 | 3 | 5 |

십의 자리 수 4와 3의 곱 12에서 2와 일의 자리에서 올림한 수 1을 더한 값 3을 십의 자리에 쓰고, 1을 백의 자리에 씁니다.

**1** 잘못된 부분을 찾아 바르게 계산해 보시오.

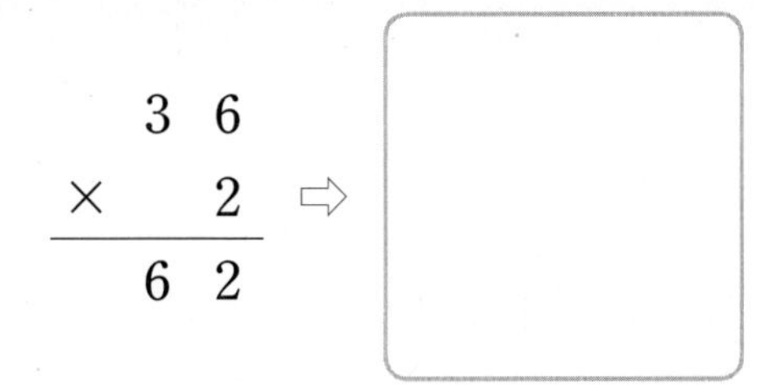


**2** 가장 큰 수와 가장 작은 수의 곱을 구해 보시오.

| 17 | 6 | 8 |
|---|---|---|

(　　　　　　　)

**3** 마을 청년회에서 한 상자에 16개씩 들어 있는 배 4상자를 할아버지와 할머니께 선물했습니다. 선물한 배는 모두 몇 개인지 서로 다른 두 가지 방법으로 구해 보시오.

방법1 ____________________

____________________

방법2 ____________________

____________________

**4** 계산 결과가 가장 큰 것을 찾아 기호를 써 보시오.

| ㉠ $23 \times 4$ | ㉡ $48 \times 3$ |
|---|---|
| ㉢ $34 \times 5$ | ㉣ $39 \times 4$ |

(　　　　　　　)

**5** □ 안에 알맞은 수를 써넣으시오.

$$\begin{array}{r} 4\ 6 \\ \times\ \ \square \\ \hline 1\ 3\ 8 \end{array}$$

**6** 길이가 35 cm인 자를 이용하여 나무토막의 길이를 재었습니다. 나무토막의 길이가 자의 길이의 3배보다 18 cm 더 짧다면 나무토막의 길이는 몇 cm입니까?

(　　　　　　　)

# 상위권 문제

## 대표유형 1 규칙을 찾아 알맞은 수 구하기

**규칙을 찾아 빈칸에 알맞은 수를 구해 보시오.**

| 2 | 6 | 18 | 54 | |
|---|---|---|---|---|

(1) 수 배열에서 규칙을 찾아 □ 안에 알맞은 수를 써넣으시오.

바로 앞의 수에 □을 곱하는 규칙입니다.

(2) 빈칸에 알맞은 수를 구해 보시오.

( )

**비법 PLUS +**

바로 앞의 수와 바로 뒤의 수를 보고 두 수 사이에 어떤 규칙이 있는지 찾아 봅니다.

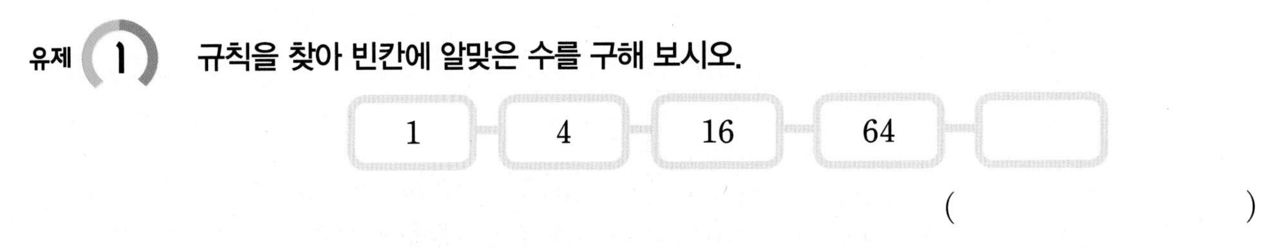

**유제 1** 규칙을 찾아 빈칸에 알맞은 수를 구해 보시오.

| 1 | 4 | 16 | 64 | |
|---|---|---|---|---|

( )

**유제 2** 보기 와 같은 규칙으로 수를 늘어놓으려고 합니다. 빈칸에 알맞은 수를 써넣으시오.

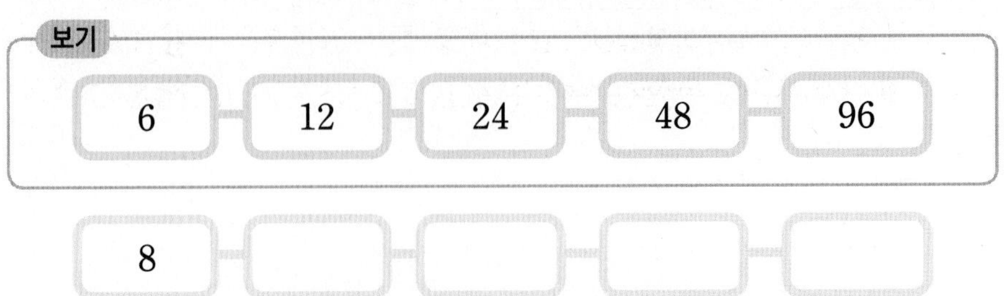

보기

| 6 | 12 | 24 | 48 | 96 |
|---|---|---|---|---|

| 8 | | | | |
|---|---|---|---|---|

대표유형 2

## 전체의 수 구하기

**어느 농장에 돼지 38마리와 닭 27마리가 있습니다. 이 농장에 있는 돼지와 닭의 다리는 모두 몇 개인지 구해 보시오.**

(1) 돼지의 다리는 모두 몇 개입니까?

( )

(2) 닭의 다리는 모두 몇 개입니까?

( )

(3) 돼지와 닭의 다리는 모두 몇 개입니까?

( )

비법 PLUS +

- (돼지의 다리 수) =(돼지 1마리의 다리 수) ×(돼지 수)
- (닭의 다리 수) =(닭 1마리의 다리 수) ×(닭 수)

유제 3

**학을 혜린이는 하루에 16개씩 7일 동안 접었고, 태영이는 하루에 25개씩 6일 동안 접었습니다. 혜린이와 태영이가 접은 학은 모두 몇 개인지 구해 보시오.**

( )

유제 4

**아연이는 연필 4타를 선물로 받아 친구 11명에게 4자루씩 나누어 주었습니다. 친구들에게 나누어 주고 남은 연필은 모두 몇 자루인지 구해 보시오. (단, 연필 1타는 12자루입니다.)**

( )

## 대표유형 3 도로의 길이 구하기

도로의 한쪽에 처음부터 끝까지 10그루의 나무가 10 m 간격으로 심어져 있습니다. 이 도로의 길이는 몇 m인지 구해 보시오. (단, 나무의 두께는 생각하지 않습니다.)

(1) 나무 사이의 간격은 몇 군데입니까?

( )

(2) 도로의 길이는 몇 m입니까?

( )

**비법 PLUS +**

도로의 한쪽에 처음부터 끝까지 나무를 심을 때 간격의 수

(간격의 수)
=(나무의 수)−1

**유제 5** 도로의 한쪽에 처음부터 끝까지 12개의 가로등이 8 m 간격으로 세워져 있습니다. 이 도로의 길이는 몇 m인지 구해 보시오. (단, 가로등의 두께는 생각하지 않습니다.)

( )

• 서술형 문제 •

**유제 6** 도로의 양쪽에 처음부터 끝까지 30그루의 나무가 9 m 간격으로 심어져 있습니다. 이 도로의 길이는 몇 m인지 풀이 과정을 쓰고 답을 구해 보시오. (단, 나무의 두께는 생각하지 않습니다.)

풀이

답

## 대표유형 4 □ 안에 들어갈 수 있는 수 구하기

1부터 9까지의 수 중에서 □ 안에 들어갈 수 있는 수를 모두 구해 보시오.

$50 \times \square < 70 \times 4$

(1) $70 \times 4$는 얼마입니까?

(　　　　　　　　)

(2) □ 안에 들어갈 수 있는 수를 모두 구해 보시오.

(　　　　　　　　)

**비법 PLUS +**

$70 \times 4 = ■$일 때 $50 \times \square$가 ■보다 작게 되는 □의 값을 구합니다.

**유제 7** 1부터 9까지의 수 중에서 □ 안에 들어갈 수 있는 수를 모두 구해 보시오.

$28 \times 6 < 24 \times \square$

(　　　　　　　　)

**유제 8** 1부터 9까지의 수 중에서 □ 안에 들어갈 수 있는 수는 모두 몇 개인지 구해 보시오.

$36 \times 3 < 38 \times \square < 52 \times 4$

(　　　　　　　　)

## 대표유형 5 곱셈식 완성하기

곱셈식에서 ㉠과 ㉡에 알맞은 수를 각각 구해 보시오.

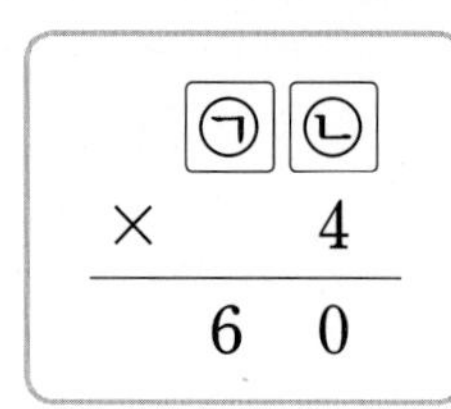


(1) ㉡×4의 일의 자리 수가 0일 때, ㉡이 될 수 있는 수를 모두 구해 보시오.

( )

(2) ㉠에 알맞은 수와 4를 곱한 수는 얼마입니까?

( )

(3) ㉠과 ㉡은 각각 얼마입니까?

㉠ ( ), ㉡ ( )

**비법 PLUS +**

곱셈식을 일의 자리와 십의 자리의 계산으로 나누어 생각해 봅니다.

**유제 9** 곱셈식에서 □ 안에 알맞은 수를 써넣으시오.

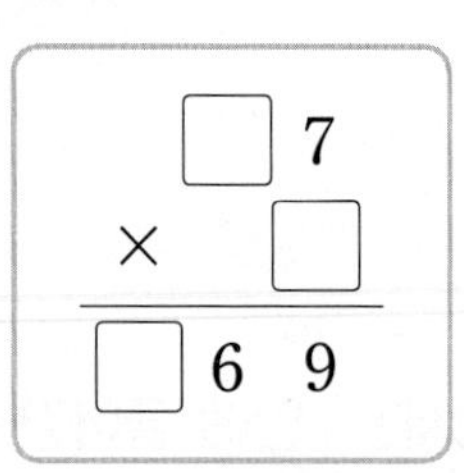


**유제 10** 오른쪽 곱셈식에서 ㉠과 ㉡에 알맞은 수의 합을 구해 보시오. (단, 같은 기호는 같은 수를 나타냅니다.)

| | 6 | ㉠ |
|---|---|---|
| × | | ㉠ |
| 5 | ㉡ | 4 |

( )

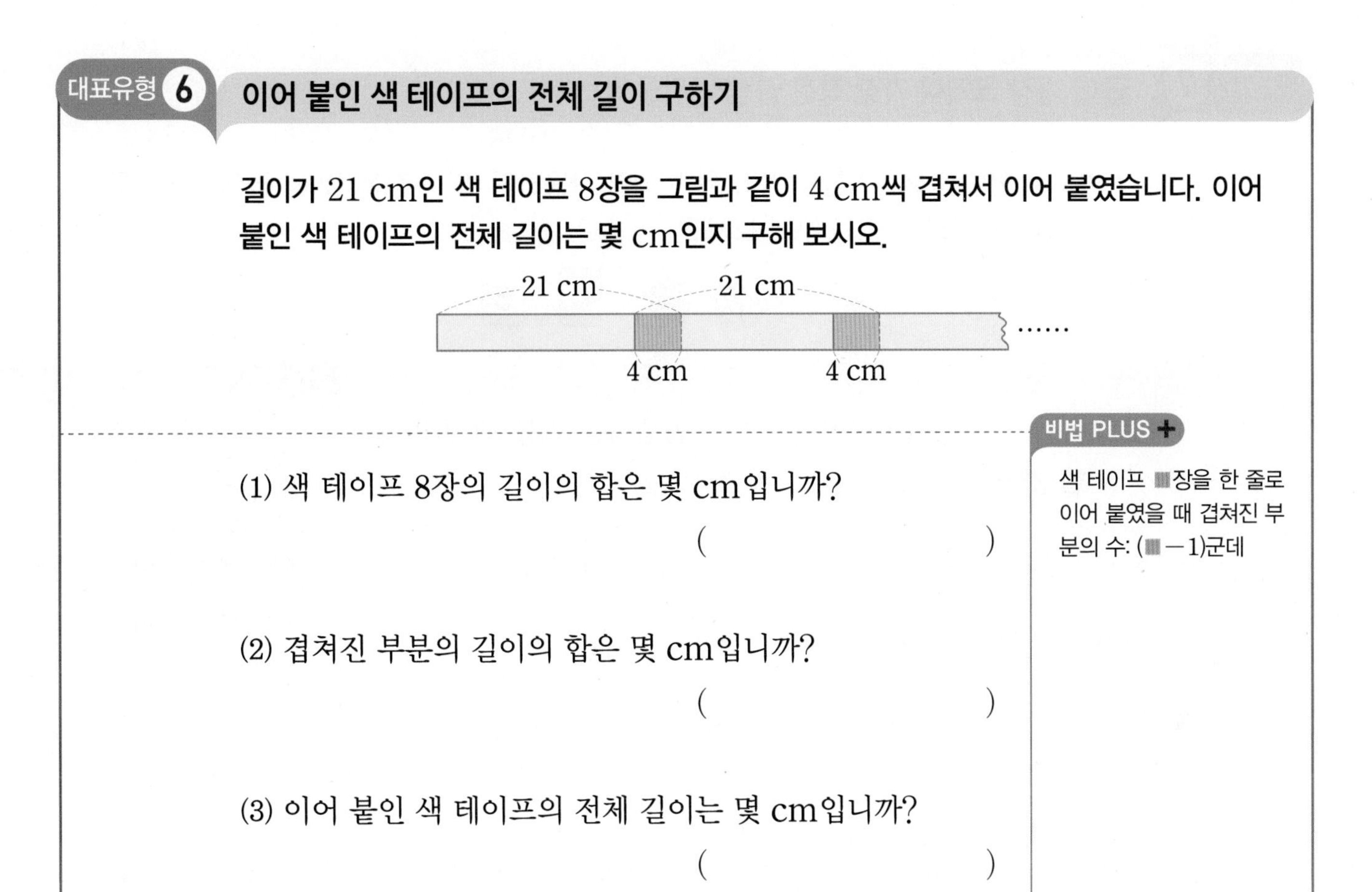

## 대표유형 6 이어 붙인 색 테이프의 전체 길이 구하기

**길이가 21 cm인 색 테이프 8장을 그림과 같이 4 cm씩 겹쳐서 이어 붙였습니다. 이어 붙인 색 테이프의 전체 길이는 몇 cm인지 구해 보시오.**

21 cm 21 cm

4 cm 4 cm

(1) 색 테이프 8장의 길이의 합은 몇 cm입니까?

( )

(2) 겹쳐진 부분의 길이의 합은 몇 cm입니까?

( )

(3) 이어 붙인 색 테이프의 전체 길이는 몇 cm입니까?

( )

**비법 PLUS +**

색 테이프 ■장을 한 줄로 이어 붙였을 때 겹쳐진 부분의 수: (■ − 1)군데

**유제 11** **길이가 23 cm인 색 테이프 7장을 그림과 같이 8 cm씩 겹쳐서 이어 붙였습니다. 이어 붙인 색 테이프의 전체 길이는 몇 cm인지 구해 보시오.**

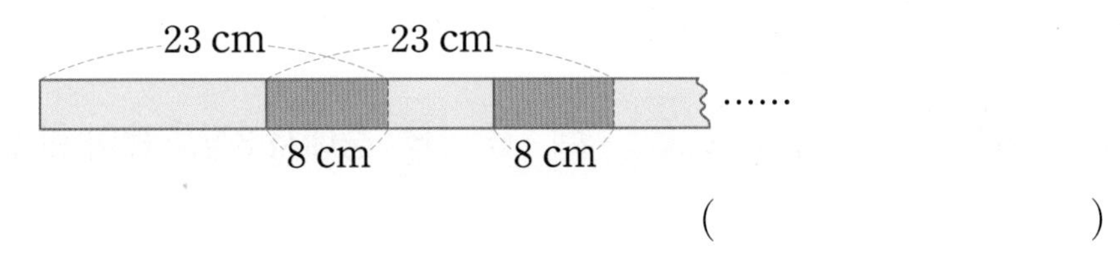


( )

**유제 12** **길이가 28 cm인 색 테이프 6장을 일정한 간격으로 겹쳐서 한 줄로 길게 이어 붙였습니다. 이어 붙인 색 테이프의 전체 길이가 148 cm라면 색 테이프를 몇 cm씩 겹쳐서 이어 붙였는지 구해 보시오.**

( )

STEP 2 상위권 문제

## 대표유형 7 곱이 가장 크거나 가장 작은 곱셈식 만들기

4장의 수 카드 중에서 3장을 뽑아 한 번씩만 사용하여 (몇십몇)×(몇)의 곱셈식을 만들려고 합니다. 가장 큰 곱을 구해 보시오.

2 3 4 5

(1) 곱이 가장 큰 (몇십몇)×(몇)의 곱셈식을 만들 때 골라야 할 3장의 수 카드의 수를 써 보시오.

( )

(2) 가장 큰 곱을 구해 보시오.

( )

비법 PLUS+

①>②>③일 때 곱이 가장 크거나 가장 작은 곱셈식 만들기(단, ①, ②, ③은 0이 아닌 수)
- 곱이 가장 큰 곱셈식
  ⇨ ②③×①
- 곱이 가장 작은 곱셈식
  ⇨ ②①×③

유제 13 4장의 수 카드 1, 4, 6, 9 중에서 3장을 뽑아 한 번씩만 사용하여 (몇십몇)×(몇)의 곱셈식을 만들려고 합니다. 가장 큰 곱을 구해 보시오.

( )

• 서술형 문제 •

유제 14 4장의 수 카드 6, 7, 8, 9 중에서 3장을 뽑아 한 번씩만 사용하여 (몇십몇)×(몇)의 곱셈식을 만들려고 합니다. 가장 작은 곱은 얼마인지 풀이 과정을 쓰고 답을 구해 보시오.

풀이

답

## 조건을 만족하는 수 구하기

대영이는 스마트폰 비밀번호를 다음과 같은 조건으로 설정해 놓았습니다. 대영이의 스마트폰 비밀번호는 무엇인지 구해 보시오.

(1) 합이 21이고, 차가 13인 두 수를 구해 보시오.

( )

(2) 위 (1)에서 구한 두 수의 곱을 이용하여 ■와 ●를 구해 보시오.

■ ( ), ● ( )

(3) 대영이의 스마트폰 비밀번호를 구해 보시오.

( )

**신유형 PLUS +**

서로 다른 두 수의 차가 ■일 때 작은 수가 ㉠이라면 큰 수는 ㉠+■입니다.

**유제 15** 정현이네 집의 현관문 비밀번호를 다음과 같은 조건으로 설정해 놓았습니다. 정현이네 집의 현관문 비밀번호는 무엇인지 구해 보시오.

( )

# 상위권 문제 확인과 응용

**1** 기호 ▣에 대하여 다음과 같이 약속할 때 23▣3을 구해 보시오.

㉠▣㉡=㉠×㉡×7

(　　　　　　　　)

비법 PLUS +

**2** 주혜는 일요일마다 동생에게 동화책을 18쪽씩 읽어 주려고 합니다. 3월 25일 일요일부터 4월 30일까지 주혜는 동생에게 동화책을 모두 몇 쪽 읽어 주어야 하는지 구해 보시오.

(　　　　　　　　)

- 달력에서 같은 요일은 7일마다 반복됩니다.

**3** 근배는 줄넘기를 첫째 날에는 15번을 하고, 둘째 날에는 첫째 날의 2배, 셋째 날에는 둘째 날의 2배를 하기로 했습니다. 근배가 같은 방법으로 줄넘기를 한다면 넷째 날에는 모두 몇 번 해야 하는지 구해 보시오.

(　　　　　　　　)

**4** 정사각형의 네 변에 오른쪽 그림과 같이 일정한 간격으로 별 모양을 그리려고 합니다. 한 변에 별 모양을 38개씩 그리려면 별 모양을 모두 몇 개 그려야 하는지 구해 보시오. (단, 네 꼭짓점에는 반드시 별 모양을 그립니다.)

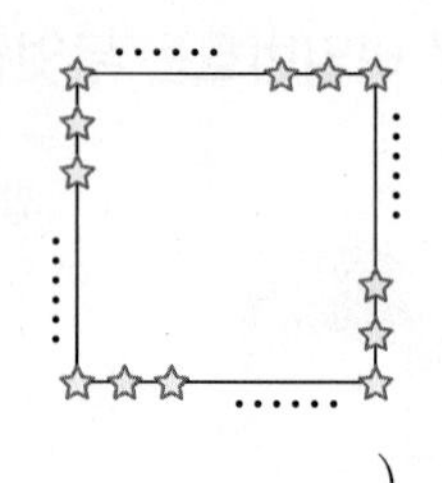

(　　　　　　　　)

- 네 꼭짓점에 그리는 별 모양을 겹쳐서 세지 않도록 주의합니다.

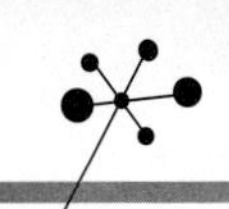



**5** 체육관에 야구공, 축구공, 배구공이 있습니다. 야구공 수는 축구공 수의 5배이고, 배구공 수는 축구공 수의 3배입니다. 야구공과 배구공 수의 합이 160개라면 축구공은 몇 개인지 구해 보시오.

( )

**비법 PLUS +**

- 축구공 수를 □개라 하여 야구공 수와 배구공 수를 각각 □를 사용하여 나타내어 봅니다.

**6** 1부터 9까지의 수 중에서 □ 안에 들어갈 수 있는 수는 모두 몇 개인지 구해 보시오.

$$27 \times 7 < \square 3 \times 4 < 42 \times 7$$

( )

● 서술형 문제 ●

**7** 46과 어떤 수를 곱하여 300에 가장 가까운 수 ㉠을 만들었습니다. 300과 ㉠ 사이에 있는 세 자리 수는 모두 몇 개인지 풀이 과정을 쓰고 답을 구해 보시오.

풀이 

답 

- 300과 ㉠ 사이에 있는 세 자리 수를 셀 때에는 300과 ㉠을 포함하지 않습니다.

**8** 어떤 두 자리 수의 십의 자리 수와 일의 자리 수를 바꾸어 6을 곱했더니 114가 되었습니다. 처음 두 자리 수에 6을 곱하면 얼마인지 구해 보시오.

( )

비법 PLUS +

- 어떤 두 자리 수를 ㉠㉡이라 하면 십의 자리 수와 일의 자리 수가 바뀐 두 자리 수는 ㉡㉠입니다.

• 서술형 문제 •

**9** 홍구네 아파트 단지에는 12층짜리 건물이 6동 있습니다. 이 건물 중 절반은 한 층에 3가구씩 살고 있고, 나머지는 한 층에 4가구씩 살고 있습니다. 한 가구에 소화기가 2개씩 비치되어 있다고 할 때 홍구네 아파트 단지에 비치되어 있는 소화기는 모두 몇 개인지 풀이 과정을 쓰고 답을 구해 보시오.

풀이 ______

______

______

답 ______

**10** 톱니 수가 48개인 톱니바퀴 ㉮와 톱니수가 36개인 톱니바퀴 ㉯가 맞물려 돌아가고 있습니다. 톱니바퀴 ㉮가 6바퀴 도는 동안 톱니바퀴 ㉯는 몇 바퀴 도는지 구해 보시오.

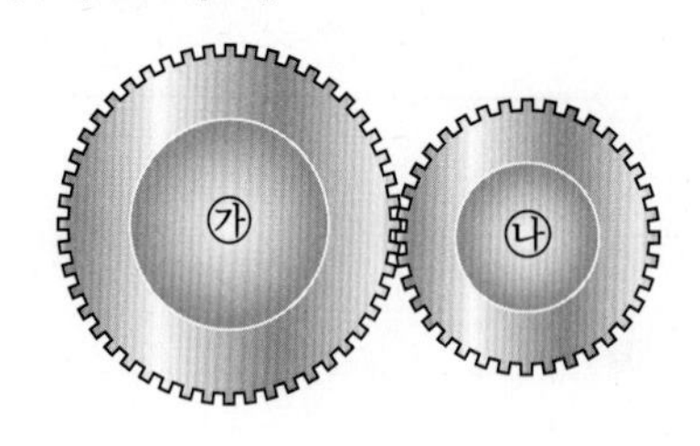


( )

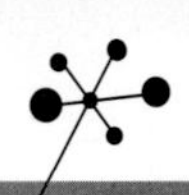

## 창의융합형 문제

**11** 다음은 창석이가 읽은 신문 기사의 일부분입니다. 기사를 읽고 지워진 부분에 알맞은 수를 구해 보시오.

비 상 일 보

www.visang.com 2○○○년 ○월 ○일 금요일

### 농구계에 무서운 신인 등장

2○○○년 대학 농구가 얼마 전 막을 내렸다. 이번 대회의 가장 큰 수확은 마지막 3경기에서 모두 ▨점을 득점한 올해 대학 새내기인 채치수 선수의 발견이다. 그는 마지막 3경기에서 무려 84개의 슛을 던졌고 그중 55개를 성공시켰다. 2점 슛은 32개를 던져 29개가 골대를 통과했고, 3점 슛은 44개를 시도해 19개가 득점으로 연결됐다. 자유투도 8개를 던져 7점을 득점했다. 또한 채치수 선수는 수비에서도 뛰어난 활약을 펼쳤다. ……

( )

**창의융합 PLUS +**

**○ 농구**

농구는 1891년 미국 매사추세츠 주 스프링필드의 YMCA 체육학교에 근무하던 교사 제임스 네이스미스가 만들었습니다. 우리나라에는 1907년 미국인 선교사 질레트가 처음 소개하였고, 1997년 2월에 프로농구(KBL)가 생겼습니다.

**12** 실험실에서 아메바 1마리를 배양하여 관찰하였습니다. 이 아메바는 배양 횟수에 따라 그 수가 다음과 같이 늘어나는 것을 발견하였습니다. 이 아메바와 똑같은 아메바 3마리를 6번 배양했을 때, 아메바는 모두 몇 마리가 되는지 구해 보시오.

(배양: 실험실에서 아메바와 같은 세포를 기르는 것)

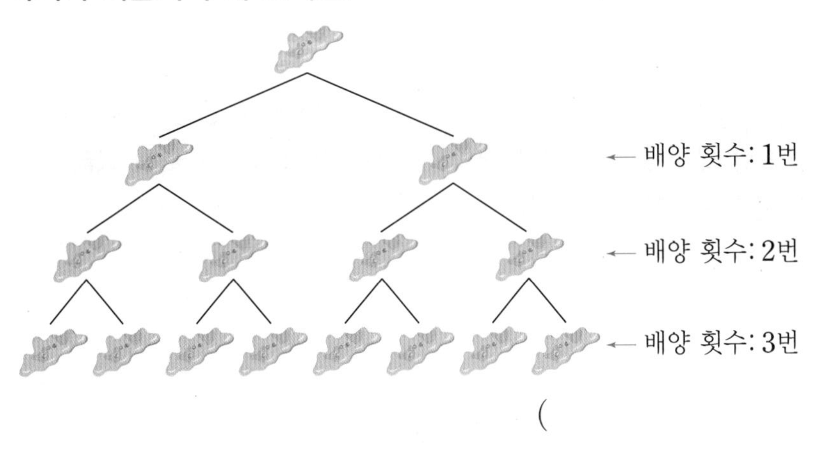


( )

**○ 아메바**

아메바는 몸 전체가 1개의 세포로 되어 있습니다. 아메바는 먹이의 둘레를 둘러싸고 먹이를 몸속으로 빨아들입니다. 먹이를 소화시키고 빨아들일 수 없는 것은 나중에 내보냅니다.

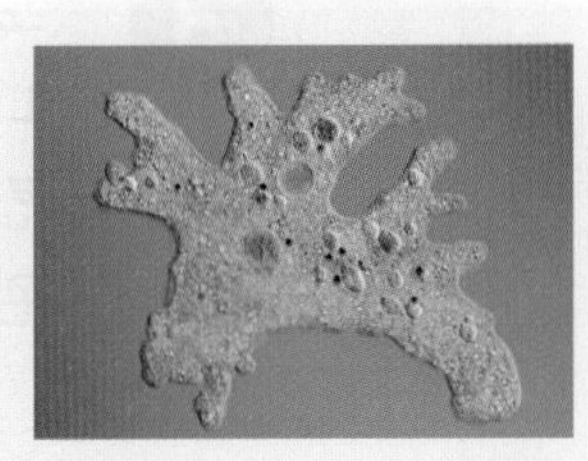

# 최상위권 문제

• 문제 풀이 동영상

**1** 곱셈식에서 ♥가 나타내는 수는 모두 같은 수입니다. ♥가 나타내는 수는 얼마인지 구해 보시오.

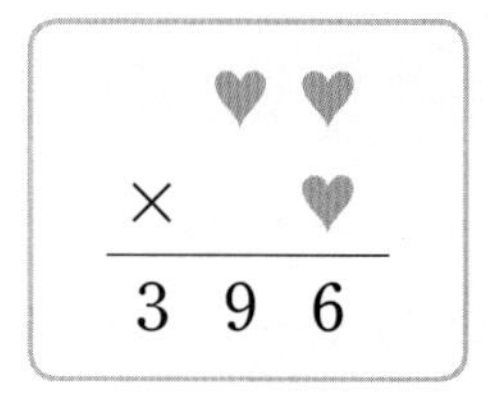


( )

**2** 세 수 ㉠, ㉡, ㉢이 있습니다. ㉠은 ㉡의 9배이고, ㉡은 ㉢의 7배입니다. ㉢의 4배가 28일 때, ㉠+㉡+㉢을 구해 보시오.

( )

**3** 도서관에 있는 책꽂이 한 개에는 6칸이 있고, 각 칸에는 책을 8권씩 꽂을 수 있습니다. 도서관에 있는 책꽂이 16개 중에서 책이 꽂혀 있지 않은 칸은 5칸이고, 한 칸에만 책이 6권 꽂혀 있고, 나머지 칸에는 모두 책이 8권씩 꽂혀 있습니다. 도서관에 있는 책은 모두 몇 권인지 구해 보시오.

( )

**4** 오른쪽과 같은 과녁판이 있습니다. 화살을 5번 쏘아 과녁에 모두 맞혔을 때, 얻은 점수의 합이 90점이 넘는 경우는 모두 몇 가지인지 구해 보시오. (단, 경계선에 맞히는 경우는 생각하지 않고, 화살의 순서는 관계 없습니다.)

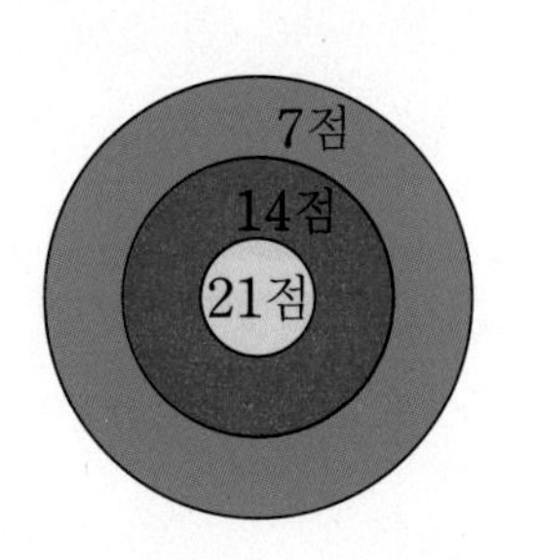


(　　　　　　　　)

**5** 길이가 48 m인 도로의 양쪽에 처음부터 끝까지 6 m 간격으로 가로수가 심어져 있습니다. 산림청에서는 도로변 산림 자원 보호 차원에서 이 도로의 가로수마다 버팀목을 설치하기로 하였습니다. 가로수 한 그루당 버팀목을 설치하는 데 9분이 걸리고, 버팀목을 설치할 때마다 5분을 쉽니다. 이 도로의 가로수에 버팀목을 모두 설치하는 데 걸리는 시간은 몇 시간 몇 분인지 구해 보시오. (단, 가로수의 두께는 생각하지 않습니다.)

(　　　　　　　　)

**6** 1부터 9까지의 수 중에서 서로 다른 수가 적힌 3장의 수 카드 8, 3, ★이 있습니다. 이 수 카드를 한 번씩만 사용하여 만들 수 있는 가장 큰 두 자리 수와 나머지 수의 곱을 구하였더니 258이었습니다. ★에 알맞은 수를 구해 보시오.

(　　　　　　　　)

## 윌리엄 오트레드 (William Oughtred)

- **출생~사망:** 1574~1660
- **국적:** 영국
- **업적:** 1631년에 출판한 『수학의 열쇠』에서 곱셈 기호인 '×'를 처음으로 사용하였습니다. 이 책은 수학 기호 역사에서 중요한 책으로 17세기 말 무렵까지 수학 연구에 널리 사용되었습니다.

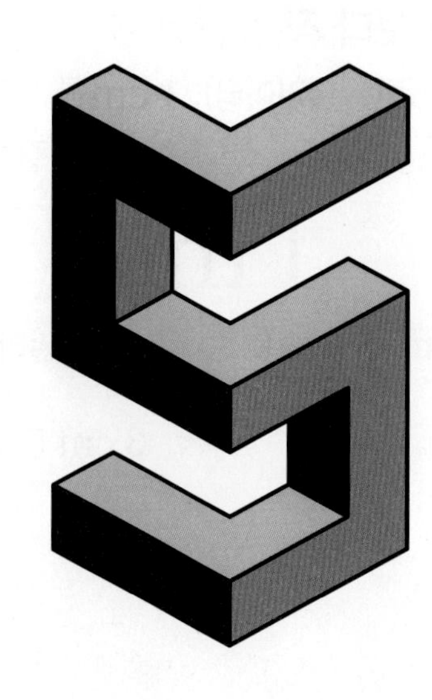

# 길이와 시간

# STEP 1 핵심 개념과 문제



## 1 1 cm보다 작은 단위

• **1 mm(1 밀리미터)**: 1 cm를 10칸으로 똑같이 나누었을 때 작은 눈금 한 칸의 길이

1 mm

1 cm=10 mm

• **3 cm 5 mm(3 센티미터 5 밀리미터)**: 3 cm보다 5 mm 더 긴 것

3 cm 5 mm=35 mm

## 2 1 m보다 큰 단위

• **1 km(1 킬로미터)**: 1000 m

1 km

1000 m=1 km

• **6 km 200 m(6 킬로미터 200 미터)**: 6 km보다 200 m 더 긴 것

6 km 200 m=6200 m

## 3 길이와 거리를 어림하고 재어 보기

◎ 길이를 어림하고 재어 보기

지우개

| 어림한 길이 | 자로 잰 길이 |
|---|---|
| 약 4 cm | 4 cm 3 mm |

◎ 거리를 어림하기

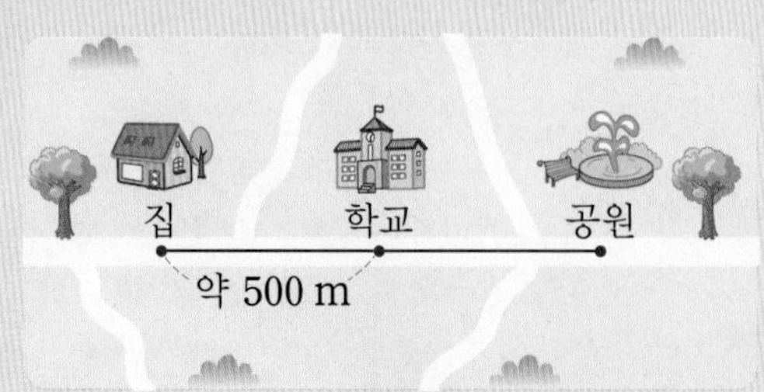


집에서 공원까지의 거리는 집에서 학교까지의 거리의 약 2배이므로 약 1 km라고 어림할 수 있습니다.

초 5-1/5-2 연계

★ 넓이의 단위

• **1 cm²(1 제곱센티미터)**: 한 변이 1 cm인 정사각형의 넓이

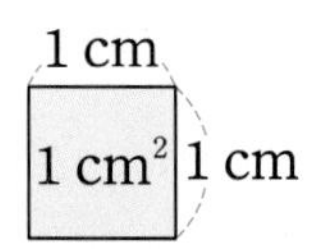


• **1 m²(1 제곱미터)**: 한 변이 1 m인 정사각형의 넓이

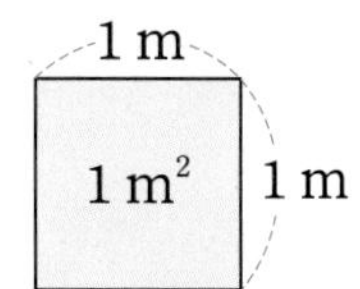


• **1 km²(1 제곱킬로미터)**: 한 변이 1 km인 정사각형의 넓이

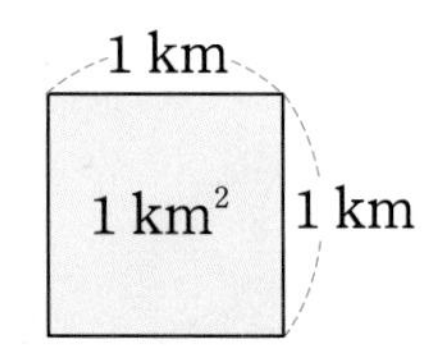


개념 PLUS

★ 길이의 덧셈

• 같은 단위끼리 더합니다.

• 10 mm=1 cm, 1000 m=1 km를 이용하여 받아올림합니다.

$$\begin{array}{r} {}^{1}\quad\quad\quad \\ 4\text{ cm }\ 7\text{ mm} \\ +\ 2\text{ cm }\ 8\text{ mm} \\ \hline 7\text{ cm }\ 5\text{ mm} \end{array}$$

$$\begin{array}{r} {}^{1}\quad\quad\quad \\ 2\text{ km }\ 400\text{ m} \\ +\ 3\text{ km }\ 900\text{ m} \\ \hline 6\text{ km }\ 300\text{ m} \end{array}$$

★ 길이의 뺄셈

• 같은 단위끼리 뺍니다.

• 1 cm=10 mm, 1 km=1000 m를 이용하여 받아내림합니다.

$$\begin{array}{r} {}^{7}\quad {}^{10} \\ \not{8}\text{ cm }\ 2\text{ mm} \\ -\ 5\text{ cm }\ 6\text{ mm} \\ \hline 2\text{ cm }\ 6\text{ mm} \end{array}$$

$$\begin{array}{r} {}^{5}\quad {}^{1000} \\ \not{6}\text{ km }\ 200\text{ m} \\ -\ 4\text{ km }\ 700\text{ m} \\ \hline 1\text{ km }\ 500\text{ m} \end{array}$$

★ 빠른 정답 4쪽, 정답과 풀이 27쪽

**1** 길이가 긴 것부터 차례대로 기호를 써 보시오.

㉠ 5100 m　　㉡ 4 km 900 m
㉢ 4090 m　　㉣ 5 km

(　　　　　　)

**2** 연필의 길이는 몇 cm 몇 mm입니까?

(　　　　　　)

**3** 보기 에서 주어진 길이를 골라 문장을 완성해 보시오.

보기
1 cm 2 mm　　2 km 100 m　　2 m

(1) 방문의 높이는 약 [　　　　] 입니다.

(2) 손톱의 길이는 약 [　　　　] 입니다.

(3) 등산로의 길이는 약 [　　　　] 입니다.

**4** 집에서 영화관까지의 거리는 약 몇 km 몇 m인지 어림해 보시오.

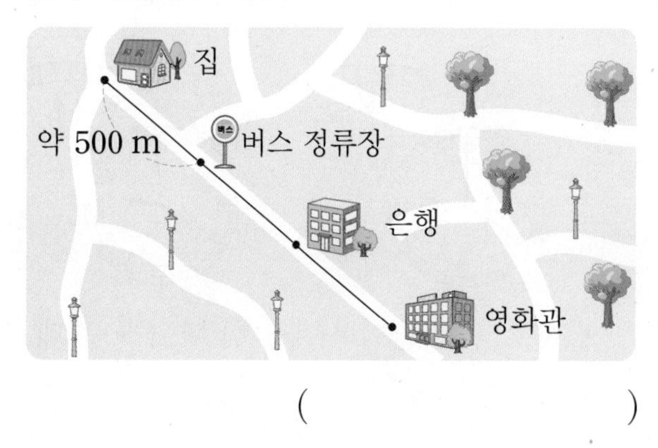


(　　　　　　)

**5** 서현이네 집에서 학교를 지나 인수네 집까지 가는 거리는 모두 몇 km 몇 m입니까?

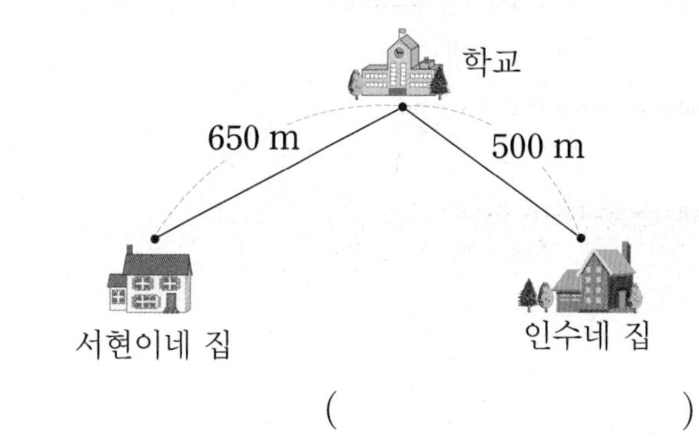


(　　　　　　)

**6** 두 끈의 길이의 차는 몇 cm 몇 mm입니까?

10 cm 7 mm

62 mm

(　　　　　　)

# 핵심 개념과 문제

## 4 1분보다 작은 단위

• **1초**: 초바늘이 작은 눈금 한 칸을 가는 동안 걸리는 시간

작은 눈금 한 칸=1초

• **60초**: 초바늘이 시계를 한 바퀴 도는 데 걸리는 시간

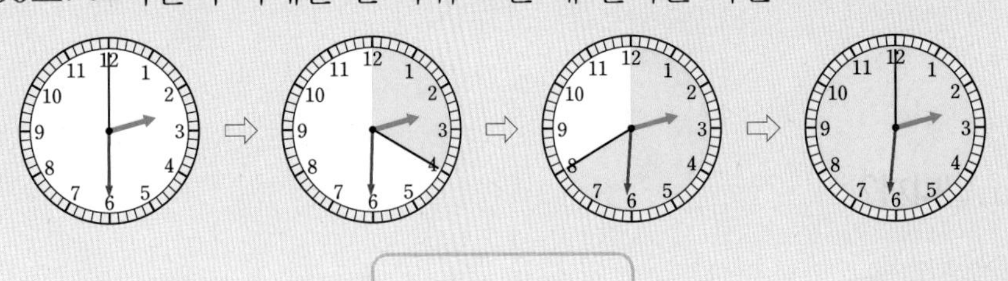

60초=1분

## 5 시간의 덧셈과 뺄셈

### 시간의 덧셈

• 시는 시끼리, 분은 분끼리, 초는 초끼리 더합니다.
• 같은 단위끼리의 합이 60이거나 60보다 크면 60초를 1분으로, 60분을 1시간으로 각각 받아올림합니다.

|  | 시 | 분 | 초 |
|---|---|---|---|
|  | 7시 | 40분 | 30초 |
| + | 1시간 | 50분 | 45초 |
|  | 8시 | 90분 | 75초 |
|  |  | + 1분 | ← − 60 초 |
|  | + 1 시간 | ← − 60 분 |  |
|  | 9시 | 31분 | 15초 |

### 시간의 뺄셈

• 시는 시끼리, 분은 분끼리, 초는 초끼리 뺍니다.
• 같은 단위끼리 뺄 수 없으면 1분을 60초로, 1시간을 60분으로 각각 받아내림합니다.

|  | 시 | 분 | 초 |
|---|---|---|---|
|  |  | 60 |  |
|  | 8 | 19 | 60 |
|  | ~~9~~시 | ~~20~~분 | 15초 |
| − | 3시 | 30분 | 25초 |
|  | 5시간 | 49분 | 50초 |

개념 PLUS

★ 시간의 덧셈 유형
• (시간)+(시간)=(시간)
• (시각)+(시간)=(시각)

개념 PLUS

★ 시간의 뺄셈 유형
• (시간)−(시간)=(시간)
• (시각)−(시각)=(시간)
• (시각)−(시간)=(시각)

**1** 시간의 길이를 비교하여 ○ 안에 >, =, < 를 알맞게 써넣으시오.

198초 ◯ 3분 20초

**2** 옳은 것을 모두 찾아 기호를 써 보시오.

㉠ 1분 5초=65초 ㉡ 2분 30초=130초
㉢ 100초=2분 ㉣ 400초=6분 40초

(                    )

**3** □ 안에 알맞은 수를 써넣으시오.

□시간 □분 □초

↓

+2시간 10분 20초

↓

6시간 50분 40초

**4** 민주가 1시 40분 30초부터 1시간 25분 20초 동안 수영을 했습니다. 민주가 수영을 끝낸 시각은 몇 시 몇 분 몇 초입니까?

(                    )

**5** 축구 경기가 1시간 35분 30초 동안 진행되어 5시 20분에 끝났습니다. 축구 경기를 시작한 시각은 몇 시 몇 분 몇 초입니까?

(                    )

**6** 두 명이 한 모둠이 되어 이어달리기 경주를 했습니다. ㉮ 모둠과 ㉯ 모둠 중에서 어느 모둠이 경주에서 이겼습니까?

| 모둠 | 이름 | 달리기 기록 |
|---|---|---|
| ㉮ 모둠 | 찬한 | 1분 20초 |
| | 도란 | 1분 32초 |
| ㉯ 모둠 | 상일 | 1분 26초 |
| | 도민 | 1분 28초 |

(                    )

# 상위권 문제

## 대표유형 1 경로의 거리 비교하기

집에서 놀이공원까지 가는 경로는 2가지입니다. 경로 1과 경로 2 중 어느 경로가 더 긴지 구해 보시오.

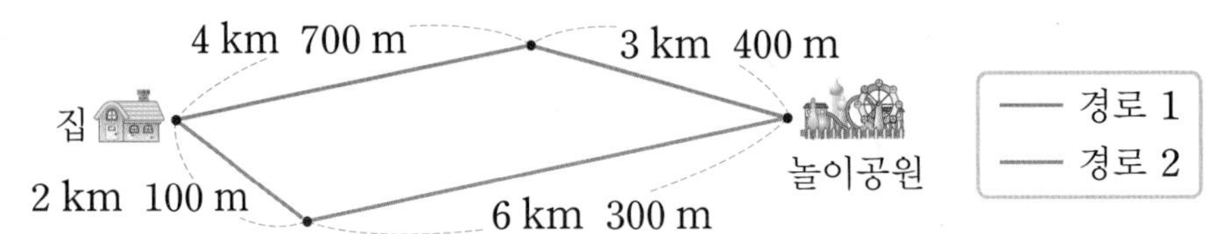


(1) 경로 1과 경로 2의 거리는 각각 몇 km 몇 m인지 구해 보시오.

경로 1 (　　　　　　　　)

경로 2 (　　　　　　　　)

(2) 경로 1과 경로 2 중 어느 경로가 더 깁니까?

(　　　　　　　　)

**비법 PLUS +**

km는 km끼리, m는 m끼리 더할 때 m끼리의 합이 1000이거나 1000보다 크면 1000 m를 1 km로 받아올림합니다.

**유제 1** 집에서 할머니 댁까지 가는 경로는 2가지입니다. 경로 1과 경로 2 중 어느 경로가 더 긴지 구해 보시오.

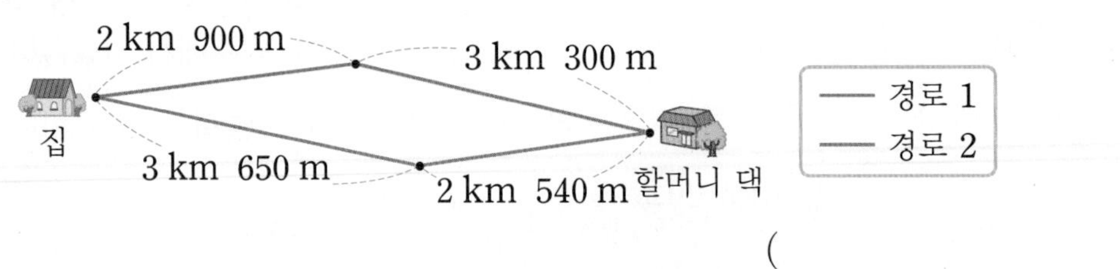


(　　　　　　　　)

**유제 2** 집에서 식물원까지 가는 경로는 2가지입니다. 경로 1과 경로 2 중 어느 경로가 더 짧은지 구해 보시오.

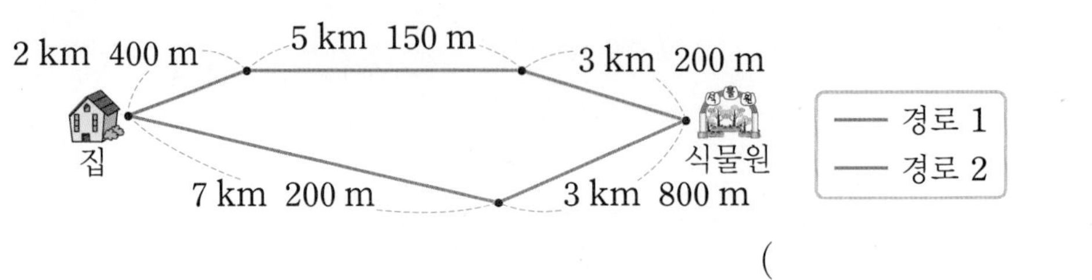


(　　　　　　　　)

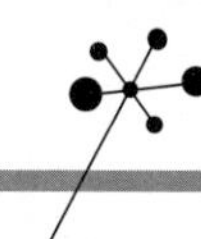



## 대표유형 2 시계를 보고 시각 구하기

**오른쪽 시계는 선영이가 야구 연습을 시작한 시각을 나타낸 것입니다. 선영이가 야구 연습을 97분 30초 동안 했다면 야구 연습을 끝낸 시각은 몇 시 몇 분 몇 초인지 구해 보시오.**

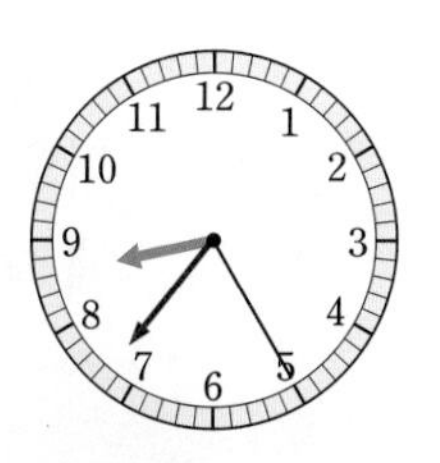

(1) 야구 연습을 시작한 시각은 몇 시 몇 분 몇 초입니까?

( )

(2) 야구 연습을 한 시간은 몇 시간 몇 분 몇 초입니까?

( )

(3) 야구 연습을 끝낸 시각은 몇 시 몇 분 몇 초입니까?

( )

**비법 PLUS +**

97분 30초를 몇 시간 몇 분 몇 초로 나타내어 봅니다.

**유제 3** **오른쪽 시계는 은정이가 피아노 연습을 끝낸 시각을 나타낸 것입니다. 은정이가 피아노 연습을 103분 20초 동안 했다면 피아노 연습을 시작한 시각은 몇 시 몇 분 몇 초인지 구해 보시오.**

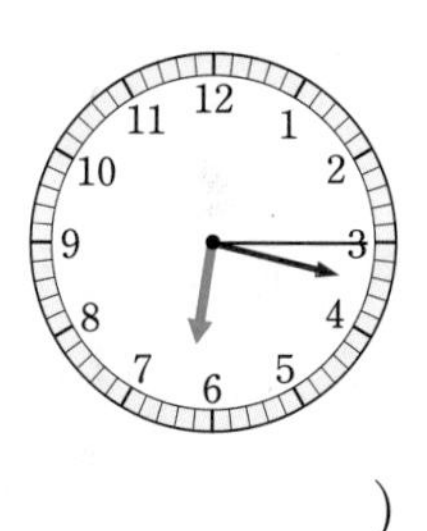

( )

**유제 4** **왼쪽 시계는 석훈이가 공부를 시작한 시각을 나타낸 것입니다. 석훈이가 공부를 102분 50초 동안 했다면 공부를 끝낸 시각을 오른쪽 시계에 나타내어 보시오.**

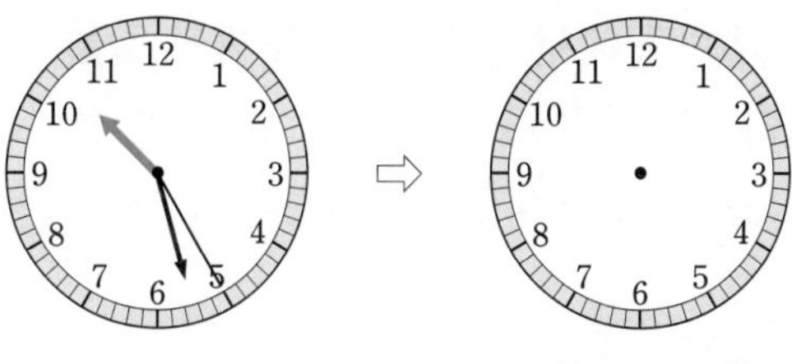

## 대표유형 3 적어도 가야 하는 거리 구하기

미영이가 집에서 공원까지 길을 따라가려고 합니다. 적어도 몇 km 몇 m를 가야 공원에 도착할 수 있는지 구해 보시오.

공원
400 m
500 m
집

(1) 집에서 공원까지 가려면 적어도 가로로 몇 칸, 세로로 몇 칸을 가야 합니까?

가로 ( )

세로 ( )

(2) 집에서 공원까지 가려면 적어도 몇 km 몇 m를 가야 합니까?

( )

**비법 PLUS +**

가로와 세로로 가는 칸 수가 같으면 가야 하는 거리가 같으므로 두 지점 사이의 가장 짧은 길은 여러 가지 방법으로 나타낼 수 있습니다.

**유제 5** 성민이가 집에서 학교까지 길을 따라가려고 합니다. 적어도 몇 km 몇 m를 가야 학교에 도착할 수 있는지 구해 보시오.

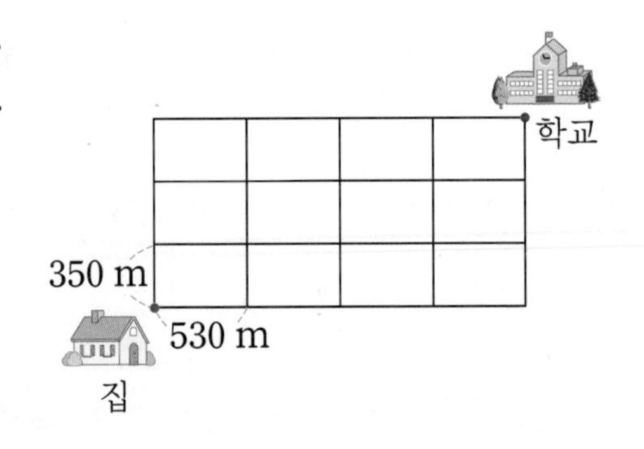


( )

**유제 6** 개미가 지금 있는 곳에서 빵이 있는 곳까지 길을 따라가려고 합니다. 적어도 몇 cm 몇 mm를 가야 빵이 있는 곳에 도착할 수 있는지 구해 보시오.

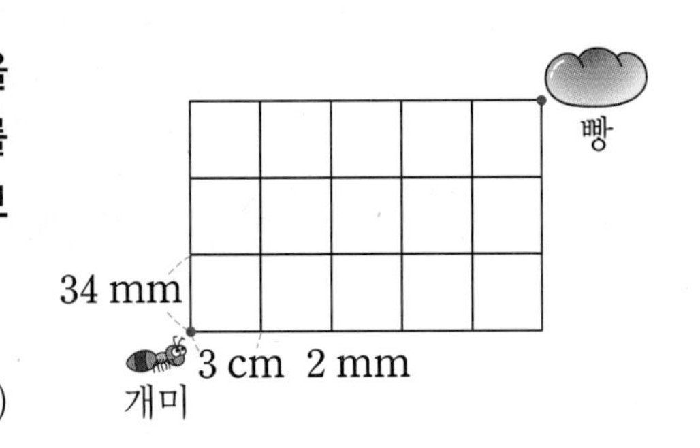


( )

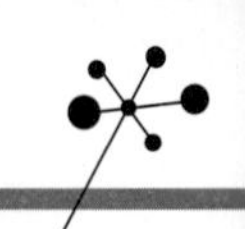



## 대표유형 4 고장난 시계가 가리키는 시각 구하기

하루에 14초씩 빨라지는 시계가 있습니다. 이 시계를 오늘 오전 10시에 정확히 맞추어 놓았습니다. 5일 후 오전 10시에 이 시계가 가리키는 시각은 오전 몇 시 몇 분 몇 초인지 구해 보시오.

(1) 5일 동안 이 시계가 빨라지는 시간은 몇 분 몇 초입니까?

( )

(2) 5일 후 오전 10시에 이 시계가 가리키는 시각은 오전 몇 시 몇 분 몇 초입니까?

( )

**비법 PLUS +**

- **시계가 빨라지는 경우**
  (시계가 가리키는 시각)
  =(정확한 시각)
  +(빨라진 시간)
- **시계가 늦어지는 경우**
  (시계가 가리키는 시각)
  =(정확한 시각)
  −(늦어진 시간)

**유제 7** 하루에 25초씩 늦어지는 시계가 있습니다. 이 시계를 오늘 오후 2시에 정확히 맞추어 놓았습니다. 일주일 후 오후 2시에 이 시계가 가리키는 시각은 오후 몇 시 몇 분 몇 초인지 구해 보시오.

( )

• 서술형 문제 •

**유제 8** 하루에 12초씩 빨라지는 시계가 있습니다. 이 시계를 오늘 오전 7시에 정확히 맞추어 놓았습니다. 6일 후 오전 7시에 이 시계가 가리키는 시각은 오전 몇 시 몇 분 몇 초인지 풀이 과정을 쓰고 답을 구해 보시오.

풀이 ______________________

______________________

______________________

답 ______________

STEP 2 **상위권 문제**

## 대표유형 5 낮과 밤의 길이 구하기

어느 날 해가 뜬 시각은 오전 5시 40분이고, 해가 진 시각은 오후 7시 20분이었습니다. 이날 밤의 길이는 몇 시간 몇 분인지 구해 보시오.

(1) 이날 낮의 길이는 몇 시간 몇 분입니까?

(                    )

(2) 이날 밤의 길이는 몇 시간 몇 분입니까?

(                    )

**비법 PLUS +**

- (낮의 길이)
  =(해가 진 시각)
  −(해가 뜬 시각)
- (밤의 길이)
  =24시간−(낮의 길이)

**유제 9** 어느 날 해가 뜬 시각은 오전 7시 12분이고, 해가 진 시각은 오후 5시 8분 10초였습니다. 이날 밤의 길이는 몇 시간 몇 분 몇 초인지 구해 보시오.

(                    )

• 서술형 문제 •

**유제 10** 어느 날 해가 뜬 시각은 오전 6시 40분 32초이고, 해가 진 시각은 오후 5시 44분 27초였습니다. 이날 낮의 길이와 밤의 길이의 차는 몇 시간 몇 분 몇 초인지 풀이 과정을 쓰고 답을 구해 보시오.

풀이 ____________________

____________________

____________________

답 ____________________

## 신유형 6 애벌레의 길이의 차 구하기

배추흰나비 애벌레의 몸은 여러 개의 마디로 되어 있고 자라는 동안 허물을 4번 벗습니다. 다음은 시우가 키우는 배추흰나비 애벌레가 자라는 과정을 나타낸 것입니다. 허물을 2번 벗은 애벌레가 허물을 한 번 벗은 애벌레보다 4 mm 더 길다면 허물을 3번 벗은 애벌레는 허물을 2번 벗은 애벌레보다 몇 mm 더 긴지 구해 보시오.

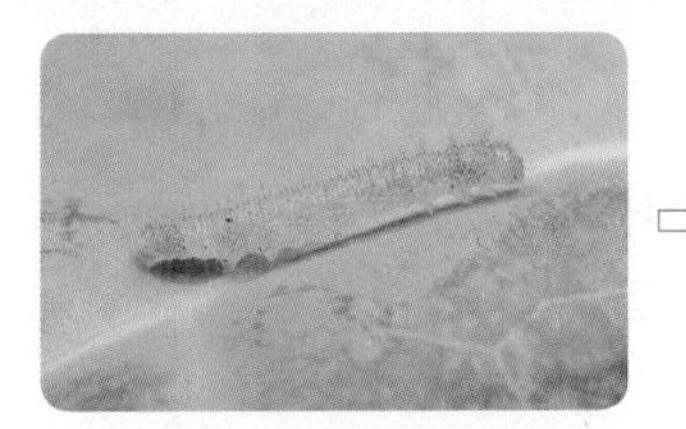

허물을 한 번 벗은 애벌레의 길이: 8 mm

⇨

허물을 2번 벗은 애벌레

⇨

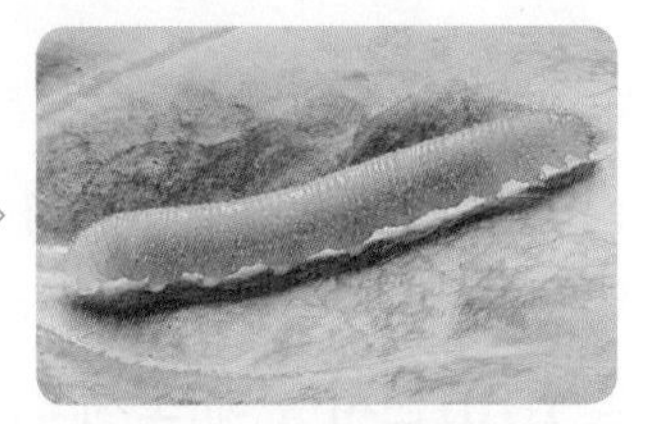

허물을 3번 벗은 애벌레의 길이: 1 cm 5 mm

(1) 허물을 2번 벗은 애벌레의 길이는 몇 cm 몇 mm입니까?

(　　　　　　　　)

(2) 허물을 3번 벗은 애벌레는 허물을 2번 벗은 애벌레보다 몇 mm 더 깁니까?

(　　　　　　　　)

**신유형 PLUS +**

곤충은 애벌레일 때 더 크게 자라기 위해서 껍질을 벗어야 합니다. 이때 벗은 껍질을 허물이라고 합니다.

## 유제 11

유리창나비 애벌레는 자라는 동안 허물을 6번 벗습니다. 다음은 하영이가 키우는 유리창나비 애벌레가 자라는 과정을 나타낸 것입니다. 허물을 4번 벗은 애벌레가 허물을 3번 벗은 애벌레보다 5 mm 더 길다면 허물을 5번 벗은 애벌레는 허물을 4번 벗은 애벌레보다 몇 mm 더 긴지 구해 보시오.

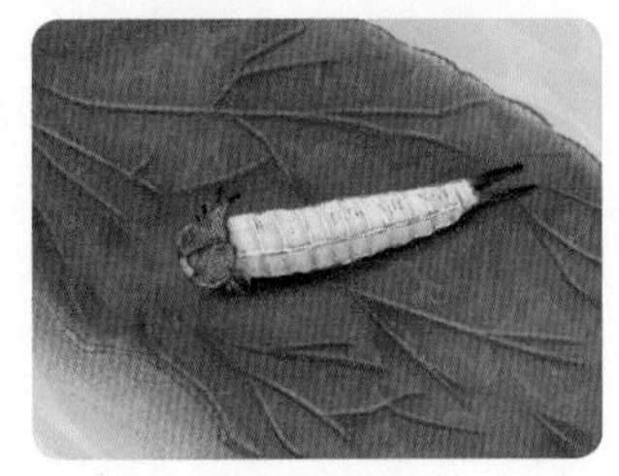

허물을 3번 벗은 애벌레의 길이: 9 mm

⇨

허물을 4번 벗은 애벌레

⇨

허물을 5번 벗은 애벌레의 길이: 1 cm 9 mm

(　　　　　　　　)

STEP 3 # 상위권 문제 확인과 응용

**1** 승호와 지나가 걷기 운동을 했습니다. 승호는 3 km보다 200 m 더 긴 거리를 걸었고 지나는 둘레가 700 m인 공원을 4바퀴 걸었습니다. 더 긴 거리를 걸은 사람은 누구인지 구해 보시오.

(　　　　　　　　)

**2** 길이가 다음과 같은 두 색 테이프가 있습니다. 짧은 색 테이프가 긴 색 테이프보다 2 cm 7 mm 더 짧을 때, 두 색 테이프의 길이의 합은 몇 cm 몇 mm인지 구해 보시오.

103 mm

(　　　　　　　　)

**3** 지영이는 6시 13분 55초에 숙제를 시작하여 초바늘이 시계를 20바퀴 돌았을 때 숙제를 끝냈습니다. 지영이가 숙제를 끝낸 시각은 몇 시 몇 분 몇 초인지 구해 보시오.

(　　　　　　　　)

**4** 선미가 집에서 도서관까지 길을 따라가려고 합니다. 적어도 몇 km 몇 m를 가야 도서관에 도착할 수 있는지 구해 보시오.

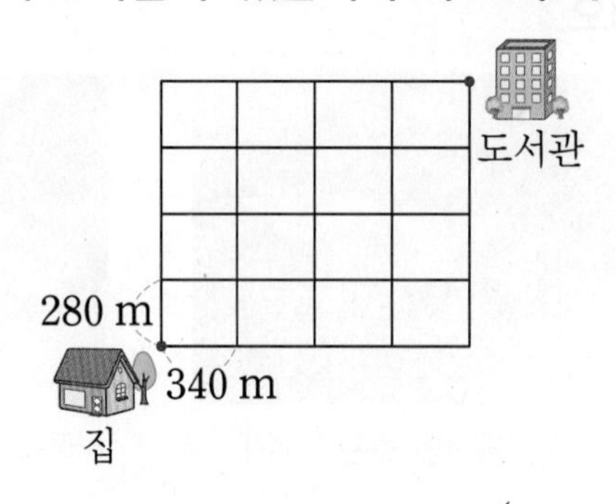


(　　　　　　　　)

비법 PLUS +

- 초바늘이 시계를 한 바퀴 도는 데 걸리는 시간은 60초=1분입니다.

★빠른 정답 4쪽, 정답과 풀이 29쪽 Review Book 36~37쪽

**5** 철인 3종 경기는 수영 1 km 500 m, 자전거 40 km, 달리기 10 km를 연이어 겨루는 경기입니다. 다음 철인 3종 경기 기록표를 보고 자전거 기록은 몇 시간 몇 분 몇 초인지 구해 보시오.

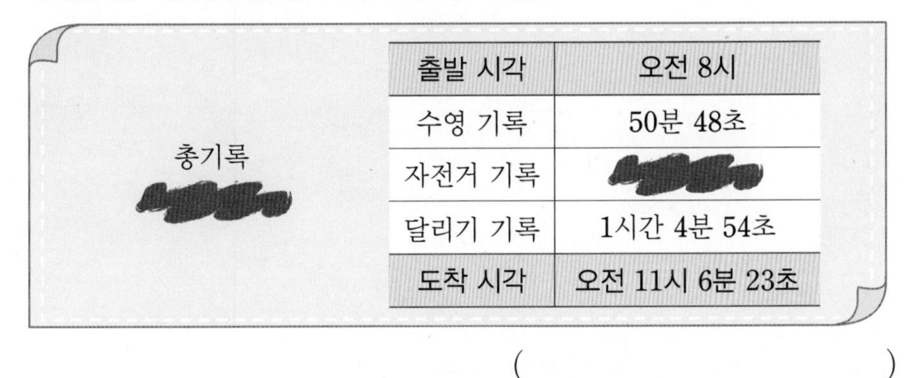

총기록

| 출발 시각 | 오전 8시 |
|---|---|
| 수영 기록 | 50분 48초 |
| 자전거 기록 | |
| 달리기 기록 | 1시간 4분 54초 |
| 도착 시각 | 오전 11시 6분 23초 |

( )

비법 PLUS +

- 총기록은 출발해서 도착할 때까지 걸린 시간이며 수영, 자전거, 달리기 기록의 합과 같습니다.

• 서술형 문제 •

**6** 학교에서 도서관까지 가는 경로는 2가지입니다. 경로 1과 경로 2 중 어느 경로가 몇 m 더 짧은지 풀이 과정을 쓰고 답을 구해 보시오.

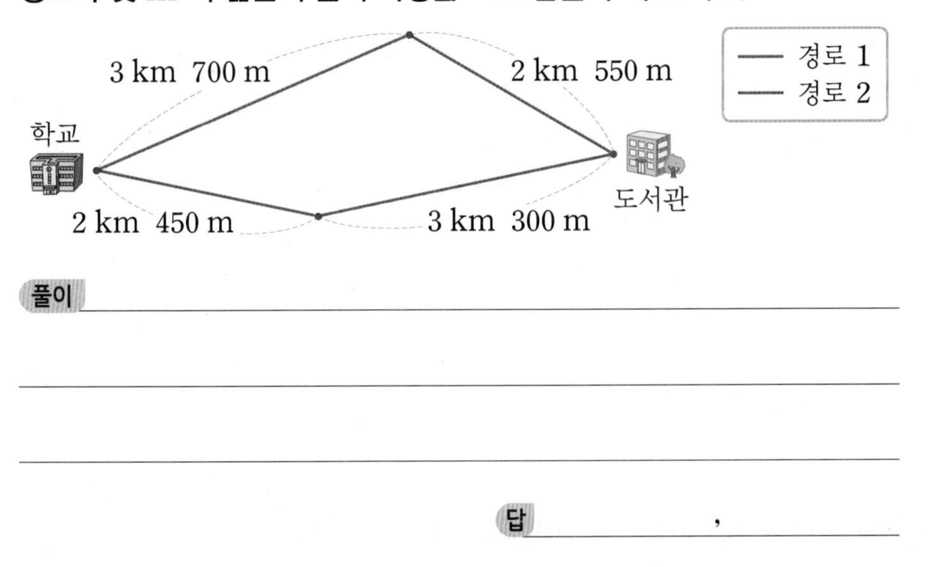


풀이

답 ,

**7** 어느 지하철은 한 역을 가는 데 일정하게 2분 30초가 걸리고, 역마다 30초씩 정차합니다. 이 지하철이 첫 번째 역을 출발하여 네 번째 역에 도착하는 데 걸리는 시간은 몇 분 몇 초인지 구해 보시오.

( )

- 첫 번째 역을 출발하여 세 번째 역에 도착하는 데 걸리는 시간을 그림으로 나타내면 다음과 같습니다.

첫 번째 역
↓ 2분 30초 이동
두 번째 역 — 30초 정차
↓ 2분 30초 이동
세 번째 역

**8** 어떤 양초에 불을 붙이고 24분이 지난 후에 길이를 재어 보니 17 cm 8 mm였습니다. 이 양초가 4분에 6 mm씩 타들어 간다면 처음 양초의 길이는 몇 cm 몇 mm인지 구해 보시오.

(                    )

비법 PLUS +

- 먼저 24분 동안 타들어 가는 양초의 길이를 알아봅니다.

• 서술형 문제 •

**9** 민서네 집에서 공원까지 가는 데 37분 54초가 걸리고, 공원에서 기차역까지 가는 데 46분 17초가 걸립니다. 민서가 집에서 출발하여 공원을 지나 기차역에 오후 1시 10분까지 도착하려면 집에서 늦어도 오전 몇 시 몇 분 몇 초에 출발해야 하는지 풀이 과정을 쓰고 답을 구해 보시오.

풀이 ______________________

______________________

______________________

답 ______________________

**10** 정호의 시계는 한 시간에 25초씩 늦어지고, 소희의 시계는 한 시간에 10초씩 빨라진다고 합니다. 정호와 소희가 오늘 오전 8시에 시계를 정확히 맞추어 놓았다면 같은 날 오후 5시에 두 사람의 시계가 가리키는 시각의 차는 몇 분 몇 초인지 구해 보시오.

(                    )

- 두 시계가 가리키는 시각을 그림으로 나타내면 다음과 같습니다.

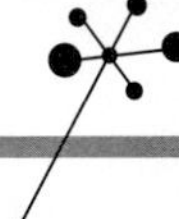

## 창의융합형 문제

**11** 다음은 세계 표준시를 기준으로 세계 도시의 시각을 나타낸 지도입니다. 뉴욕의 시각은 서울보다 14시간 느립니다. 뉴욕이 1월 7일 오후 5시 20분이면 서울은 몇 월 며칠 오전 몇 시 몇 분인지 구해 보시오.

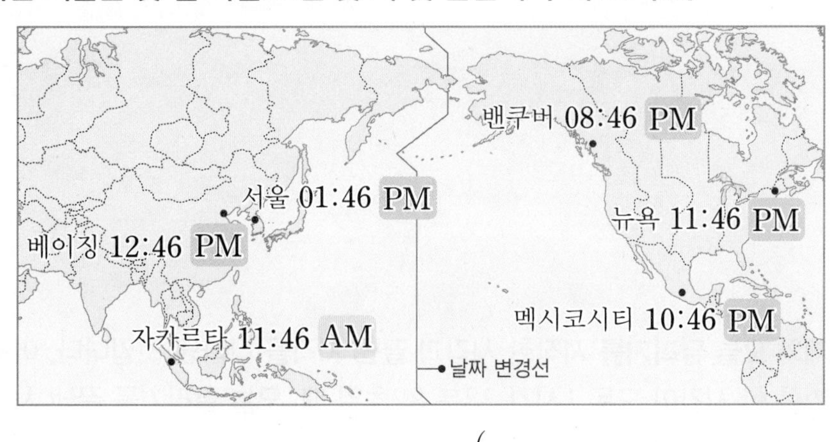


(　　　　　　　　　　)

**12** 세상에서 가장 빠른 동물이라고 하면 치타를 떠올리지만 치타는 육지에서 달리는 동물 중 가장 빠른 동물입니다. 세상에서 가장 빠른 동물은 하늘을 나는 군함조입니다. 군함조가 가장 빠른 빠르기로 움직일 때는 한 시간에 400 km보다 더 멀리 움직인다고 합니다. 군함조가 100 m를 6초에 가는 빠르기로 1 km 200 m를 간다면 몇 분 몇 초가 걸리는지 구해 보시오.

▲ 군함조

(　　　　　　　　　　)

**창의융합 PLUS +**

**○ 표준시**
각 나라마다 시각을 정하는 기준이 다르면 지역 간의 교류가 불편합니다. 따라서 세계 여러 나라는 영국을 기준으로 표준시를 정하여 사용하고 있습니다.

**○ 군함조**
몸의 길이가 1 m보다 길고 날개의 길이가 48 cm와 56 cm 사이인 아주 큰 새로 열대 지방의 바다에 삽니다.

# 최상위권 문제

• 문제 풀이 동영상

**1** 길이의 차가 34 mm인 노끈 2개를 겹치지 않게 이어 붙였더니 18 cm가 되었습니다. 짧은 노끈의 길이는 몇 cm 몇 mm인지 구해 보시오.

( )

**2** 은호가 어제와 오늘 달리기를 시작한 시각과 끝낸 시각을 나타낸 것입니다. 어제와 오늘 달리기를 한 시간이 모두 1시간 28분 32초일 때, 오늘 달리기를 끝낸 시각은 몇 시 몇 분 몇 초인지 구해 보시오.

| | 시작한 시각 | 끝낸 시각 |
|---|---|---|
| 어제 | 3시 46분 25초 | 4시 20분 23초 |
| 오늘 | 4시 33분 38초 | ? |

( )

**3** ㉮ 도로의 한쪽에 250 m 간격으로 가로수를 6그루 심고, ㉯ 도로의 한쪽에 150 m 간격으로 가로수를 8그루 심었습니다. ㉮와 ㉯ 도로 모두 처음과 끝에 가로수를 심었다면 ㉮와 ㉯ 도로의 길이의 합은 몇 km 몇 m인지 구해 보시오. (단, 가로수의 두께는 생각하지 않습니다.)

( )

**4** 어느 고속버스 터미널에서 광주로 가는 첫 번째 버스가 오전 9시에 출발했습니다. 버스가 일정한 간격으로 출발하여 오후 1시에 13번째 버스가 출발했다면 버스는 몇 분 간격으로 출발한 것인지 구해 보시오.

( )

**5** 윤주는 어느 날 오전 10시에 손목시계를 정확히 맞추었습니다. 5일이 지난 후 오전 10시에 손목시계를 보니 오전 9시 56분이었습니다. 윤주의 손목시계는 한 시간에 몇 초씩 늦어진 셈인지 구해 보시오.

( )

**6** 두원이는 오전 11시 40분에 집에서 출발하여 영화관에 갔습니다. 1시간 20분 동안 영화를 관람하고 집에 돌아왔더니 오후 2시 17분이었습니다. 집으로 올 때 걸린 시간이 영화관에 갈 때 걸린 시간보다 7분 더 길었다면 집에서 영화관에 갈 때 걸린 시간은 몇 분인지 구해 보시오.

( )

## 조제프 루이 라그랑주 (Joseph Louis Lagrange)

- **출생~사망:** 1736~1813
- **국적:** 프랑스
- **업적:** 도량형(길이, 무게, 담을 수 있는 양 등의 단위를 재는 법)의 표준화를 위해 구성된 협회 위원장으로 활동하며 미터법(길이는 미터를, 무게는 킬로그램을, 담을 수 있는 양은 리터를 기본 단위로 하는 도량형법)을 만드는 데 힘을 쏟았습니다.

# 6 분수와 소수

# 핵심 개념과 문제

## 1 똑같이 나누기

똑같이 나누면 나누어진 조각의 모양과 크기가 같고, 서로 겹쳤을 때 완전히 겹쳐집니다.

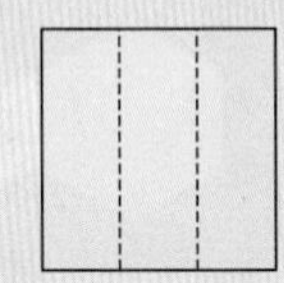
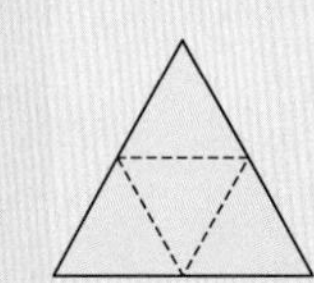
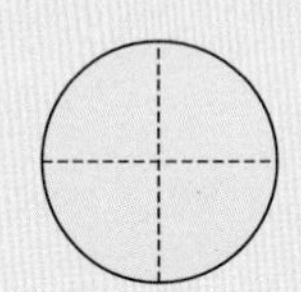

## 2 분수 알아보기

### 분수

- 전체를 똑같이 4로 나눈 것 중의 3을 $\frac{3}{4}$이라 쓰고 4분의 3이라고 읽습니다.
- 분수: $\frac{3}{4}$과 같은 수

$3$ ← 분자
$4$ ← 분모

### 전체에 대한 부분을 분수로 나타내기

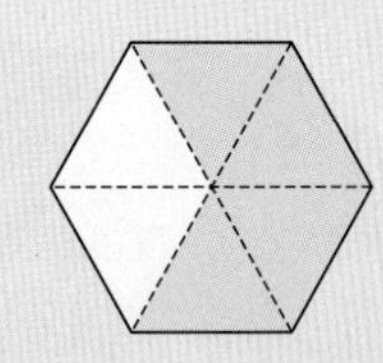

- 색칠한 부분은 전체의 $\frac{4}{6}$입니다.
- 색칠하지 않은 부분은 전체의 $\frac{2}{6}$입니다.

초 3-2 연계

★ 여러 가지 분수
- 진분수: $\frac{1}{4}$, $\frac{2}{4}$, $\frac{3}{4}$과 같이 분자가 분모보다 작은 분수
- 가분수: $\frac{4}{4}$, $\frac{5}{4}$와 같이 분자가 분모와 같거나 분모보다 큰 분수
- 대분수: $1\frac{1}{4}$(1과 4분의 1)과 같이 자연수와 진분수로 이루어진 분수

## 3 분모가 같은 분수의 크기 비교

분모가 같은 분수는 분자가 클수록 큰 수입니다.

$4>1$ → $\frac{4}{5}>\frac{1}{5}$　　$2<5$ → $\frac{2}{7}<\frac{5}{7}$

## 4 단위분수의 크기 비교

- 단위분수: 분수 중에서 $\frac{1}{2}$, $\frac{1}{3}$, $\frac{1}{4}$, $\frac{1}{5}$……과 같이 분자가 1인 분수
- 단위분수는 분모가 작을수록 큰 수입니다.

$\frac{1}{3}>\frac{1}{6}$ ($3<6$)　　$\frac{1}{4}>\frac{1}{8}$ ($4<8$)

개념 PLUS

★ 분수의 크기 비교
- ▲>★ ⇨ $\frac{▲}{■}>\frac{★}{■}$
- ■<▲ ⇨ $\frac{1}{■}>\frac{1}{▲}$

★빠른 정답 5쪽, 정답과 풀이 31쪽

**1** 똑같이 나누어진 도형을 모두 찾아보시오.

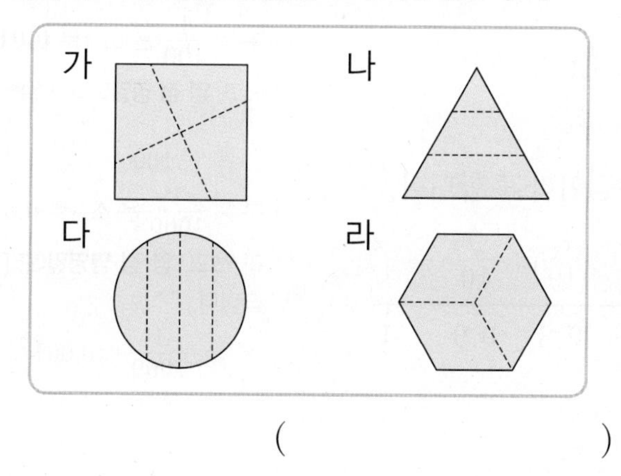


(　　　　　　　　　　)

**2** □ 안에 알맞은 수를 써넣으시오.

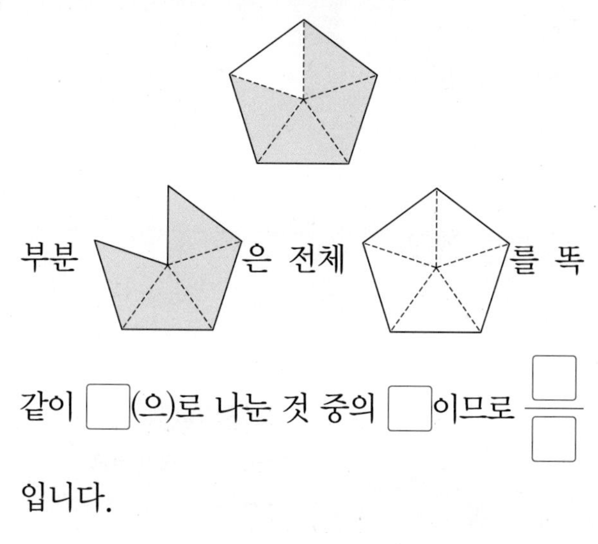

부분 은 전체 를 똑같이 □(으)로 나눈 것 중의 □이므로 $\frac{\square}{\square}$ 입니다.

**3** 주어진 분수만큼 색칠하고 분수를 읽어 보시오.

$\frac{2}{9}$

(　　　　　　　　　　)

**4** 가장 큰 분수와 가장 작은 분수를 각각 찾아 써 보시오.

$\frac{1}{8}$　$\frac{1}{7}$　$\frac{1}{3}$　$\frac{1}{10}$　$\frac{1}{5}$

가장 큰 분수 (　　　　　　　　　　)

가장 작은 분수 (　　　　　　　　　　)

**5** 현우가 빵을 똑같이 8조각으로 나누어 전체의 $\frac{1}{2}$만큼 먹으려고 합니다. 현우는 빵을 몇 조각 먹어야 합니까?

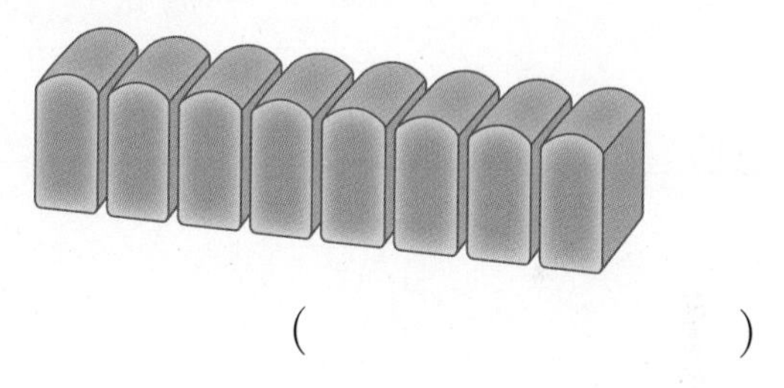

(　　　　　　　　　　)

**6** 분모가 13인 분수 중에서 $\frac{3}{13}$보다 크고 $\frac{8}{13}$보다 작은 분수를 모두 찾아 ○표 하시오.

$\frac{2}{13}$　$\frac{4}{13}$　$\frac{7}{13}$　$\frac{10}{13}$　$\frac{12}{13}$

STEP 1 핵심 개념과 문제

## 5 소수 알아보기

- $\frac{1}{10}$, $\frac{2}{10}$, $\frac{3}{10}$ …… $\frac{9}{10}$를 **0.1**, **0.2**, **0.3** …… **0.9**라 쓰고 **영 점 일**, **영 점 이**, **영 점 삼** …… **영 점 구**라고 읽습니다.
- 0.1, 0.2, 0.3과 같은 수를 **소수**라고 하고 '**.**'을 **소수점**이라고 합니다.

| 0 | $\frac{1}{10}$ | $\frac{2}{10}$ | $\frac{3}{10}$ | $\frac{4}{10}$ | $\frac{5}{10}$ | $\frac{6}{10}$ | $\frac{7}{10}$ | $\frac{8}{10}$ | $\frac{9}{10}$ | 1 |
|---|---|---|---|---|---|---|---|---|---|---|
| 0 | 0.1 | 0.2 | 0.3 | 0.4 | 0.5 | 0.6 | 0.7 | 0.8 | 0.9 | 1 |

초 4-2 연계

- 분수 $\frac{1}{100}$은 소수로 **0.01**이라 쓰고, **영 점 영일**이라고 읽습니다.

$$\frac{1}{100}=0.01$$

- 분수 $\frac{1}{1000}$은 소수로 **0.001**이라 쓰고, **영 점 영영일**이라고 읽습니다.

$$\frac{1}{1000}=0.001$$

## 6 자연수와 소수로 이루어진 소수

- 2와 0.8만큼을 **2.8**이라 쓰고 **이 점 팔**이라고 읽습니다.
- 1 mm=0.1 cm이므로 8 cm 3 mm=83 mm=8.3 cm입니다.
  - 1 cm=10 mm ⇨ 1 mm=$\frac{1}{10}$ cm=0.1 cm

## 7 소수의 크기 비교

- 0.1의 개수가 많을수록 큰 수입니다.

  $0.5<0.7$ (0.1이 5개, 0.1이 7개)  $0.4<0.9$ (0.1이 4개, 0.1이 9개)

- 자연수의 크기가 클수록 큰 수입니다.

  $2.7<4.5$ ($2<4$)  $5.2>3.8$ ($5>3$)

- 자연수의 크기가 같은 경우, 소수의 크기가 클수록 큰 수입니다.

  $1.9>1.6$ ($9>6$)  $6.3<6.8$ ($3<8$)

개념 PLUS

★ 소수의 크기 비교

- ■>▲ ⇨ ■.●>▲.★
- ▲<★ ⇨ ■.▲<■.★

**1** 그림을 보고 색칠한 부분을 분수와 소수로 나타내어 보시오.

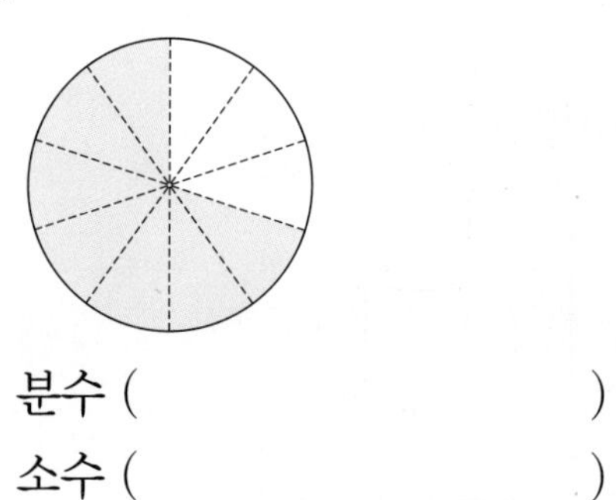

분수 (　　　　　　　　)
소수 (　　　　　　　　)

**2** □ 안에 알맞은 수를 써넣으시오.

(1) 1.9는 0.1이 □개입니다.

(2) 0.1이 □개이면 8.3입니다.

**3** 길이를 잘못 나타낸 것을 찾아 기호를 써 보시오.

㉠ 3.5 cm=3 cm 5 mm
㉡ 65 cm=6.5 mm
㉢ 49 mm=4.9 cm

(　　　　　　　　)

**4** 가장 큰 수에 ○표, 가장 작은 수에 △표 하시오.

가. $\frac{1}{10}$이 38개인 수
나. 0.1이 44개인 수
다. 0.1이 51개인 수
라. 4.9

**5** 리본 1 m를 똑같이 10조각으로 나누어 그중 인혜가 4조각, 현서가 6조각을 사용했습니다. 인혜와 현서가 사용한 리본의 길이는 각각 몇 m인지 소수로 나타내어 보시오.

인혜 (　　　　　　　　)
현서 (　　　　　　　　)

**6** 1부터 9까지의 수 중에서 □ 안에 들어갈 수 있는 수는 모두 몇 개입니까?

3.□<3.4

(　　　　　　　　)

# 상위권 문제

## 대표유형 1 똑같이 나누어 주어진 분수만큼 색칠하기

똑같이 나누어 주어진 분수만큼 색칠해 보시오.

$\frac{2}{6}$

(1) 도형을 똑같이 6으로 나누어 보시오.

(2) $\frac{2}{6}$만큼 색칠해 보시오.

**비법 PLUS +**

**분수만큼 색칠하기**
분모만큼 똑같이 나누고 분자만큼 색칠합니다.

▲ ← 색칠한 부분의 수
■ ← 똑같이 나눈 수

유제 1 똑같이 나누어 주어진 분수만큼 색칠해 보시오.

$\frac{3}{4}$

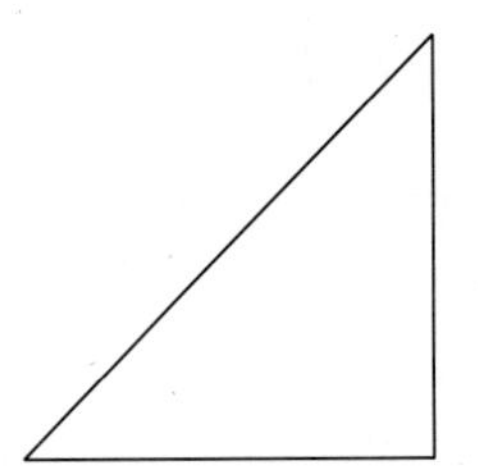

유제 2 사각형을 세 가지 방법으로 똑같이 나누어 $\frac{5}{8}$만큼 색칠해 보시오.

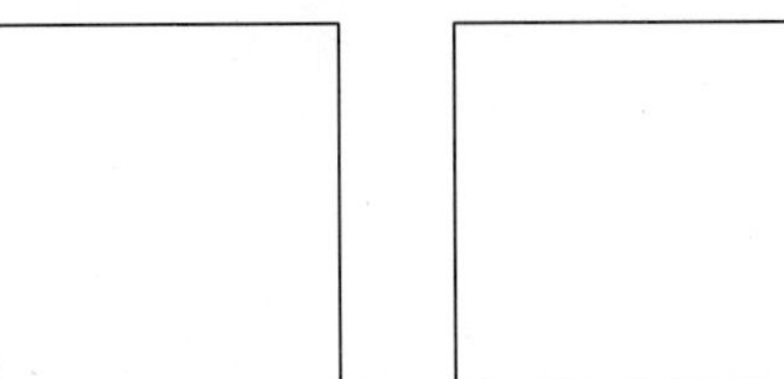

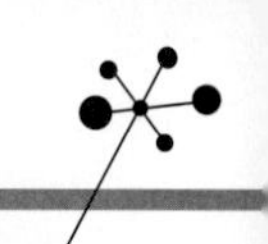



## 대표유형 2 남은 부분을 분수로 나타내기

케이크 한 개를 똑같이 8조각으로 나누어 영란이는 그중 1조각을 먹었고, 윤호는 영란이가 먹고 남은 케이크의 $\frac{4}{7}$를 먹었습니다. 영란이와 윤호가 먹고 남은 케이크는 케이크 한 개의 얼마인지 분수로 나타내어 보시오.

(1) 윤호가 먹은 케이크는 몇 조각입니까?

( )

(2) 영란이와 윤호가 먹고 남은 케이크는 케이크 한 개의 얼마인지 분수로 나타내어 보시오.

( )

**비법 PLUS +**

윤호가 먹은 케이크가 몇 조각인지 알아본 다음 영란이와 윤호가 먹고 남은 케이크는 케이크 한 개의 얼마인지 분수로 나타냅니다.

**유제 3** 도화지 한 장을 똑같이 10조각으로 나누어 은희는 그중 4조각에 색칠했고, 혜수는 은희가 색칠하고 남은 도화지의 $\frac{5}{6}$에 색칠했습니다. 은희와 혜수가 색칠하고 남은 도화지는 도화지 한 장의 얼마인지 분수로 나타내어 보시오.

( )

**유제 4** • 서술형 문제 •

밭 전체의 $\frac{6}{11}$에는 옥수수를 심었고, 옥수수의 절반만큼 양파를 심었습니다. 옥수수와 양파를 심지 않은 부분은 밭 전체의 얼마인지 분수로 나타내려고 합니다. 풀이 과정을 쓰고 답을 구해 보시오.

풀이

답

STEP 2 상위권 문제

## 대표유형 3 분수와 소수의 크기 비교

소은이는 친구들과 우유 한 병을 나누어 마셨습니다. 소은이는 전체의 0.3만큼, 선호는 전체의 $\frac{1}{10}$만큼, 지경이는 전체의 0.4만큼, 민종이는 전체의 $\frac{2}{10}$만큼 마셨다면 우유를 가장 많이 마신 사람은 누구인지 구해 보시오.

(1) 선호와 민종이가 마신 우유의 양은 각각 전체의 얼마인지 소수로 나타내어 보시오.

선호 (  )

민종 (  )

(2) 우유를 가장 많이 마신 사람은 누구입니까?

(  )

**비법 PLUS +**

분모가 10인 분수와 소수의 크기를 비교할 때에는 분수를 소수로 나타낸 다음 크기를 비교합니다.

**유제 5** 색 테이프를 명진이는 $\frac{9}{10}$ m, 규리는 1.9 m, 민성이는 1.4 m, 혜영이는 $\frac{5}{10}$ m 가지고 있습니다. 가장 짧은 색 테이프를 가지고 있는 사람은 누구인지 구해 보시오.

(  )

**유제 6** 민희네 모둠 학생들이 가지고 있는 끈의 길이를 나타낸 것입니다. 가장 긴 끈을 가지고 있는 사람은 누구인지 구해 보시오.

| 민희 | 정수 | 찬우 | 태연 |
|---|---|---|---|
| $\frac{7}{10}$ m | 0.1 m가 5개 | $\frac{6}{10}$ m | 0.8 m |

(  )

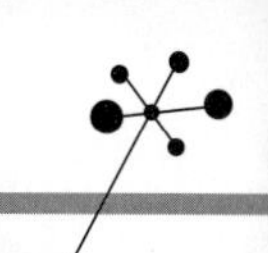



## 대표유형 4 □ 안에 공통으로 들어갈 수 있는 수 구하기

1부터 9까지의 수 중에서 □ 안에 공통으로 들어갈 수 있는 수를 모두 구해 보시오.

㉠ $\frac{\square}{9} < \frac{7}{9}$　　㉡ $\frac{4}{10} < \frac{\square}{10}$

(1) ㉠의 □ 안에 들어갈 수 있는 수를 모두 구해 보시오.

(　　　　　　　　　　)

(2) ㉡의 □ 안에 들어갈 수 있는 수를 모두 구해 보시오.

(　　　　　　　　　　)

(3) □ 안에 공통으로 들어갈 수 있는 수를 모두 구해 보시오.

(　　　　　　　　　　)

**비법 PLUS +**

분모가 같은 분수는 분자가 클수록 큰 수입니다.

**유제 7** 1부터 9까지의 수 중에서 □ 안에 공통으로 들어갈 수 있는 수를 모두 구해 보시오.

㉠ $0.3 < 0.\square$　　㉡ $5.6 > 5.\square$

(　　　　　　　　　　)

**유제 8** 2부터 9까지의 수 중에서 □ 안에 공통으로 들어갈 수 있는 수를 모두 구해 보시오.

㉠ $\frac{1}{3} > \frac{1}{\square}$　　㉡ $7.8 > \square.9$

(　　　　　　　　　　)

STEP 2 상위권 문제

## 대표유형 5 조건에 알맞은 수 구하기

조건에 알맞은 분수를 모두 구해 보시오.

- 단위분수입니다.
- $\frac{1}{8}$보다 큰 분수입니다.
- $\frac{1}{5}$보다 작은 분수입니다.

(1) $\frac{1}{8}$보다 큰 단위분수를 모두 구해 보시오.

(                    )

(2) 조건에 알맞은 분수를 모두 구해 보시오.

(                    )

비법 PLUS +

단위분수는 분모가 작을수록 큰 수입니다.

**유제 9** 조건에 알맞은 분수를 모두 구해 보시오.

- 분모가 11입니다.
- 분자가 8보다 작습니다.
- 분자가 홀수입니다.

(                    )

**유제 10** 조건에 알맞은 소수를 모두 구해 보시오.

- $\frac{3}{10}$보다 큰 ■.▲ 형태의 소수입니다.
- 0.1이 9개인 수보다 작은 수입니다.
- ▲ 부분이 짝수입니다.

(                    )

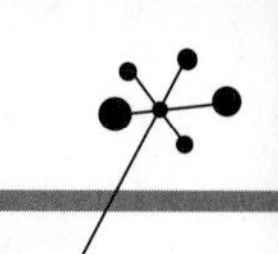



## 대표유형 6 수 카드로 소수 만들기

4장의 수 카드 중에서 2장을 뽑아 한 번씩만 사용하여 ■.▲ 형태의 소수를 만들려고 합니다. 만들 수 있는 소수 중에서 두 번째로 큰 수를 구해 보시오.

4 6 8 1

(1) 만들 수 있는 소수 중에서 가장 큰 수를 구해 보시오.

( )

(2) 만들 수 있는 소수 중에서 두 번째로 큰 수를 구해 보시오.

( )

**비법 PLUS +**

수 카드로 ■.▲ 형태의 소수 만들기

- 가장 큰 소수를 만들 때에는 앞에서부터 차례대로 큰 수를 놓습니다.
- 가장 작은 소수를 만들 때에는 앞에서부터 차례대로 작은 수를 놓습니다.

**유제 11** 4장의 수 카드 중에서 2장을 뽑아 한 번씩만 사용하여 ■.▲ 형태의 소수를 만들려고 합니다. 만들 수 있는 소수 중에서 두 번째로 작은 수를 구해 보시오.

7 4 0 9

( )

**유제 12** 4장의 수 카드 중에서 2장을 뽑아 한 번씩만 사용하여 ■.▲ 형태의 소수를 만들려고 합니다. 만들 수 있는 소수 중에서 세 번째로 큰 수와 세 번째로 작은 수를 각각 구해 보시오.

5 3 7 2

세 번째로 큰 수 ( )

세 번째로 작은 수 ( )

## 대표유형 7 여러 분수의 크기 비교

분수의 크기를 비교하여 큰 수부터 차례대로 써 보시오.

$\frac{1}{11}$ $\frac{1}{10}$ $\frac{1}{7}$ $\frac{3}{7}$

(1) 분모가 같은 분수를 모두 찾아 큰 수부터 차례대로 써 보시오.

( )

(2) 단위분수를 모두 찾아 큰 수부터 차례대로 써 보시오.

( )

(3) 분수의 크기를 비교하여 큰 수부터 차례대로 써 보시오.

( )

**비법 PLUS+**

여러 분수의 크기를 비교할 때에는 먼저 분모가 같은 분수와 단위분수로 나누어 크기를 비교합니다.

**유제 13** 분수의 크기를 비교하여 작은 수부터 차례대로 써 보시오.

$\frac{1}{9}$ $\frac{3}{8}$ $\frac{1}{8}$ $\frac{5}{8}$

( )

• 서술형 문제 •

**유제 14** 수정, 재우, 유리는 똑같은 아이스크림을 먹고 있습니다. 수정이는 전체의 $\frac{2}{5}$를 먹었고, 재우는 전체의 $\frac{1}{6}$을 먹었고, 유리는 전체의 $\frac{1}{5}$을 먹었습니다. 아이스크림을 많이 먹은 사람부터 차례대로 이름을 쓰려고 합니다. 풀이 과정을 쓰고 답을 구해 보시오.

풀이

답

## 신유형 8 부분은 전체의 얼마인지 분수로 나타내기

**오른쪽 칠교판에서 ㉠과 ㉡ 조각은 각각 칠교판 전체의 얼마인지 단위분수로 나타내어 보시오.**

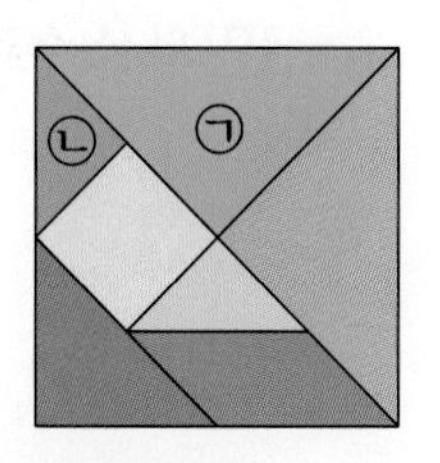


(1) 오른쪽 칠교판을 ㉠ 조각의 크기로 똑같이 나누고, ㉠ 조각은 칠교판 전체의 얼마인지 단위분수로 나타내어 보시오.

( )

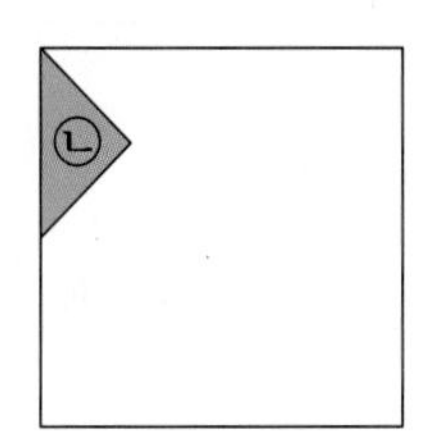


(2) 오른쪽 칠교판을 ㉡ 조각의 크기로 똑같이 나누고, ㉡ 조각은 칠교판 전체의 얼마인지 단위분수로 나타내어 보시오.

( )

**신유형 PLUS +**

칠교판에는 모양은 같지만 크기가 서로 다른 세 종류의 삼각형 5개와 모양이 다른 두 종류의 사각형 2개가 있습니다.

**유제 15** 복사할 때 흔히 사용하는 A4 용지는 A0 용지를 잘라서 만듭니다. 다음과 같이 A0 용지를 반으로 자르면 A1 용지가 되고, A1 용지를 다시 반으로 자르면 A2 용지가 됩니다. 이와 같은 방법으로 A4 용지를 만들 때 A4 용지는 A0 용지의 얼마인지 단위분수로 나타내어 보시오.

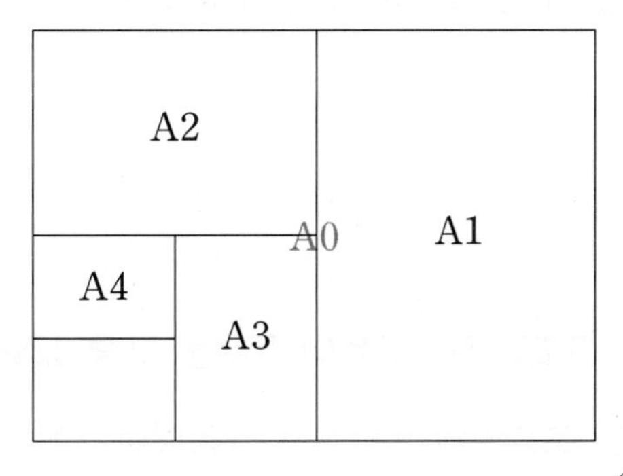


( )

비법 PLUS +

**1** 세 변의 길이가 다음과 같은 삼각형이 있습니다. 가장 긴 변의 길이는 몇 cm인지 소수로 나타내어 보시오.

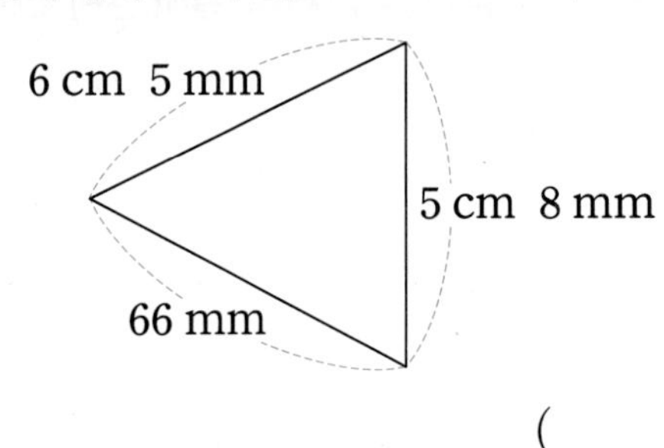


( )

**2** 그림을 보고 색칠한 부분을 분수와 소수로 나타내어 보시오.

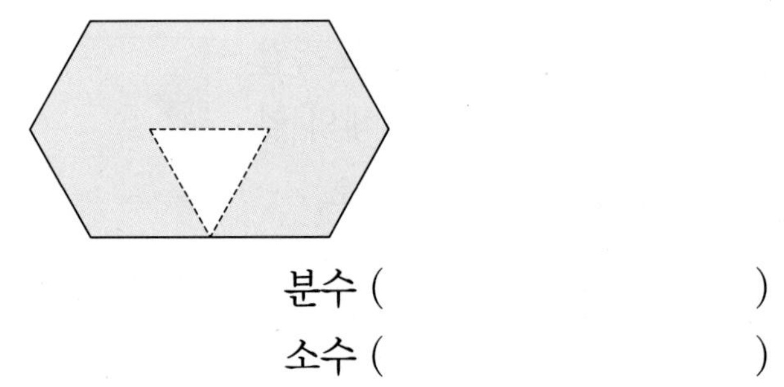

분수 ( )

소수 ( )

- 색칠한 부분은 전체를 똑같이 몇으로 나눈 것 중의 몇인지 구해 봅니다.

**3** 경민이는 가지고 있던 찰흙의 $\frac{3}{12}$을 사용하여 코끼리를 만들었습니다. 남은 찰흙은 사용한 찰흙의 몇 배인지 구해 보시오.

( )

**4** 초콜릿 한 개를 똑같이 15조각으로 나누어 선우는 그중 4조각을 먹었고, 은서는 선우가 먹고 남은 초콜릿의 $\frac{3}{11}$을 먹었습니다. 선우와 은서가 먹고 남은 초콜릿은 초콜릿 한 개의 얼마인지 분수로 나타내어 보시오.

( )

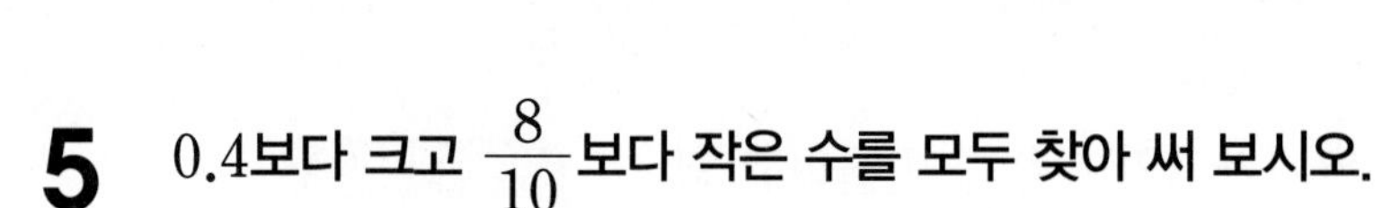

**5** $0.4$보다 크고 $\frac{8}{10}$보다 작은 수를 모두 찾아 써 보시오.

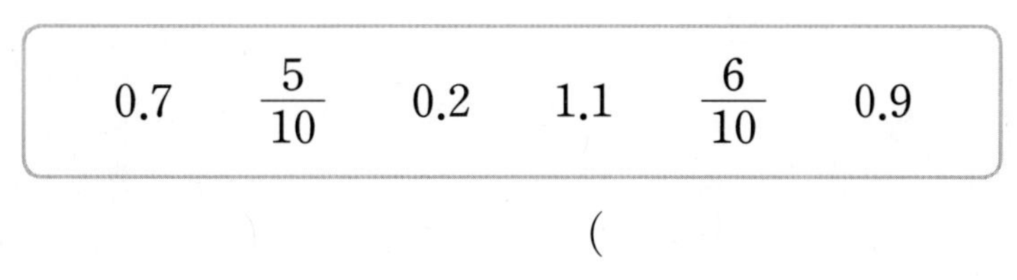

$0.7$ $\quad \frac{5}{10}$ $\quad 0.2$ $\quad 1.1$ $\quad \frac{6}{10}$ $\quad 0.9$

(　　　　　　　　　　)

**비법 PLUS +**

- 분수를 소수로 나타낸 다음 소수의 크기를 비교합니다.

● 서술형 문제 ●

**6** 1부터 9까지의 수 중에서 □ 안에 공통으로 들어갈 수 있는 수를 구하려고 합니다. 풀이 과정을 쓰고 답을 구해 보시오.

㉠ $\frac{3}{17} < \frac{\square}{17} < \frac{7}{17}$ 　　 ㉡ $6.5 < 6.\square < 6.9$

풀이 ______________________________

______________________________

______________________________

답 ______________

**7** 4장의 수 카드 중에서 2장을 뽑아 한 번씩만 사용하여 ■.▲ 형태의 소수를 만들려고 합니다. $\frac{5}{10}$보다 크고 5보다 작은 소수는 모두 몇 개 만들 수 있는지 구해 보시오. (단, ▲에는 0이 올 수 없습니다.)

4 　 0 　 3 　 6

(　　　　　　　　　　)

- 수 카드를 한 번씩만 사용해야 하므로 ■와 ▲에 같은 수가 올 수 없는 것에 주의합니다.

**8** 3장의 수 카드를 한 번씩 모두 사용하여 분자가 3인 분수를 만들려고 합니다. 만들 수 있는 가장 큰 분수를 구해 보시오.

3　5　7

(　　　　　　　　　　)

비법 PLUS +

- 분자가 1이 아닌 경우에도 분자가 같을 때에는 단위분수처럼 분모가 작을수록 큰 수입니다.

■ < ▲ ⇨ $\frac{★}{■} > \frac{★}{▲}$

• 서술형 문제 •

**9** 다음과 같은 규칙으로 소수를 늘어놓았습니다. 20번째 소수는 얼마인지 풀이 과정을 쓰고 답을 구해 보시오.

0.1　2.3　4.5　6.7　8.9　10.1　12.3　14.5　16.7……

풀이 ____________________

____________________

____________________

답 ____________________

- 자연수 부분과 소수 부분을 따로 떼어 규칙을 각각 찾아봅니다.

**10** 현무는 자전거를 타고 공원을 한 바퀴 돌려고 합니다. 일정한 빠르기로 공원의 $\frac{5}{14}$만큼 도는 데 10분이 걸렸습니다. 같은 빠르기로 남은 거리를 도는 데에는 몇 분이 걸리는지 구해 보시오.

(　　　　　　　　　　)

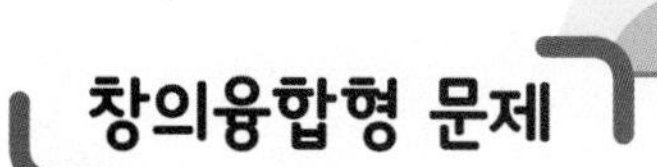


**11** 음표란 음의 길이 또는 높이를 나타내는 기호입니다. 음의 길이는 음표의 종류로 나타내는데 온음표를 1로 할 때, 2분음표는 $\frac{1}{2}$, 4분음표는 $\frac{1}{4}$, 8분음표는 $\frac{1}{8}$, 16분음표는 $\frac{1}{16}$이 됩니다. 16분음표의 음의 길이는 2분음표의 음의 길이의 얼마인지 분수로 나타내어 보시오.

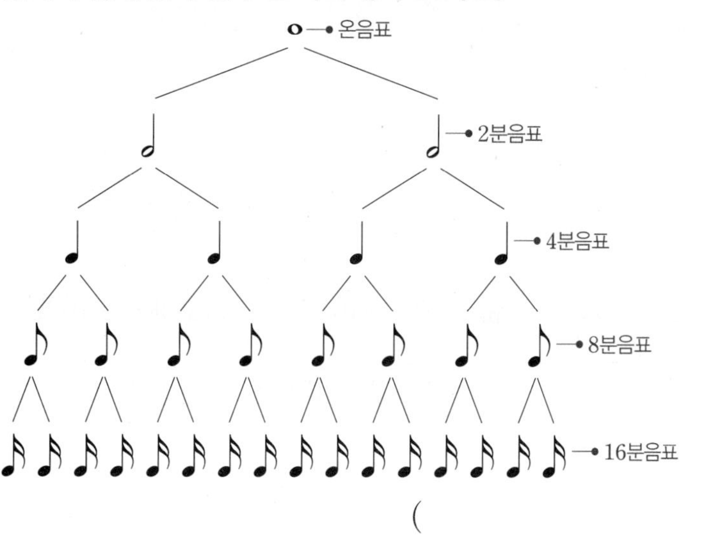


(　　　　　　　　)

**창의융합 PLUS**

**음의 높이**
음의 높이는 오선 위에 위치로 나타냅니다.

**12** 석회암 동굴은 자연의 신비로 가득한데 그중에서도 돌고드름이라고도 불리는 종유석과 돌순이라고도 불리는 석순은 탄성을 자아냅니다. 이러한 종유석과 석순이 만나면 석주가 되는데 석주란 돌기둥이라는 뜻입니다. 10년에 1 mm씩 아래로 자라는 종유석과 10년에 0.5 mm씩 위로 자라는 석순이 만나서 석주가 되는 때는 몇 년 후인지 구해 보시오. (단, 올해 종유석과 석순 사이의 거리는 1.5 cm입니다.)

▲ 종유석, 석순, 석주

(　　　　　　　　)

**종유석**
지하수가 석회암 지대를 녹이며 생긴 동굴 천장에 고드름같이 달려 있는 석회석입니다.

**석순**
종유석에서 떨어진 탄산 칼슘의 용액이 물과 이산화 탄소의 증발로 굳어 죽순 모양으로 이루어진 돌입니다.

**석주**
종유석과 석순이 만나 생기는 돌기둥입니다.

# 최상위권 문제

• 문제 풀이 동영상

**1** 수직선에서 ㉠이 나타내는 분수보다 큰 수를 모두 찾아 써 보시오.

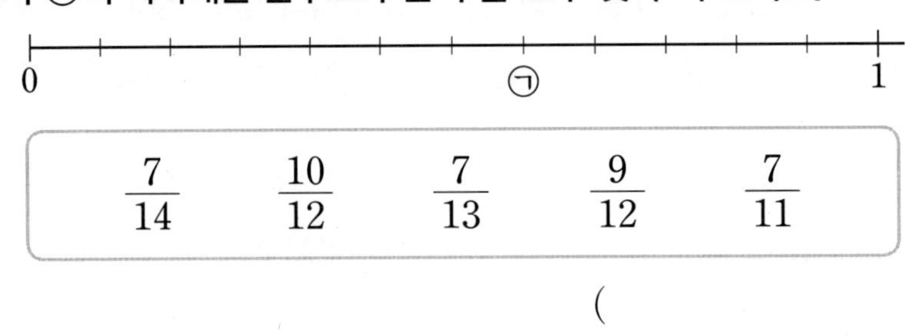


$\frac{7}{14}$ $\frac{10}{12}$ $\frac{7}{13}$ $\frac{9}{12}$ $\frac{7}{11}$

(　　　　　　　　　　)

**2** 다음과 같은 방법으로 $\frac{1}{5}$을 소수로 나타내면 0.2입니다. 오른쪽 그림을 이용하여 $\frac{1}{2}$을 소수로 나타내면 얼마인지 구해 보시오.

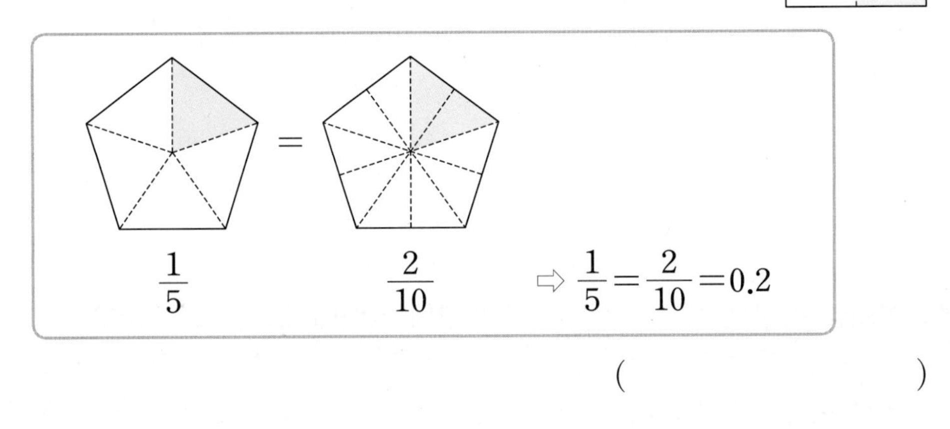


$\frac{1}{5}$　　$\frac{2}{10}$　　⇨ $\frac{1}{5}=\frac{2}{10}=0.2$

(　　　　　　　　　　)

**3** 승재는 위인전을 읽었습니다. 어제 전체의 $\frac{2}{9}$를 읽고, 오늘 또 읽었더니 전체의 $\frac{1}{3}$이 남았습니다. 오늘 읽은 양은 전체의 얼마인지 분수로 나타내어 보시오.

(　　　　　　　　　　)

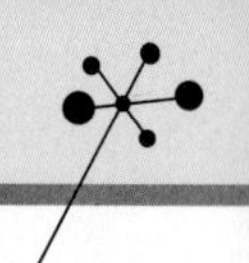



**4** [1] 부터 [9] 까지의 수 카드가 각각 1장씩 있습니다. 수 카드 2장을 뽑아 소수를 만들 때 3.8보다 크고 6.4보다 작은 소수는 모두 몇 개 만들 수 있는지 구해 보시오.

(　　　　　　　　)

**5** 혜민, 성우, 지영이가 각각 다른 책을 읽고 있습니다. 세 사람이 지금까지 읽은 책의 쪽수가 같을 때 혜민이는 책 전체의 $\frac{1}{3}$, 성우는 책 전체의 $\frac{1}{4}$, 지영이는 책 전체의 $\frac{1}{6}$을 읽었다고 합니다. 쪽수가 가장 많은 책은 누구의 책인지 구해 보시오.

(　　　　　　　　)

**6** 규칙에 따라 분수를 늘어놓은 것입니다. 21번째, 24번째, 27번째 분수를 작은 수부터 차례대로 써 보시오.

$\frac{1}{2}, \frac{1}{3}, \frac{2}{3}, \frac{1}{4}, \frac{2}{4}, \frac{3}{4}, \frac{1}{5}, \frac{2}{5}, \frac{3}{5}, \frac{4}{5}$……

(　　　　　　　　)

## 시몬 스테빈 (Simon Stevin)

- **출생~사망:** 1548~1620
- **국적:** 네덜란드
- **업적:** 1585년에 출판한 『10분의 1에 관하여』에서 소수 이론을 세웠습니다. 이 책에서 분수 표현 방식을 자연수에 사용하던 십진법(숫자 0, 1, 2, 3, 4, 5, 6, 7, 8, 9를 써서 10배마다 윗자리로 올려서 표시하는 방법)으로 통일하여 1보다 작은 분수를 소수로 표현했습니다.

개념+유형
최상위 탑

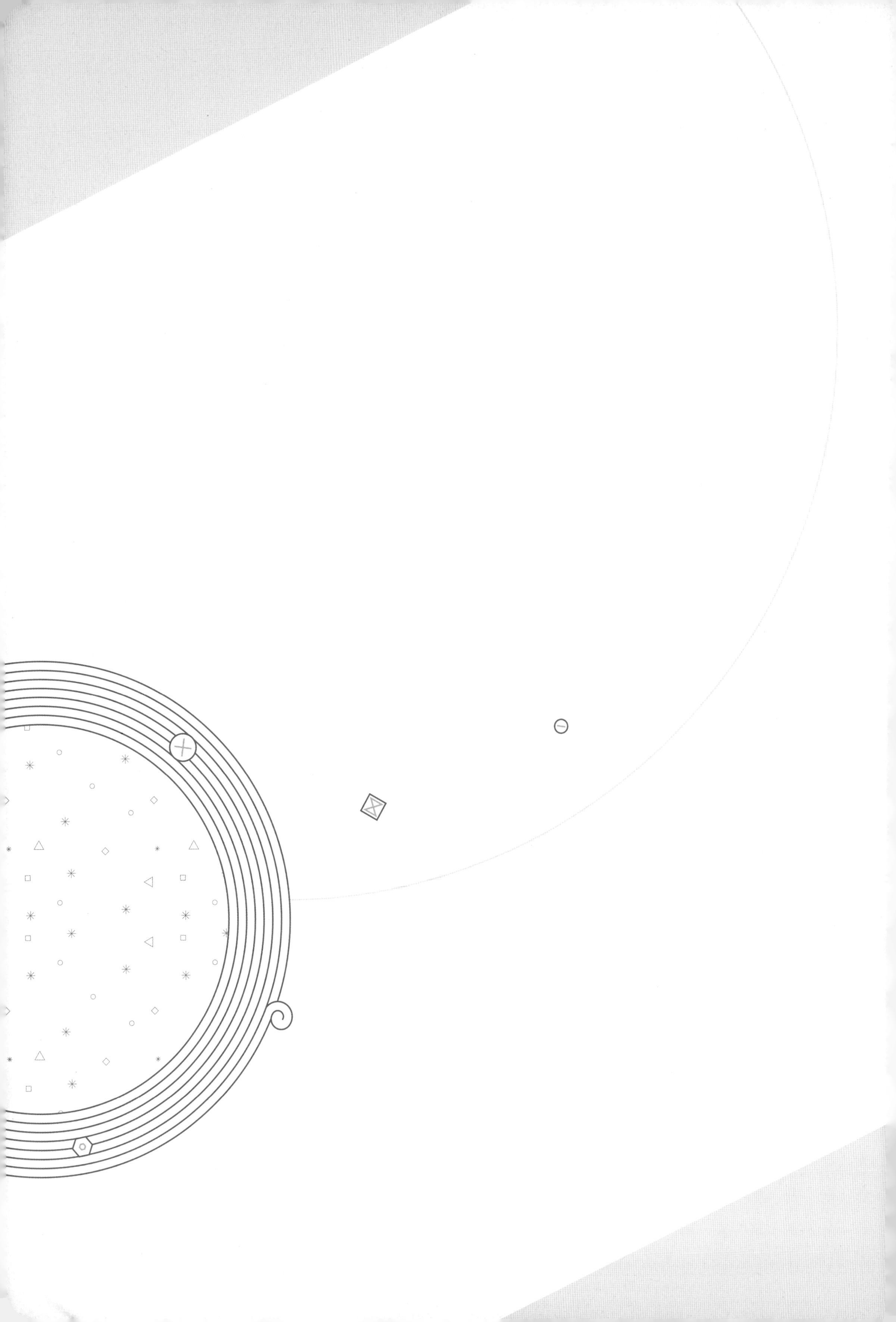

15개정 교육과정

개념+유형 최상위 탑

# 정답과 풀이

초등 수학

3·1

visang

개념+유형 최상위 탑

# 정답과 풀이

# 3·1

## Top Book



## Review Book

# 빠른 정답

## Top Book

## 1 덧셈과 뺄셈

### 7쪽 핵심 개념과 문제

1
$$\begin{array}{r} 349 \\ +239 \\ \hline 588 \end{array}$$

2 (위에서부터) 378, 1325, 941, 762

3 1134 m

4 방법1 예 백의 자리부터 더해서 계산합니다.
100+700, 50+20, 6+2를 계산하면 878이 됩니다.
방법2 예 일의 자리부터 더해서 계산합니다.
6+2, 50+20, 100+700을 계산하면 878이 됩니다.

5 ㉢, ㉣, ㉠, ㉡ 6 625명

### 9쪽 핵심 개념과 문제

1 337 2 <

3 384 cm

4 방법1 예 백의 자리부터 빼서 계산합니다.
600−300, 50−10, 8−4를 계산하면 344가 됩니다.
방법2 예 일의 자리부터 빼서 계산합니다.
8−4, 50−10, 600−300을 계산하면 344가 됩니다.

5 24명 6 308개

### 10~17쪽 상위권 문제

유형 1 (1) 236, 672 (2) 436
유제 1 504 유제 2 775, 279
유형 2 (1) 642, 204 (2) 846
유제 3 760 유제 4 623
유형 3 (1) 554 (2) 287
유제 5 650 유제 6 1440
유형 4 (1) 486, 435, 187 (2) 734 m
유제 7 812 m 유제 8 143 m
유형 5 (1) 5 (2) 2 (3) 9
유제 9 3, 8, 1 유제 10 17
유형 6 (1) 527, 259, 188 또는 259, 527, 188
(2) 598
유제 11 924, 451, 658 또는 658, 451, 924 / 1131
유제 12 800, 285, 324 또는 800, 324, 285 / 191
유형 7 (1) 288 (2) 287
유제 13 526 유제 14 390
유형 8 (1) 십, 일 (2) 3, 8, 6 / 2, 4, 4
유제 15 8, 6, 3 / 4, 9, 5 유제 16 7, 4, 2 / 3, 1, 5

### 18~21쪽 상위권 문제 | 확인과 응용

1 1721 2 성수네 학교, 25명
3 8, 5, 9 4 539
5 644 6 3
7 268 cm 8 317
9 465, 179, 286 10 250
11 1681 m 12 1시간

### 22~23쪽 최상위권 문제

1 132 cm 2 595
3 138 4 1010
5 182명
6 (위에서부터) 9 / 7, 4 / 1, 0, 3, 5

## 2 평면도형

### 27쪽 핵심 개념과 문제

1
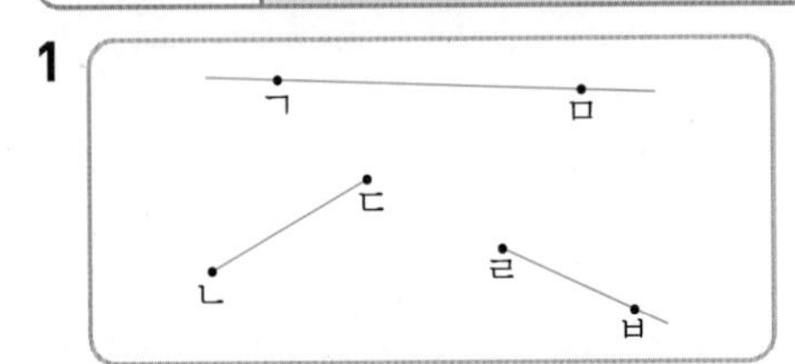


2 예 반직선 2개로 그려야 하는데 굽은 선으로 그렸습니다.
3 4개 4 ④
5 160 m 6 5개

### 28~33쪽 상위권 문제

유형 1 (1)
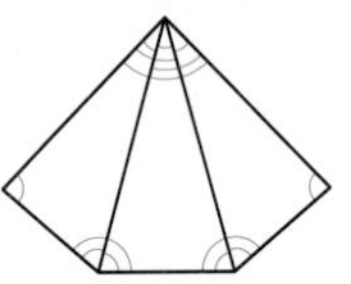
(2) 14개
유제 1 14개 유제 2 7개
유형 2 (1) 2, 1 (2) 6개
유제 3 10개 유제 4 12개
유형 3 (1) 36 cm (2) 9 cm
유제 5 11 cm 유제 6 26 cm

유형 ④ (1) 11, 7 (2) 36 cm

유제 7 52 cm　　유제 8 58 cm

유형 ⑤ (1) 15개, 8개, 3개 (2) 26개

유제 9 18개　　유제 10 17개

유형 ⑥ (1) 8개, 3개, 7개 (2) 837

유제 11 408

## 34~37쪽 상위권 문제 | 확인과 응용

1 6개　　2 16개

3 예

4 7 cm

5 4가지

6 20개

7 52 cm　　8 14 cm

9 92 cm　　10 18개

11 20개　　12 예

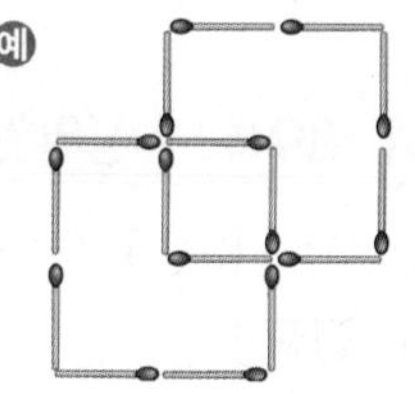

## 38~39쪽 최상위권 문제

1 48개　　2 36개

3 32 cm　　4 21 cm

5 136 cm　　6 40개

# 3 나눗셈

## 43쪽 핵심 개념과 문제

1 식 $36 \div 9 = 4$ 답 4개　　2 식 $48 \div 6 = 8$ 답 8일

3 (1) 14, 7, 2 / 14, 2, 7 (2) 8, 9, 72 / 9, 8, 72

4 곱셈식 $5 \times 4 = 20$

나눗셈식 $20 \div 5 = 4$ 또는 $20 \div 4 = 5$

5 방법1 식 $18-3-3-3-3-3-3=0$

방법2 식 $18 \div 3 = 6$

/ 6명

6 다

## 45쪽 핵심 개념과 문제

1 (1) $<$ (2) $=$　　2 식 $28 \div 7 = 4$ 답 4송이

3 식 $64 \div 8 = 8$ 답 8명　　4 18

5 7개　　6 2장

## 46~51쪽 상위권 문제

유형 ① (1) 6 (2) 2

유제 1 8　　유제 2 9

유형 ② (1) 9군데 (2) 10개 (3) 20개

유제 3 18그루　　유제 4 6 m

유형 ③ (1) 1, 1, 0, 3 (2) 0

유제 5 5　　유제 6 9

유형 ④ (1) 8시간 (2) 48 m (3) 16 m

유제 7 45 m　　유제 8 84 m

유형 ⑤ (1) $27 \div 3 = 9$, $36 \div 4 = 9$, $45 \div 5 = 9$, $54 \div 6 = 9$

(2) $36 \div 4 = 9$, $54 \div 6 = 9$

유제 9 $24 \div 3 = 8$, $32 \div 4 = 8$

유제 10 $14 \div 2 = 7$, $21 \div 3 = 7$, $42 \div 6 = 7$

유형 ⑥ (1) 28, 3 (2) 7명 (3) 21전

유제 11 64전　　유제 12 54전

## 52~55쪽 상위권 문제 | 확인과 응용

1 42　　2 2일

3 3일　　4 28번

5 40 cm　　6 54개

7 2개　　8 24

9 4개　　10 2 m

11 6대　　12 60분

## 56~57쪽 최상위권 문제

1 12 cm　　2 35, 5

3 37살　　4 1시간 9분

5 36분　　6 10개

# 4 곱셈

## 61쪽 핵심 개념과 문제

1 62, 186　　2 (1) $<$ (2) $>$

3 100권　　4 6

5 326　　6 168개

# 빠른 정답

## 63쪽 핵심 개념과 문제

1
$$\begin{array}{r} 3\ 6 \\ \times\quad 2 \\ \hline 7\ 2 \end{array}$$

2 102

3 방법1 예 곱셈식으로 나타내어 구할 수 있습니다.
배는 모두 16×4=64(개)입니다.
방법2 예 덧셈식으로 나타내어 구할 수 있습니다.
배는 모두 16+16+16+16=64(개)입니다.

4 ㉢

5 3

6 87 cm

## 64~71쪽 상위권 문제

유형 1 (1) 3 (2) 162

유제 1 256

유제 2 16, 32, 64, 128

유형 2 (1) 152개 (2) 54개 (3) 206개

유제 3 262개

유제 4 4자루

유형 3 (1) 9군데 (2) 90 m

유제 5 88 m

유제 6 126 m

유형 4 (1) 280 (2) 1, 2, 3, 4, 5

유제 7 8, 9

유제 8 3개

유형 5 (1) 0, 5 (2) 4 (3) 1, 5

유제 9 (위에서부터) 6, 7, 4

유제 10 12

유형 6 (1) 168 cm (2) 28 cm (3) 140 cm

유제 11 113 cm

유제 12 4 cm

유형 7 (1) 3, 4, 5 (2) 215

유제 13 576

유제 14 468

유형 8 (1) 17, 4 (2) 6, 8 (3) 686866

유제 15 162612

## 72~75쪽 상위권 문제 | 확인과 응용

1 483

2 108쪽

3 120번

4 148개

5 20개

6 3개

7 21개

8 546

9 504개

10 8바퀴

11 122

12 192마리

## 76~77쪽 최상위권 문제

1 6

2 497

3 726권

4 4가지

5 4시간 7분

6 6

# 5 길이와 시간

## 81쪽 핵심 개념과 문제

1 ㉠, ㉣, ㉡, ㉢

2 5 cm 6 mm

3 (1) 2 m (2) 1 cm 2 mm (3) 2 km 100 m

4 예 약 1 km 500 m

5 1 km 150 m

6 4 cm 5 mm

## 83쪽 핵심 개념과 문제

1 <

2 ㉠, ㉣

3 4, 40, 20

4 3시 5분 50초

5 3시 44분 30초

6 ㉮ 모둠

## 84~89쪽 상위권 문제

유형 1 (1) 8 km 100 m / 8 km 400 m (2) 경로 2

유제 1 경로 1

유제 2 경로 1

유형 2 (1) 8시 36분 25초 (2) 1시간 37분 30초 (3) 10시 13분 55초

유제 3 4시 33분 55초

유제 4

유형 3 (1) 3칸 / 3칸 (2) 2 km 700 m

유제 5 3 km 170 m

유제 6 26 cm 2 mm

유형 4 (1) 1분 10초 (2) 오전 10시 1분 10초

유제 7 오후 1시 57분 5초

유제 8 오전 7시 1분 12초

유형 5 (1) 13시간 40분 (2) 10시간 20분

유제 9 14시간 3분 50초

유제 10 1시간 52분 10초

유형 6 (1) 1 cm 2 mm (2) 3 mm

유제 11 5 mm

## 90~93쪽 상위권 문제 | 확인과 응용

1 승호

2 17 cm 9 mm

3 6시 33분 55초

4 2 km 480 m

5 1시간 10분 41초

6 경로 2, 500 m

7 8분 30초

8 21 cm 4 mm

9 오전 11시 45분 49초

10 5분 15초

11 1월 8일 오전 7시 20분

12 1분 12초

## 94~95쪽 최상위권 문제

1 7 cm 3 mm
2 5시 28분 12초
3 2 km 300 m
4 20분
5 2초
6 35분

# 6 분수와 소수

## 99쪽 핵심 개념과 문제

1 가, 라
2 5, 4, $\frac{4}{5}$
3 예 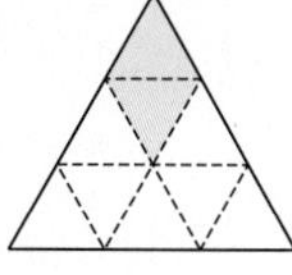 / 9분의 2
4 $\frac{1}{3}$, $\frac{1}{10}$
5 4조각
6 $\frac{4}{13}$, $\frac{7}{13}$

## 101쪽 핵심 개념과 문제

1 $\frac{7}{10}$, 0.7
2 (1) 19 (2) 83
3 ㉡
4 다에 ○표, 가에 △표
5 0.4 m, 0.6 m
6 3개

## 102~109쪽 상위권 문제

유형 1 (1), (2) 예 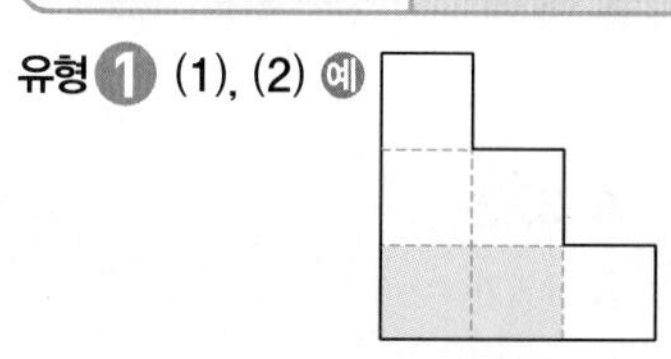

유제 1 예 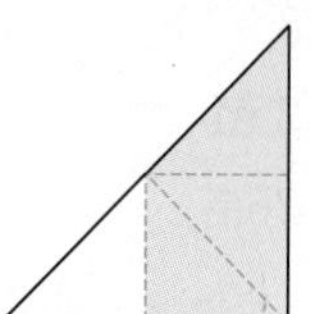

유제 2 예 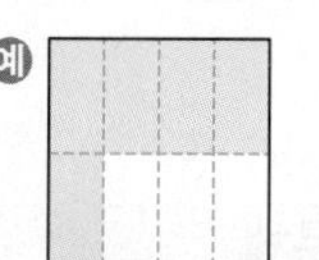 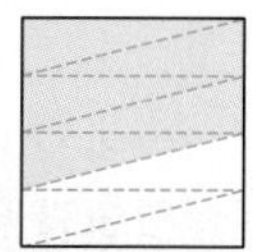 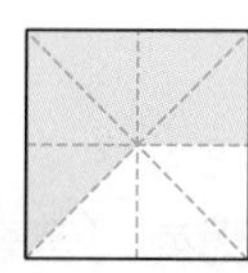

유형 2 (1) 4조각 (2) $\frac{3}{8}$

유제 3 $\frac{1}{10}$
유제 4 $\frac{2}{11}$

유형 3 (1) 0.1, 0.2 (2) 지경

유제 5 혜영
유제 6 태연

유형 4 (1) 1, 2, 3, 4, 5, 6 (2) 5, 6, 7, 8, 9 (3) 5, 6

유제 7 4, 5
유제 8 4, 5, 6

유형 5 (1) $\frac{1}{2}$, $\frac{1}{3}$, $\frac{1}{4}$, $\frac{1}{5}$, $\frac{1}{6}$, $\frac{1}{7}$ (2) $\frac{1}{6}$, $\frac{1}{7}$

유제 9 $\frac{1}{11}$, $\frac{3}{11}$, $\frac{5}{11}$, $\frac{7}{11}$

유제 10 0.4, 0.6, 0.8

유형 6 (1) 8.6 (2) 8.4

유제 11 0.7
유제 12 7.2, 2.7

유형 7 (1) $\frac{3}{7}$, $\frac{1}{7}$ (2) $\frac{1}{7}$, $\frac{1}{10}$, $\frac{1}{11}$
(3) $\frac{3}{7}$, $\frac{1}{7}$, $\frac{1}{10}$, $\frac{1}{11}$

유제 13 $\frac{1}{9}$, $\frac{1}{8}$, $\frac{3}{8}$, $\frac{5}{8}$
유제 14 수정, 유리, 재우

유형 8 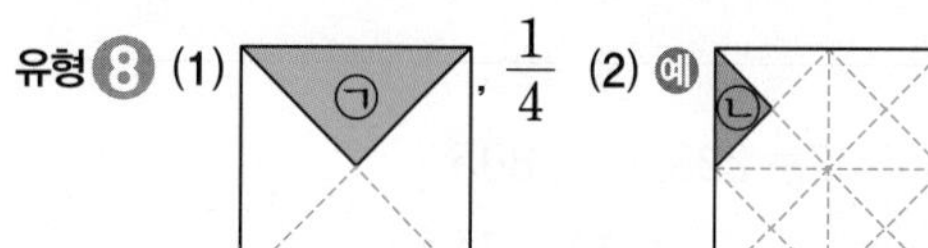 (1) 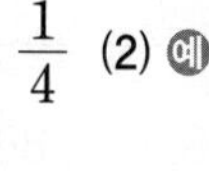 , $\frac{1}{4}$ (2) 예 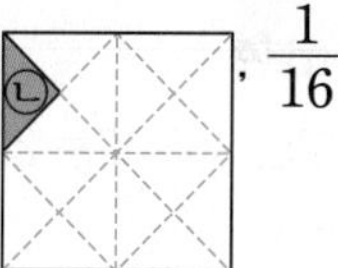 , $\frac{1}{16}$

유제 15 $\frac{1}{16}$

## 110~113쪽 상위권 문제 | 확인과 응용

1 6.6 cm
2 $\frac{9}{10}$, 0.9
3 3배
4 $\frac{8}{15}$
5 0.7, $\frac{5}{10}$, $\frac{6}{10}$
6 6
7 5개
8 $\frac{3}{57}$
9 38.9
10 18분
11 $\frac{1}{8}$
12 100년 후

## 114~115쪽 최상위권 문제

1 $\frac{10}{12}$, $\frac{9}{12}$, $\frac{7}{11}$
2 0.5
3 $\frac{4}{9}$
4 20개
5 지영
6 $\frac{3}{8}$, $\frac{6}{8}$, $\frac{6}{7}$

## Review Book

### 1 덧셈과 뺄셈

**2~3쪽** 복습 · 상위권 문제

1 466
2 1221
3 498
4 818 m
5 2, 4, 6
6 527, 443, 214 또는 443, 527, 214 / 756
7 792
8 8, 0, 3 / 4, 7, 5

**4~7쪽** 복습 · 상위권 문제 | 확인과 응용

1 334
2 주희, 196개
3 5, 8, 3
4 902
5 754
6 7
7 604 cm
8 423
9 477, 328, 805 또는 328, 477, 805
10 258
11 364 m
12 5 위안

**8~9쪽** 복습 · 최상위권 문제

1 117 cm
2 152
3 627
4 741
5 360명
6 (위에서부터) 7, 9 / 6 / 1, 0, 5, 3

### 2 평면도형

**10~11쪽** 복습 · 상위권 문제

1 20개
2 15개
3 11 cm
4 64 cm
5 23개
6 293

**12~15쪽** 복습 · 상위권 문제 | 확인과 응용

1 10개
2 18개
3 예
4 2 cm
5 4가지
6 18개
7 84 cm
8 15 cm
9 92 cm
10 23개
11 20개
12 예

**16~17쪽** 복습 · 최상위권 문제

1 46개
2 72개
3 72 cm
4 16 cm
5 158 cm
6 50개

### 3 나눗셈

**18~19쪽** 복습 · 상위권 문제

1 2
2 12개
3 1
4 18 m
5 $21 \div 7 = 3$, $27 \div 9 = 3$
6 42전

**20~23쪽** 복습 · 상위권 문제 | 확인과 응용

1 36
2 2개
3 2일
4 27번
5 48 cm
6 15개
7 3개
8 18
9 4개
10 3 m
11 5마리
12 26분

**24~25쪽** 복습 · 최상위권 문제

1 12 cm
2 27, 3
3 34살
4 1시간 17분
5 24분
6 8개

## 4 곱셈

**26~27쪽** 복습 · 상위권 문제

1 81
2 210개
3 84 m
4 8, 9
5 4, 7
6 187 cm
7 455
8 9909

**28~31쪽** 복습 · 상위권 문제 | 확인과 응용

1 192
2 224번
3 144번
4 76개
5 30개
6 4개
7 12개
8 256
9 1080개
10 9바퀴
11 116
12 128마리

**32~33쪽** 복습 · 최상위권 문제

1 7
2 312
3 484개
4 4가지
5 3시간 32분
6 3

## 5 길이와 시간

**34~35쪽** 복습 · 상위권 문제

1 경로 2
2 12시 8분 25초
3 2 km 340 m
4 오후 3시 2분 15초
5 12시간 27분
6 2 cm 1 mm

**36~39쪽** 복습 · 상위권 문제 | 확인과 응용

1 민서
2 20 cm 6 mm
3 7시 58분 58초
4 2 km 370 m
5 1시간 48분 2초
6 경로 1, 1 km 300 m
7 15분 30초
8 20 cm 1 mm
9 오후 1시 1분 58초
10 7분 20초
11 11월 23일 오전 1시
12 1분 15초

**40~41쪽** 복습 · 최상위권 문제

1 9 cm 3 mm
2 3시 41분 35초
3 2 km 780 m
4 30분
5 10초
6 25분

## 6 분수와 소수

**42~43쪽** 복습 · 상위권 문제

1 예

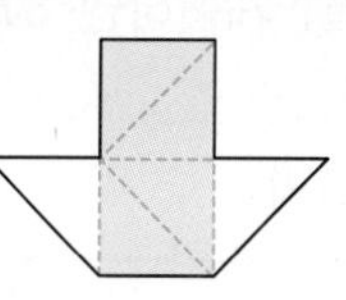

2 $\frac{5}{12}$
3 도경
4 7, 8
5 0.6, 0.7
6 7.4, 2.6
7 $\frac{5}{9}$, $\frac{1}{9}$, $\frac{1}{11}$, $\frac{1}{12}$
8 $\frac{1}{8}$, $\frac{1}{16}$

**44~47쪽** 복습 · 상위권 문제 | 확인과 응용

1 7.2 cm
2 $\frac{7}{10}$, 0.7
3 2배
4 $\frac{1}{12}$
5 1, $\frac{7}{10}$, 1.2
6 7
7 4개
8 $\frac{4}{97}$
9 47.8
10 56초
11 $\frac{1}{4}$
12 20일 후

**48~49쪽** 복습 · 최상위권 문제

1 $\frac{3}{8}$, $\frac{5}{9}$, $\frac{5}{11}$
2 0.4
3 $\frac{3}{12}$
4 23개
5 서현
6 $\frac{7}{8}$, $\frac{7}{10}$, $\frac{1}{10}$

# 1 덧셈과 뺄셈

## 핵심 개념과 문제 7쪽

1
$$\begin{array}{r} 3\,4\,9 \\ +\,2\,3\,9 \\ \hline 5\,8\,8 \end{array}$$

2 (위에서부터) 378, 1325, 941, 762

3 1134 m

4 방법1 예 백의 자리부터 더해서 계산합니다.
100+700, 50+20, 6+2를 계산하면 878이 됩니다.
방법2 예 일의 자리부터 더해서 계산합니다.
6+2, 50+20, 100+700을 계산하면 878이 됩니다.

5 ㉢, ㉣, ㉠, ㉡  6 625명

1 십의 자리로 받아올림하지 않고 십의 자리를 계산했습니다.

$$\begin{array}{r} {}^{1}\quad\; \\ 3\,4\,9 \\ +\,2\,3\,9 \\ \hline 5\,8\,8 \end{array}$$

2

| 213 | 165 | ㉠ |
|---|---|---|
| 728 | 597 | ㉡ |
| ㉢ | ㉣ | |

㉠ 213+165=378
㉡ 728+597=1325
㉢ 213+728=941
㉣ 165+597=762

3 (집에서 학교까지의 거리)
+(학교에서 집까지의 거리)
=567+567=1134(m)

5 ㉠ 159+526=685
㉡ 324+353=677
㉢ 463+311=774
㉣ 286+457=743
⇨ $\underset{㉢}{774} > \underset{㉣}{743} > \underset{㉠}{685} > \underset{㉡}{677}$

6 (오늘 입장한 사람 수)=247+131=378(명)
⇨ (어제와 오늘 입장한 사람 수)
=247+378=625(명)

## 핵심 개념과 문제 9쪽

1 337  2 $<$

3 384 cm

4 방법1 예 백의 자리부터 빼서 계산합니다.
600−300, 50−10, 8−4를 계산하면 344가 됩니다.
방법2 예 일의 자리부터 빼서 계산합니다.
8−4, 50−10, 600−300을 계산하면 344가 됩니다.

5 24명  6 308개

1 삼각형 안에 있는 수는 458과 121입니다.
⇨ 458−121=337

2 720−291=429, 953−518=435
⇨ $429<435$

3 9 m=900 cm
⇨ (처음에 있던 색 테이프의 길이)
−(사용한 색 테이프의 길이)
=900−516=384(cm)

5 $224 > \underset{3학년}{213} > 208 > 192 > \underset{1학년}{189} > 176$
⇨ 213−189=24(명)

6 (상자 안에 있던 사탕 수)
=156+267=423(개)
⇨ (친구에게 주고 남은 사탕 수)
=423−115=308(개)

## 상위권 문제 10~17쪽

유형 1 (1) 236, 672 (2) 436
유제 1 504  유제 2 775, 279
유형 2 (1) 642, 204 (2) 846
유제 3 760  유제 4 623
유형 3 (1) 554 (2) 287
유제 5 650  유제 6 풀이 참조, 1440
유형 4 (1) 486, 435, 187 (2) 734 m
유제 7 812 m  유제 8 143 m
유형 5 (1) 5 (2) 2 (3) 9
유제 9 3, 8, 1  유제 10 17

유형 6 (1) 527, 259, 188 또는 259, 527, 188
(2) 598
유제 11 924, 451, 658 또는 658, 451, 924 / 1131
유제 12 800, 285, 324 또는 800, 324, 285 / 191
유형 7 (1) 288 (2) 287
유제 13 526 유제 14 풀이 참조, 390
유형 8 (1) 십, 일 (2) 3, 8, 6 / 2, 4, 4
유제 15 8, 6, 3 / 4, 9, 5 유제 16 7, 4, 2 / 3, 1, 5

유형 1 (2) 236+■=672
⇨ 672−236=■, ■=436

유제 1 찢어진 종이에 적힌 세 자리 수의 백의 자리 숫자가 5이므로 찢어진 종이에 써 놓은 수가 더 큽니다.
찢어진 종이에 적힌 세 자리 수를 □라 하면
□−319=185
⇨ 185+319=□, □=504입니다.

유제 2 찢어진 종이에 적힌 세 자리 수를 □라 하면
- □>527인 경우: □−527=248
⇨ 248+527=□, □=775
- 527>□인 경우: 527−□=248
⇨ 527−248=□, □=279

따라서 찢어진 종이에 적힌 세 자리 수가 될 수 있는 수는 775, 279입니다.

유형 2 (1) 6>4>2>0이므로 만들 수 있는 세 자리 수 중에서 가장 큰 수는 642이고, 가장 작은 수는 204입니다.
(2) 642+204=846

유제 3 9>6>5>2>0이므로 만들 수 있는 세 자리 수 중에서 가장 큰 수는 965이고, 가장 작은 수는 205입니다.
⇨ 965−205=760

유제 4
- 7>3>1>0이므로 만들 수 있는 세 자리 수 중에서 가장 큰 수는 731이고, 두 번째로 큰 수는 730입니다.
- 0<1<3<7이므로 만들 수 있는 세 자리 수 중에서 가장 작은 수는 103이고, 두 번째로 작은 수는 107입니다.

⇨ 730−107=623

유형 3 (1) 어떤 수를 □라 하면 잘못 계산한 식은 □+267=821입니다.
⇨ 821−267=□, □=554
(2) 554−267=287

유제 5 어떤 수를 □라 하면 잘못 계산한 식은 □−152=346입니다.
⇨ 346+152=□, □=498
따라서 바르게 계산하면 498+152=650입니다.

유제 6 예 어떤 수를 □라 하면 잘못 계산한 식은 954−□=468, 954−468=□, □=486입니다.」❶
따라서 바르게 계산하면 954+486=1440입니다.」❷

| 채점 기준 |
| --- |
| ❶ 어떤 수 구하기 |
| ❷ 바르게 계산한 값 구하기 |

유형 4 (2) (지석이네 집~공원)=486+435−187
=921−187=734(m)

유제 7 (㉮~㉱)=(㉮~㉰)+(㉯~㉱)−(㉯~㉰)
=374+587−149
=961−149=812(m)

유제 8 (㉡~㉢)=(㉠~㉢)+(㉡~㉣)−(㉠~㉣)
=327+548−732
=875−732=143(m)

유형 5 (1) 8+㉡=3이 될 수 없으므로 8+㉡=13입니다. ⇨ ㉡=5
(2) 일의 자리 계산에서 받아올림한 수가 있으므로 1+4+7=12입니다. ⇨ ㉢=2
(3) 십의 자리 계산에서 받아올림한 수가 있으므로 1+㉠+6=16입니다. ⇨ ㉠=9

유제 9
- 일의 자리 계산: ㉠−6=7이 될 수 없으므로 10+㉠−6=7입니다. ⇨ ㉠=3
- 십의 자리 계산: 일의 자리 계산에 받아내림한 수가 있으므로 8−1−㉡=9인데 7−㉡=9가 될 수 없으므로 10+7−㉡=9입니다. ⇨ ㉡=8
- 백의 자리 계산: 십의 자리 계산에 받아내림한 수가 있으므로 9−1−7=㉢입니다.
⇨ ㉢=1

**유제 10** 계산이 가능한 백의 자리 수부터 알아봅니다.
- 백의 자리 계산: 1+8+㉡=14입니다.
  ⇨ ㉡=5
- 일의 자리 계산: ㉡+㉠=13에서 ㉡=5이므로 5+㉠=13입니다. ⇨ ㉠=8
- 십의 자리 계산: 1+㉠+5에서
  ㉠=8이므로 1+8+5=14입니다.
  ⇨ ㉢=4

따라서 ㉠+㉡+㉢=8+5+4=17입니다.

**유형 6** (1) 527>259>214>188이므로 빼는 수는 가장 작은 수인 188, 나머지 두 수는 가장 큰 수와 두 번째로 큰 수인 527과 259가 되어야 합니다.
(2) 527+259−188=786−188=598
또는 259+527−188=786−188=598

**유제 11** 924>658>596>451이므로 빼는 수는 가장 작은 수인 451, 나머지 두 수는 가장 큰 수와 두 번째로 큰 수인 924와 658이 되어야 합니다.
⇨ 924−451+658=473+658=1131
또는 658−451+924=207+924=1131

**유제 12** 계산 결과가 가장 큰 식을 만들려면 가장 큰 수에서 가장 작은 수와 두 번째로 작은 수를 빼야 합니다.
800>512>324>285이므로 가장 큰 수인 800에서 가장 작은 수와 두 번째로 작은 수인 285와 324를 빼면 됩니다.
⇨ 800−285−324=515−324=191
또는 800−324−285=476−285=191

**유형 7** (1) 911−□=623
⇨ 911−623=□, □=288
(2) 911−□는 623보다 커야 하므로 □ 안에는 288보다 작은 수가 들어가야 합니다.
따라서 □ 안에 들어갈 수 있는 세 자리 수는 287, 286, 285……이고 이 중에서 가장 큰 수는 287입니다.

**유제 13** □+248>773에서 □+248=773일 때 773−248=□, □=525입니다.
□+248은 773보다 커야 하므로 □ 안에는 525보다 큰 수가 들어가야 합니다.
따라서 □ 안에 들어갈 수 있는 세 자리 수는 526, 527, 528……이고 이 중에서 가장 작은 수는 526입니다.

**유제 14** 예 307+125=432이므로 821−□<432입니다.
821−□=432일 때
821−432=□, □=389입니다.」 ❶
821−□는 432보다 작아야 하므로 □ 안에는 389보다 큰 수가 들어가야 합니다.
따라서 □ 안에 들어갈 수 있는 세 자리 수는 390, 391, 392……이고 이 중에서 가장 작은 수는 390입니다.」 ❷

**채점 기준**

| |
|---|
| ❶ 821−□=307+125일 때 □ 안에 알맞은 수 구하기 |
| ❷ □ 안에 들어갈 수 있는 세 자리 수 중에서 가장 작은 수 구하기 |

**유형 8** (1) • 일의 자리 계산에서 8+4=12이므로 일의 자리 수를 바꿔야 합니다.
• 십의 자리 계산에서 받아올림이 없으면 6+4=10이고, 받아올림이 있으면 1+6+4=11이므로 십의 자리 수를 바꿔야 합니다.
(2) 244는 십의 자리 수와 일의 자리 수를 바꿔도 244이므로 수 카드 2장을 바꿔야 하는 수는 368입니다.
368의 십의 자리 수와 일의 자리 수를 바꾸면 386입니다.
⇨ 386+244=630

**유제 15** • 일의 자리 계산에서 13−9=4이므로 일의 자리 수를 바꿔야 합니다.
• 십의 자리 계산에서 받아내림이 없으면 6−5=1, 받아내림이 있으면 6−1−5=0이므로 십의 자리 수를 바꿔야 합니다.
⇨ 836−459=377(×), 863−495=368(◯)이므로 459의 십의 자리 수와 일의 자리 수를 바꿔야 합니다.

**유제 16** 일의 자리 계산에서 $5-2=3$,
십의 자리 계산에서 $4-1=3$,
백의 자리 계산에서 $7-3=4$이므로 일의 자리 수 또는 십의 자리 수끼리 바꿔야 합니다.
⇨ $742-315=427$(◯), $715-342=373$(×) 이므로 일의 자리 수끼리 바꿔야 합니다.

**상위권 문제** **확인과 응용** 18~21쪽

| | | | |
|---|---|---|---|
| **1** | 1721 | | |
| **2** | 풀이 참조, 성수네 학교, 25명 | | |
| **3** | 8, 5, 9 | **4** | 539 |
| **5** | 풀이 참조, 644 | **6** | 3 |
| **7** | 268 cm | **8** | 317 |
| **9** | 465, 179, 286 | **10** | 250 |
| **11** | 1681 m | **12** | 1시간 |

**1** • 100이 6개, 10이 34개, 1이 5개인 수:
$600+340+5=945$
• 100이 7개, 10이 6개, 1이 16개인 수:
$700+60+16=776$
⇨ $945+776=1721$

**2** 예 은지네 학교 학생 수는 $221+255=476$(명), 성수네 학교 학생 수는 $275+226=501$(명)입니다.」 ❶
따라서 $476<501$이므로 성수네 학교 학생이 $501-476=25$(명) 더 많습니다.」 ❷

채점 기준

| |
|---|
| ❶ 은지네 학교와 성수네 학교의 학생 수 각각 구하기 |
| ❷ 누구네 학교 학생이 몇 명 더 많은지 구하기 |

**3** • 일의 자리 계산: $10+3-$■$=5$ ⇨ ■$=8$
• 십의 자리 계산: $10+$▲$-1-$▲$=$●,
$10-1=$● ⇨ ●$=9$
• 백의 자리 계산: ■$-1-$▲$=2$, $8-1-$▲$=2$
⇨ ▲$=5$

**4** 어떤 세 자리 수의 백의 자리 수와 십의 자리 수를 바꾼 수를 ▲라 하면 ▲$+189=548$입니다.
⇨ $548-189=$▲, ▲$=359$
따라서 처음 세 자리 수는 359의 백의 자리 수와 십의 자리 수를 바꾼 수이므로 539입니다.

**5** 예 $7>5>4>1>0$이므로 만들 수 있는 세 자리 수 중에서 가장 큰 수는 754이고, 두 번째로 큰 수는 751입니다. $0<1<4<5<7$이므로 만들 수 있는 세 자리 수 중에서 가장 작은 수는 104이고, 두 번째로 작은 수는 105, 세 번째로 작은 수는 107입니다.」 ❶
따라서 만들 수 있는 두 번째로 큰 수와 세 번째로 작은 수의 차는 $751-107=644$입니다.」 ❷

채점 기준

| |
|---|
| ❶ 만들 수 있는 세 자리 수 중에서 두 번째로 큰 수와 세 번째로 작은 수 구하기 |
| ❷ 위 ❶에서 구한 두 수의 차 구하기 |

**6** $863-278=585$이므로 $585<9□0-335$입니다.
$585=9□0-335$일 때 $585+335=920$이므로 $9□0$은 920보다 커야 합니다.
따라서 □ 안에 들어갈 수 있는 수는 3부터 9까지의 수이고 이 중에서 가장 작은 수는 3입니다.

**7** 색 테이프 3장의 길이의 합은
$128+128+128=256+128=384$(cm)이고,
겹쳐진 부분은 2군데이므로 겹쳐진 부분의 길이의 합은 $58+58=116$(cm)입니다.
⇨ (이어 붙인 색 테이프의 전체 길이)
=(색 테이프 3장의 길이의 합)
−(겹쳐진 부분의 길이의 합)
$=384-116=268$(cm)

**8** 연속한 두 수 중에서 큰 수를 □라 하면 작은 수는 □$-1$이고, 두 수의 합이 633이므로
□$+$□$-1=633$입니다.
□$+$□$=633+1=634$이고 $317+317=634$이므로 □$=317$입니다.
따라서 두 수 중에서 큰 수는 317입니다.

**9** 수를 어림하여 어림한 두 수의 차가 약 300인 경우를 찾아 두 수의 차를 구합니다.
942는 약 900, 830은 약 800, 581은 약 600, 465는 약 500, 179는 약 200으로 어림할 수 있습니다.
- $900-600=300$ ⇨ $942-581=361$
- $800-500=300$ ⇨ $830-465=365$
- $500-200=300$ ⇨ $465-179=286$

361, 365, 286 중에서 300에 가장 가까운 수는 286입니다.
따라서 차가 300에 가장 가까운 뺄셈식은 $465-179=286$입니다.

**10**

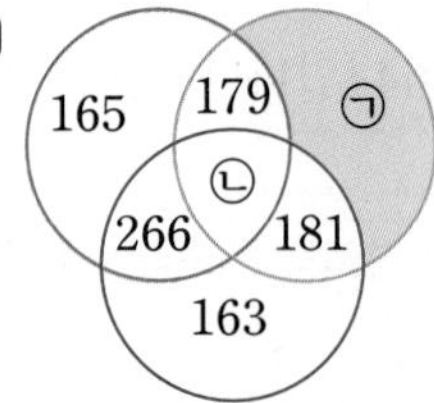


한 원 안에 있는 네 수의 합을 구합니다.
- 파란색 원: 165+266+㉡+179=610+㉡
- 노란색 원: 179+㉡+181+㉠
  =360+㉡+㉠
- 빨간색 원: 266+163+181+㉡=610+㉡

한 원 안에 있는 네 수의 합이 같음을 이용하면
360+㉠+㉡=610+㉡입니다.
360+㉠=610 ⇨ 610−360=㉠, ㉠=250
따라서 색칠한 부분에 알맞은 수는 250입니다.

**11** (계룡산의 높이)$=721+124=845$(m)
(북한산의 높이)$=721+115=836$(m)
⇨ $845+836=1681$(m)

**12** 선유가 저녁 식사로 먹은 음식의 열량은
$300+196+128=496+128=624$(킬로칼로리)입니다.
$624-312=312$, $312-312=0$이므로 624에서 312를 2번 빼면 0이 됩니다.
따라서 저녁 식사로 먹은 음식의 열량을 모두 소모하려면 줄넘기를 30분+30분=1시간 동안 해야 합니다.

## 최상위권 문제 22~23쪽

**1** 132 cm　**2** 595
**3** 138　**4** 1010
**5** 182명
**6** (위에서부터) 9 / 7, 4 / 1, 0, 3, 5

**1** (㉮의 길이)$=542-163=379$(cm)
⇨ (㉰의 길이)=(㉮의 길이)+(㉯의 길이)−789
$=379+542-789$
$=921-789$
$=132$(cm)

**2**
- □◈408=408+408−□=816−□
- 329◈275=275+275−329
  =550−329=221

⇨ 816−□=221, 816−221=□, □=595

**3** 세 자리 수를 ■▲●라 하면
- 십의 자리 수는 일의 자리 수의 3배이므로 ▲=●×3이고 (▲, ●)로 나타내면 (3, 1), (6, 2), (9, 3)입니다.
- 일의 자리 수와 백의 자리 수의 합이 9이므로 ●+■=9이고, 일의 자리 수가 1, 2, 3일 때 (■, ●)로 나타내면 (8, 1), (7, 2), (6, 3)입니다.

두 조건을 만족하는 경우를 (■, ▲, ●)로 나타내면 (8, 3, 1), (7, 6, 2), (6, 9, 3)이므로 세 자리 수는 831, 762, 693입니다.
따라서 가장 큰 수와 가장 작은 수의 차는
$831-693=138$입니다.

**4** 비법 PLUS+ 먼저 두 사람이 각각 가지고 있는 5장의 수 카드를 알아봅니다.

준영이가 만들 수 있는 가장 큰 네 자리 수가 9543이므로 준영이에게는 8이 없고, 설현이가 만들 수 있는 가장 작은 네 자리 수가 2067이므로 설현이에게는 1이 없습니다.
준영이가 가지고 있는 수 카드의 수는 1, 3, 4, 5, 9이고, 설현이가 가지고 있는 수 카드의 수는 0, 2, 6, 7, 8입니다.
준영이가 가지고 있는 수 카드로 만들 수 있는 가장 작은 세 자리 수는 134이고, 설현이가 가지고 있는 수 카드로 만들 수 있는 가장 큰 세 자리 수는 876입니다.
⇨ $134+876=1010$

**5** **비법 PLUS+** 그림을 그려 보면 산과 바다를 모두 좋아하는 학생 수를 구하는 식을 쉽게 만들 수 있습니다.

산과 바다를 둘 다 좋아하지 않는 학생이 56명이므로 산 또는 바다를 좋아하는 학생은
500－56＝444(명)입니다.

산 또는 바다를 좋아하는 학생 수(444명)
산과 바다를 모두 좋아하는 학생 수
산을 좋아하는 학생 수(289명)
바다를 좋아하는 학생 수(337명)

⇨ (산과 바다를 모두 좋아하는 학생 수)
＝289＋337－444＝626－444＝182(명)

**6** **비법 PLUS+** 계산 결과의 천의 자리 수를 먼저 알아본 다음 백의 자리부터 거꾸로 계산하여 □ 안에 알맞은 수를 구해 봅니다.

```
   1 1
   2 8 ㉠
 + ㉡ ㉢ 6
 ---------
 ㉣ ㉤ ㉥ ㉦
```

□ 안에 들어갈 수 있는 수는 주어진 2, 6, 8을 제외한 0, 1, 3, 4, 5, 7, 9입니다.

- 받아올림이 3번 있으므로 ㉣＝1입니다.
- 백의 자리 계산에서 1＋2＋㉡＝10＋㉤이므로 ㉡은 7 또는 9입니다.
  ㉡＝7일 때 ㉤＝0(○), ㉡＝9일 때 ㉤＝2(×)
- 십의 자리 계산에서 1＋8＋㉢＝10＋㉥이므로 남은 수 3, 4, 5, 9는 모두 ㉢이 될 수 있습니다.
  ㉢＝3일 때 ㉥＝2(×), ㉢＝4일 때 ㉥＝3(○),
  ㉢＝5일 때 ㉥＝4(○), ㉢＝9일 때 ㉥＝8(×)
- 일의 자리 계산에서 ㉠＋6＝10＋㉦입니다.
  ㉢＝4, ㉥＝3일 때 남은 수는 5, 9이므로 ㉠＝9, ㉦＝5이고, ㉢＝5, ㉥＝4일 때 남은 수는 3, 9이므로 ㉠, ㉦에 들어갈 수 없습니다.

# 2 평면도형

## 핵심 개념과 문제 27쪽

**1**

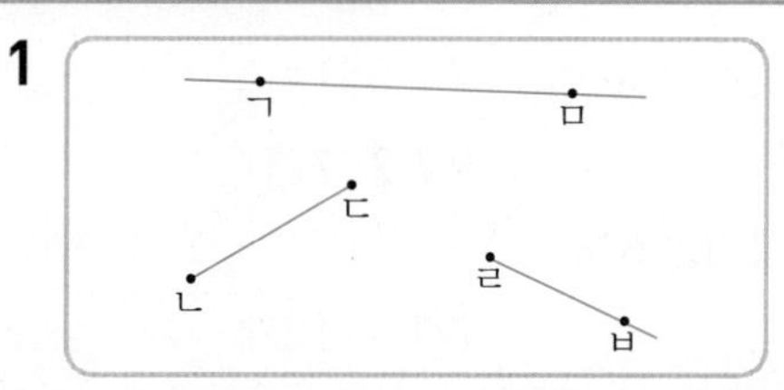


**2** 예 반직선 2개로 그려야 하는데 굽은 선으로 그렸습니다.

**3** 4개

**4** ④

**5** 160 m

**6** 5개

**1**
- 선분 ㄴㄷ: 곧은자를 이용하여 점 ㄴ과 점 ㄷ을 잇는 곧은 선을 긋습니다.
- 반직선 ㄹㅂ: 곧은자를 이용하여 점 ㄹ에서 시작하여 점 ㅂ을 지나는 곧은 선을 긋습니다.
- 직선 ㅁㄱ: 곧은자를 이용하여 점 ㅁ과 점 ㄱ을 지나는 곧은 선을 긋습니다.

**3**

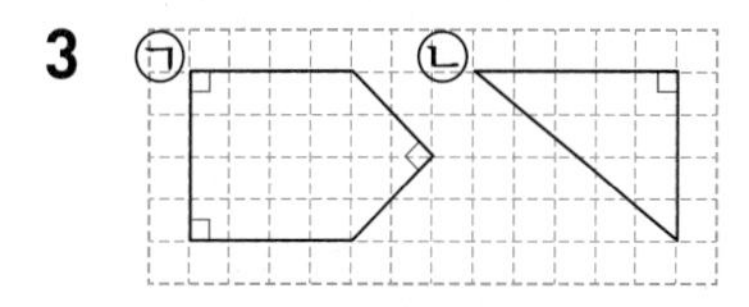


㉠ 3개 ㉡ 1개
⇨ 3＋1＝4(개)

**4** ④ 직사각형 중에서 네 변의 길이가 모두 같은 직사각형만 정사각형입니다.

**5** (태현이가 뛴 거리)
＝(정사각형 모양 공원의 네 변의 길이의 합)
＝40＋40＋40＋40＝160(m)

**6**

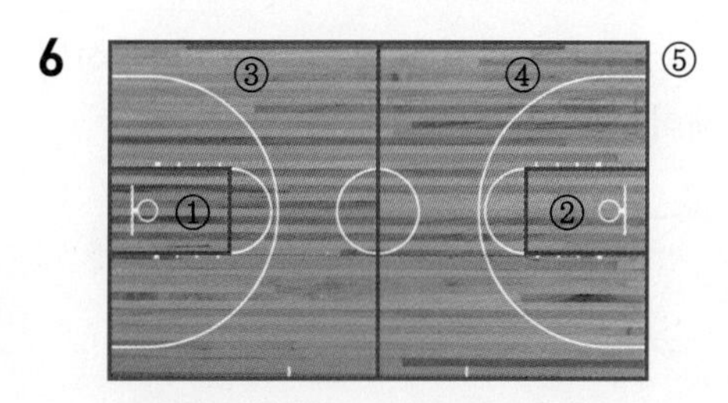

## 상위권 문제 28~33쪽

유형 ① (1) 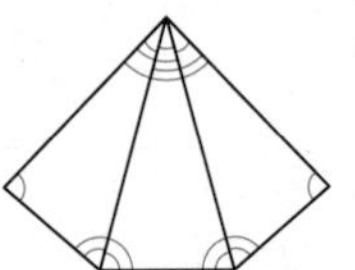 (2) 14개

유제 1 14개　　유제 2 7개

유형 ② (1) 2, 1 (2) 6개

유제 3 10개　　유제 4 12개

유형 ③ (1) 36 cm (2) 9 cm

유제 5 11 cm

유제 6 풀이 참조, 26 cm

유형 ④ (1) 11, 7 (2) 36 cm

유제 7 52 cm　　유제 8 58 cm

유형 ⑤ (1) 15개, 8개, 3개 (2) 26개

유제 9 18개　　유제 10 풀이 참조, 17개

유형 ⑥ (1) 8개, 3개, 7개 (2) 837

유제 11 408

**유제 1**

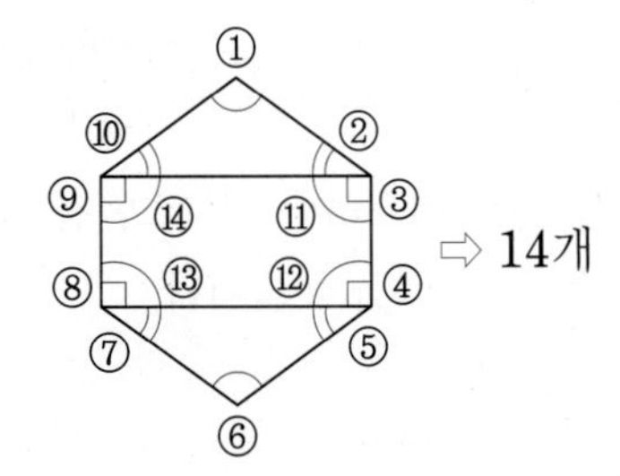


⇨ 14개

**유제 2**

㉠ 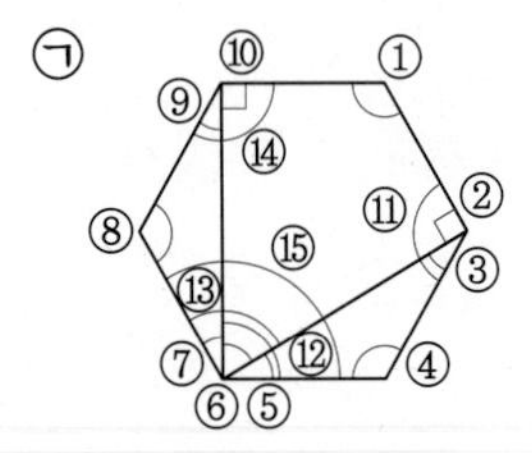

㉡ 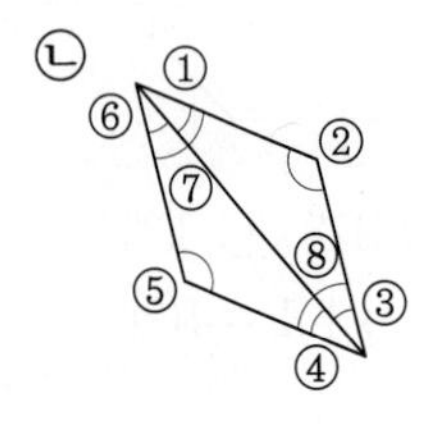

㉠에서 찾을 수 있는 크고 작은 각의 개수: 15개
㉡에서 찾을 수 있는 크고 작은 각의 개수: 8개
⇨ $15-8=7$(개)

**유형 ②** (1) 점 ㄴ에서 그은 선분 ㄴㄱ은 점 ㄱ에서 그은 선분 ㄱㄴ과 같으므로 세지 않습니다.
(2) $3+2+1=6$(개)

**유제 3** 2개의 점을 지나는 직선을 모두 그은 후 직선의 개수를 세어 봅니다.

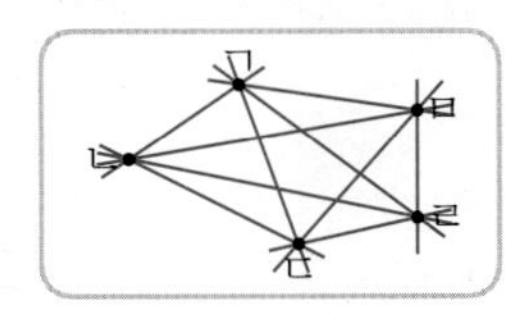


⇨ 10개

**유제 4** 각 점에서 그을 수 있는 반직선은 다음과 같습니다.

| 점 ㄱ | 점 ㄴ | 점 ㄷ | 점 ㄹ |
|---|---|---|---|
| 반직선 ㄱㄴ | 반직선 ㄴㄱ | 반직선 ㄷㄱ | 반직선 ㄹㄱ |
| 반직선 ㄱㄷ | 반직선 ㄴㄷ | 반직선 ㄷㄴ | 반직선 ㄹㄴ |
| 반직선 ㄱㄹ | 반직선 ㄴㄹ | 반직선 ㄷㄹ | 반직선 ㄹㄷ |

⇨ $3+3+3+3=12$(개)

**유형 ③** (1) 직사각형은 마주 보는 변의 길이가 같으므로 직사각형 가의 네 변의 길이의 합은 $12+6+12+6=36$(cm)입니다.
(2) □+□+□+□=36, $9+9+9+9=36$에서 □=9이므로 정사각형 나의 한 변은 9 cm입니다.

**유제 5** 정사각형 나의 네 변의 길이의 합은 $13+13+13+13=52$(cm)입니다.
□+15+□+15=52, □+□+30=52, □+□=22, □=11이므로 직사각형 가의 가로는 11 cm입니다.

**유제 6** 예 정사각형 모양을 만든 철사의 길이는 $20+20+20+20=80$(cm)입니다.」 ❶
만들 직사각형의 세로를 □ cm라 하면
14+□+14+□=80, 28+□+□=80, □+□=52, □=26입니다.
따라서 직사각형의 세로는 26 cm로 해야 합니다.」 ❷

채점 기준
❶ 정사각형 모양을 만드는 데 사용한 철사의 길이 구하기
❷ 직사각형의 세로는 몇 cm로 해야 하는지 구하기

**유형 ④** (2) $11+7+11+7=36$(cm)

다른 풀이 모든 선분의 길이를 구한 다음 더합니다.

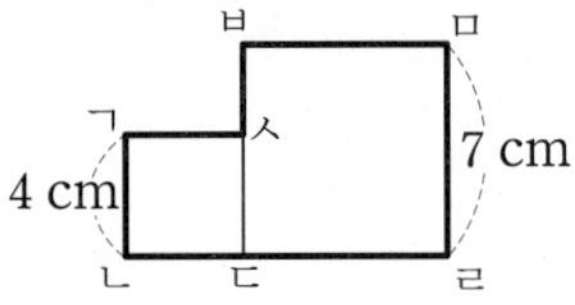


(선분 ㄱㅅ)=(선분 ㄴㄷ)=(선분 ㄱㄴ)=4 cm,
(선분 ㅂㅁ)=(선분 ㄷㄹ)=(선분 ㅁㄹ)=7 cm,
(선분 ㅂㅅ)=(선분 ㅁㄹ)−(선분 ㄱㄴ)
$=7-4=3$(cm)
⇨ (굵은 선의 길이)
$=4+4+7+7+7+3+4=36$(cm)

**유제 7**

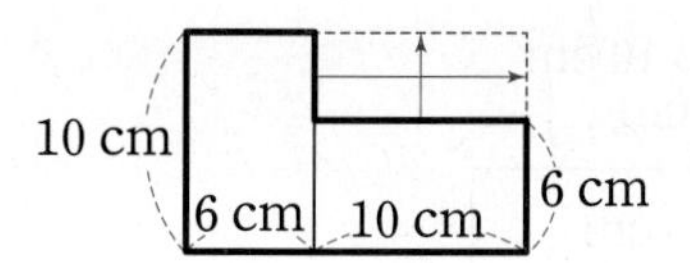


굵은 선의 길이는 가로가 6+10=16(cm), 세로가 10 cm인 직사각형의 네 변의 길이의 합과 같습니다.
따라서 굵은 선의 길이는
16+10+16+10=52(cm)입니다.

**다른 풀이** 모든 선분의 길이를 구한 다음 더합니다.

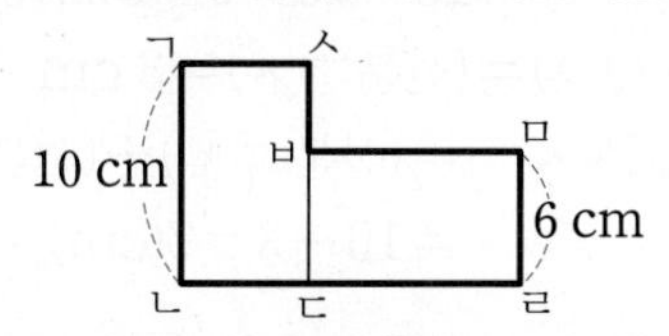


(선분 ㄴㄷ)=(선분 ㄱㅅ)=(선분 ㅁㄹ)=6 cm,
(선분 ㄷㄹ)=(선분 ㅂㅁ)=(선분 ㄱㄴ)=10 cm,
(선분 ㅅㅂ)=(선분 ㄱㄴ)−(선분 ㅁㄹ)
=10−6=4(cm)
⇨ (굵은 선의 길이)
=10+6+10+6+10+4+6=52(cm)

**유제 8**

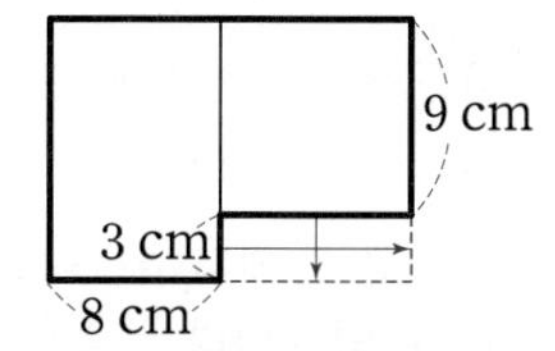


굵은 선의 길이는 가로가 8+9=17(cm), 세로가 9+3=12(cm)인 직사각형의 네 변의 길이의 합과 같습니다.
따라서 굵은 선의 길이는
17+12+17+12=58(cm)입니다.

**다른 풀이** 모든 선분의 길이를 구한 다음 더합니다.

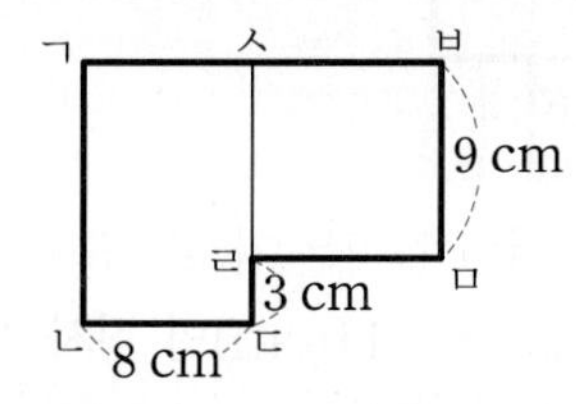


(선분 ㄱㅅ)=(선분 ㄴㄷ)=8 cm,
(선분 ㅅㅂ)=(선분 ㄹㅁ)=(선분 ㅂㅁ)=9 cm,
(선분 ㄱㄴ)=(선분 ㅂㅁ)+(선분 ㄹㄷ)
=9+3=12(cm)
⇨ (굵은 선의 길이)
=12+8+3+9+9+9+8=58(cm)

**유형 5** (1) 도형에서 찾을 수 있는 크고 작은 정사각형은 3가지이므로 종류에 따라 그 개수를 세어 봅니다.

| 작은 정사각형 1개짜리 | 작은 정사각형 4개짜리 | 작은 정사각형 9개짜리 |
|---|---|---|
| 15개 | 8개 | 3개 |

(2) 15+8+3=26(개)

**유제 9**
- 작은 직사각형 1개짜리: 6개
- 작은 직사각형 2개짜리: 7개
- 작은 직사각형 3개짜리: 2개
- 작은 직사각형 4개짜리: 2개
- 작은 직사각형 6개짜리: 1개

⇨ 6+7+2+2+1=18(개)

**유제 10** 예 도형에서 찾을 수 있는 크고 작은 직각삼각형은 작은 직각삼각형 1개짜리 8개, 작은 직각삼각형 2개짜리 6개, 작은 직각삼각형 4개짜리 2개, 작은 직각삼각형 8개짜리 1개입니다.」❶
따라서 도형에서 찾을 수 있는 크고 작은 직각삼각형은 모두 8+6+2+1=17(개)입니다.」❷

**채점 기준**
- ❶ 도형에서 찾을 수 있는 크고 작은 직각삼각형의 종류에 따라 개수를 세어 보기
- ❷ 도형에서 찾을 수 있는 크고 작은 직각삼각형의 개수 구하기

**유형 6** (1)

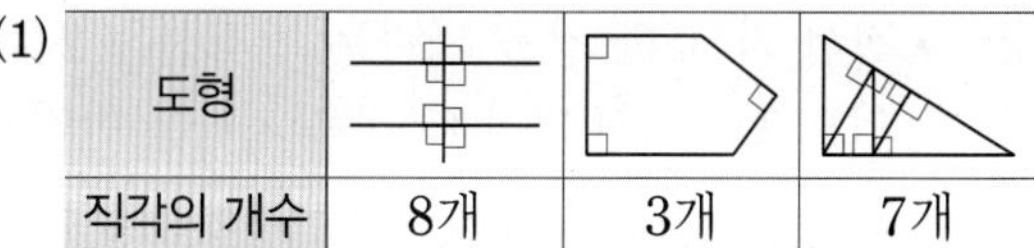

| 도형 | | | |
|---|---|---|---|
| 직각의 개수 | 8개 | 3개 | 7개 |

(2) 직각의 개수가 각 자리의 숫자를 나타냅니다. 백의 자리 숫자가 8, 십의 자리 숫자가 3, 일의 자리 숫자가 7이므로 837을 나타낸 것입니다.

**유제 11**

| 도형 | | | |
|---|---|---|---|
| 직각의 개수 | 4개 | 0개 | 8개 |

⇨ 직각의 개수가 각 자리의 숫자를 나타냅니다. 백의 자리 숫자가 4, 십의 자리 숫자가 0, 일의 자리 숫자가 8이므로 408을 나타낸 것입니다.

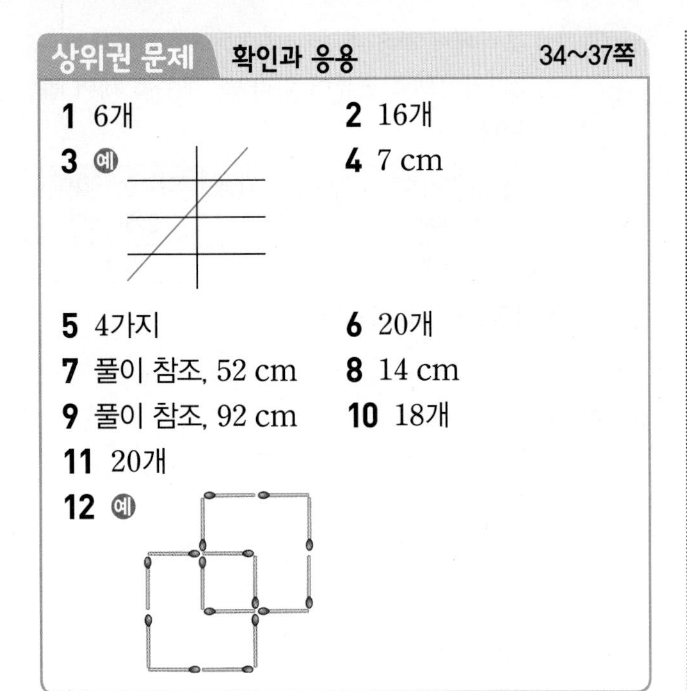

**상위권 문제 확인과 응용** 34~37쪽

**1** 6개
**2** 16개
**3** 예
**4** 7 cm
**5** 4가지
**6** 20개
**7** 풀이 참조, 52 cm
**8** 14 cm
**9** 풀이 참조, 92 cm
**10** 18개
**11** 20개
**12** 예

**1**

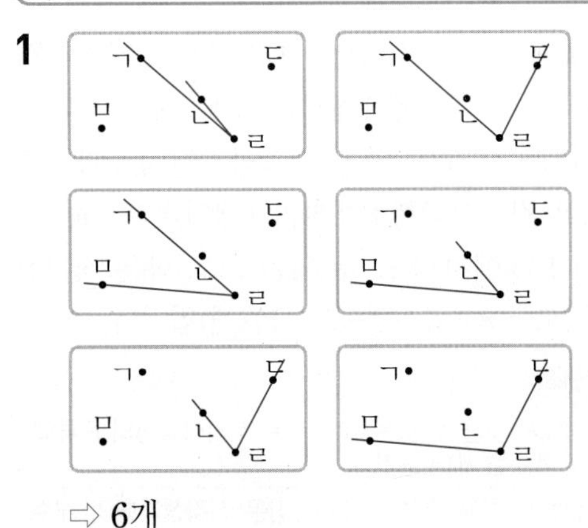


⇨ 6개

**2** • 직선 가의 한 점을 지나는 반직선은 2개 그을 수 있으므로 직선 가의 네 점을 지나는 반직선은 $2\times4=8$(개) 그을 수 있습니다.

• 직선 나의 한 점을 지나는 반직선은 4개 그을 수 있으므로 직선 나의 두 점을 지나는 반직선은 $4\times2=8$(개) 그을 수 있습니다.

따라서 그을 수 있는 반직선은 모두 $8+8=16$(개)입니다.

**3** 다음과 같이 직선을 그으면 직각삼각형이 3개 만들어집니다.

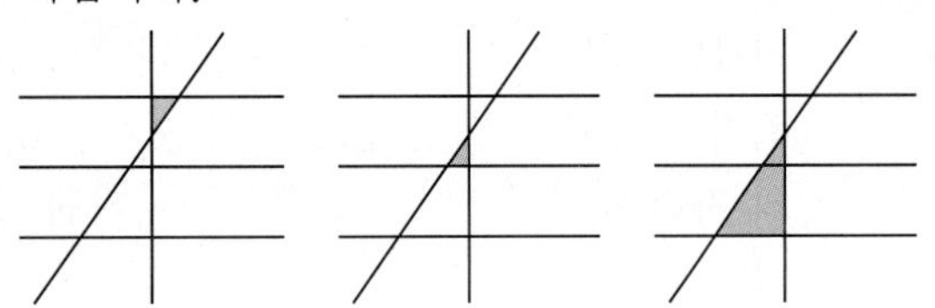

**4**

5 cm 10 cm
3 cm 18 cm
3 cm
5 cm
5 cm
10 cm

(선분 ㅁㅌ)=(선분 ㅌㅋ)=5 cm,
(선분 ㅂㅁ)=(선분 ㅁㅌ)=5 cm,
(선분 ㄱㅂ)=18 cm−(선분 ㅁㄹ)−(선분 ㅂㅁ)
$=18-10-5=3$(cm),
(선분 ㄱㅂ)=(선분 ㄱㅅ)=3 cm
⇨ (선분 ㅅㄴ)=(선분 ㄱㄴ)−(선분 ㄱㅅ)
$=10-3=7$(cm)

**5**

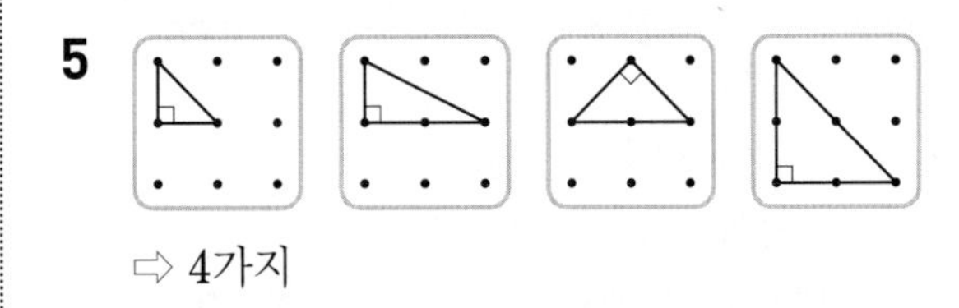

⇨ 4가지

**6**

24 cm
30 cm

• $6\times5=30$이므로 직사각형의 가로 한 줄에는 정사각형을 5개까지 만들 수 있습니다.
• $6\times4=24$이므로 직사각형의 세로 한 줄에는 정사각형을 4개까지 만들 수 있습니다.

따라서 정사각형은 5개씩 4줄이 되므로 $5\times4=20$(개)까지 만들 수 있습니다.

**7**

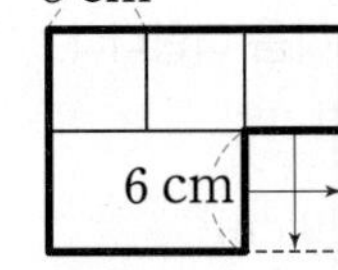


예 굵은 선의 길이는 가로가 $5+5+5=15$(cm), 세로가 $5+6=11$(cm)인 직사각형의 네 변의 길이의 합과 같습니다.」❶
따라서 굵은 선의 길이는 $15+11+15+11=52$(cm)입니다.」❷

**채점 기준**

| |
|---|
| ❶ 굵은 선을 옮겼을 때 굵은 선의 길이는 무엇과 같은지 알기 |
| ❷ 굵은 선의 길이 구하기 |

**8** (직사각형 ㄱㄴㄷㄹ의 네 변의 길이의 합)
−(정사각형 ㄱㄴㅂㅁ의 네 변의 길이의 합)
=(선분 ㅁㄹ)+(선분 ㅂㄷ)=10 cm
⇨ (선분 ㅁㄹ)=(선분 ㅂㄷ)=5 cm
따라서 직사각형 ㄱㄴㄷㄹ의 가로는
9+5=14(cm)입니다.

**9** 예 직사각형 모양의 종이 5장의 가로의 합은 10+10+10+10+10=50(cm)이고, 겹쳐진 부분의 길이의 합은 2+2+2+2=8(cm)이므로 만든 직사각형의 가로는 50−8=42(cm)입니다.」 ❶
따라서 만든 직사각형의 네 변의 길이의 합은
42+4+42+4=92(cm)입니다.」 ❷

**채점 기준**

| |
|---|
| ❶ 만든 직사각형의 가로 구하기 |
| ❷ 만든 직사각형의 네 변의 길이의 합 구하기 |

**10**
- 작은 정사각형 1개짜리: 1개
- 작은 정사각형 2개짜리: 3개
- 작은 정사각형 3개짜리: 3개
- 작은 정사각형 4개짜리: 3개
- 작은 정사각형 6개짜리: 4개
- 작은 정사각형 8개짜리: 1개
- 작은 정사각형 9개짜리: 2개
- 작은 정사각형 12개짜리: 1개

⇨ 1+3+3+3+4+1+2+1=18(개)

**11**

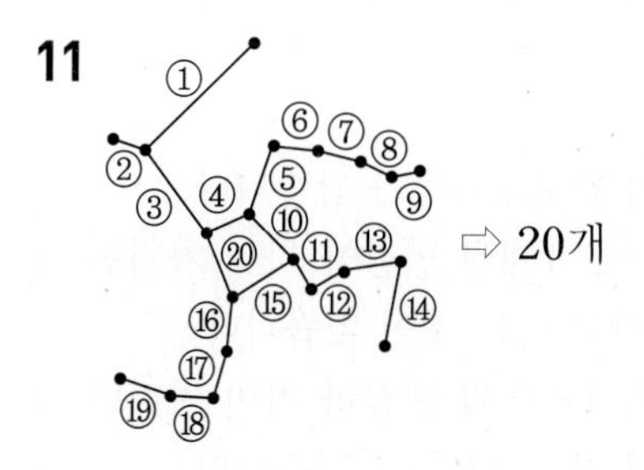

⇨ 20개

**12** 다음과 같이 옮겨서 만들면 작은 정사각형 1개와 큰 정사각형 2개를 찾을 수 있습니다.

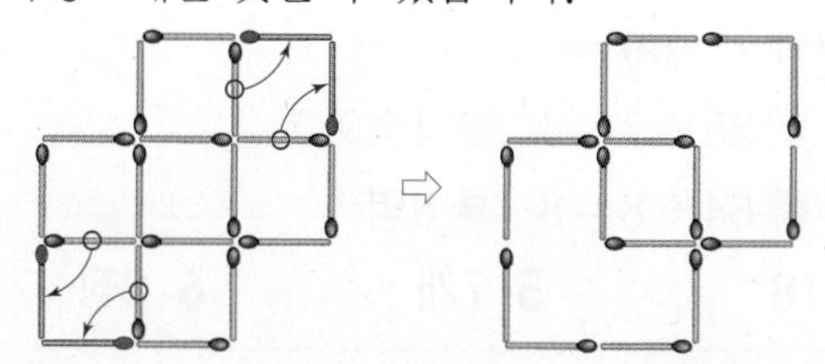

## 최상위권 문제 38~39쪽

| | |
|---|---|
| **1** 48개 | **2** 36개 |
| **3** 32 cm | **4** 21 cm |
| **5** 136 cm | **6** 40개 |

**1** 직각삼각형이 3개, 5개…… 늘어나는 규칙이므로 다섯 번째 모양은 다음과 같습니다.

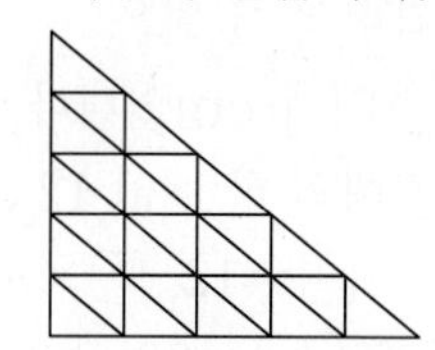

- 작은 직각삼각형 1개짜리: 25개
- 작은 직각삼각형 4개짜리: 13개
- 작은 직각삼각형 9개짜리: 6개
- 작은 직각삼각형 16개짜리: 3개
- 작은 직각삼각형 25개짜리: 1개

⇨ 25+13+6+3+1=48(개)

**2**
- 3×9=27이므로 직사각형의 가로의 한 변에 붙일 수 있는 정사각형은 9개입니다.
- 3×7=21이므로 직사각형의 세로의 한 변에 붙일 수 있는 정사각형은 7개입니다.
- 직사각형의 네 꼭짓점 부분에 붙일 수 있는 정사각형은 4개입니다.

따라서 필요한 정사각형은 모두
9+7+9+7+4=36(개)입니다.

**3** 비법 PLUS+ 자른 직사각형의 가로는 세로의 2배가 됩니다.

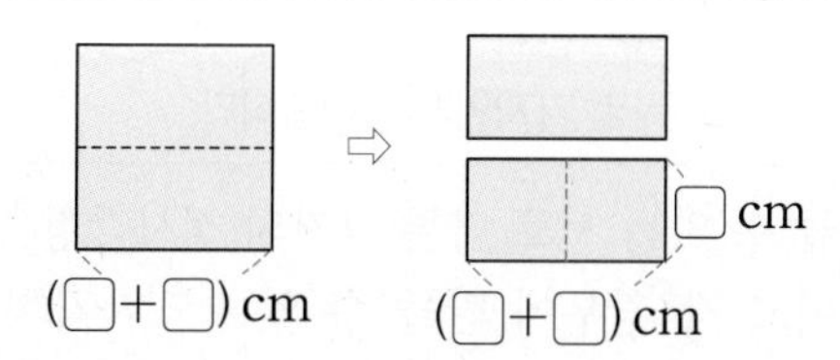


자른 직사각형의 세로를 □ cm라 하면 가로는 (□+□) cm입니다.
자른 직사각형 한 개의 네 변의 길이의 합이 24 cm이므로 (□+□)+□+(□+□)+□=24,
(가로, 세로, 가로, 세로)
□×6=24이고 4×6=24이므로 □=4입니다.
⇨ (처음 정사각형의 한 변)
=□+□=4+4=8(cm)
따라서 처음 정사각형의 네 변의 길이의 합은
8+8+8+8=32(cm)입니다.

**4**

가장 작은 정사각형의 한 변을 □ cm라 하면 중간 크기 정사각형의 한 변은 (□+□+□) cm,
가장 큰 정사각형의 한 변은
(□+□+□+□) cm입니다.
가장 큰 정사각형의 한 변이 12 cm이므로
□+□+□+□=12, □×4=12이고
3×4=12이므로 □=3입니다.
⇨ (변 ㄴㄷ)=12+3+3+3=21(cm)

**5** 비법 PLUS+ 굵은 선의 길이는 한 변이 26 cm인 정사각형의 네 변의 길이의 합에 ㉡을 두 번 더한 것입니다.

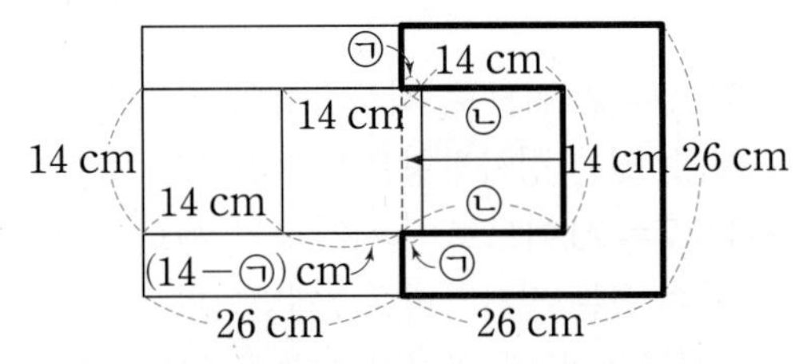


14+14−㉠=26, 28−㉠=26
→ ㉠=28−26=2(cm)
⇨ (굵은 선의 길이)
=26+26+26+26+2+14+2+14 (2+14=㉡, 2+14=㉡)
=136(cm)

**6** 비법 PLUS+ 먼저 만들 수 있는 서로 다른 크기의 정사각형은 모두 몇 가지인지 알아봅니다.

만들 수 있는 서로 다른 크기의 정사각형은 모두 5가지이고 각 경우에 만들 수 있는 정사각형의 개수는 다음과 같습니다.

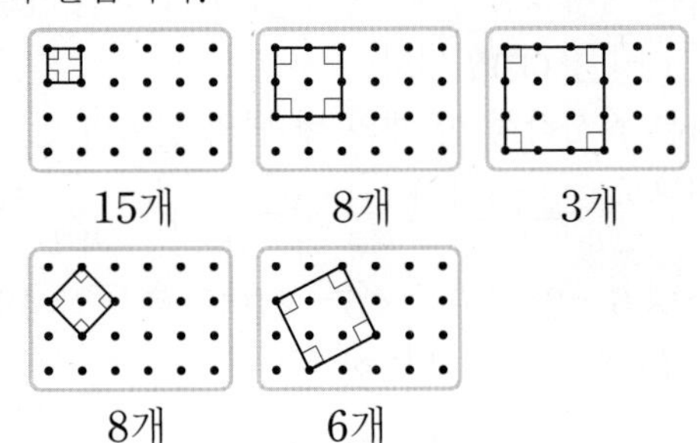


⇨ (크고 작은 정사각형의 개수)
=15+8+3+8+6=40(개)

# 3 나눗셈

## 핵심 개념과 문제 43쪽

**1** 식 36÷9=4 답 4개
**2** 식 48÷6=8 답 8일
**3** (1) 14, 7, 2 / 14, 2, 7
(2) 8, 9, 72 / 9, 8, 72
**4** 곱셈식 5×4=20
나눗셈식 20÷5=4 또는 20÷4=5
**5** 방법1 식 18−3−3−3−3−3−3=0
방법2 식 18÷3=6
/ 6명
**6** 다

**1** 초콜릿 36개를 9곳에 똑같이 나누면 한 곳에 4개씩입니다. ⇨ 36÷9=4(개)

**2** 48쪽을 6쪽씩 묶으면 8묶음이 됩니다.
⇨ 48÷6=8(일)

**4** 5개씩 4묶음이므로 5×4=20입니다.
⇨ 5×4=20 → 20÷5=4, 20÷4=5

**5**
- 18에서 3씩 6번 빼면 0이 되므로 6명에게 나누어 줄 수 있습니다.
- 18을 3씩 묶으면 6묶음이므로 6명에게 나누어 줄 수 있습니다.

**6**
- 가: 4명이 색종이를 1장씩 번갈아 가며 가지면 한 명이 5장씩 갖고 1장이 남습니다.
- 나: 5명이 연필을 1자루씩 번갈아 가며 가지면 한 명이 4자루씩 갖고 2자루가 남습니다.
- 다: 6명이 지우개를 1개씩 번갈아 가며 가지면 한 명이 4개씩 갖고 남는 것이 없습니다.
- 라: 7명이 볼펜을 1자루씩 번갈아 가며 가지면 한 명이 3자루씩 갖고 4자루가 남습니다.

## 핵심 개념과 문제 45쪽

**1** (1) < (2) =
**2** 식 28÷7=4 답 4송이
**3** 식 64÷8=8 답 8명
**4** 18 **5** 7개 **6** 2장

**2** 장미 28송이를 7명이 똑같이 나누어 가져야 하므로 $28 \div 7$을 계산합니다. 나누는 수인 7의 단 곱셈구구에서 곱이 나누어지는 수인 28이 되는 곱셈식을 찾아보면 $7 \times 4 = 28$이므로 $28 \div 7$의 몫은 4입니다.
따라서 한 명이 장미를 4송이씩 가질 수 있습니다.

**3** 구슬 64개를 한 명에게 8개씩 주어야 하므로 $64 \div 8$을 계산합니다. 나누는 수인 8의 단 곱셈구구에서 곱이 나누어지는 수인 64가 되는 곱셈식을 찾아보면 $8 \times 8 = 64$이므로 $64 \div 8$의 몫은 8입니다.
따라서 8명에게 나누어 줄 수 있습니다.

**4** $45 \div 5 = 9$이므로 ㉠$\div 2 = 9$입니다.
따라서 곱셈과 나눗셈의 관계에 의해
$2 \times 9 =$ ㉠, ㉠$= 18$입니다.

**5** (귤의 수)$= 35 + 28 = 63$(개)
따라서 한 봉지에 귤을 $63 \div 9 = 7$(개)씩 담았습니다.

**6** (한 상자에 담은 색종이의 수)$= 48 \div 6 = 8$(장)
⇨ (친구 한 명이 받게 되는 색종이의 수)
$= 8 \div 4 = 2$(장)

## 상위권 문제 46~51쪽

| | | | |
|---|---|---|---|
| 유형 ① | (1) 6 (2) 2 | | |
| 유제 1 | 8 | 유제 2 | 풀이 참조, 9 |
| 유형 ② | (1) 9군데 (2) 10개 (3) 20개 | | |
| 유제 3 | 18그루 | 유제 4 | 6 m |
| 유형 ③ | (1) 1, 1, 0, 3 (2) 0 | | |
| 유제 5 | 5 | 유제 6 | 9 |
| 유형 ④ | (1) 8시간 (2) 48 m (3) 16 m | | |
| 유제 7 | 45 m | 유제 8 | 풀이 참조, 84 m |
| 유형 ⑤ | (1) $27 \div 3 = 9$, $36 \div 4 = 9$, $45 \div 5 = 9$, $54 \div 6 = 9$ (2) $36 \div 4 = 9$, $54 \div 6 = 9$ | | |
| 유제 9 | $24 \div 3 = 8$, $32 \div 4 = 8$ | | |
| 유제 10 | $14 \div 2 = 7$, $21 \div 3 = 7$, $42 \div 6 = 7$ | | |
| 유형 ⑥ | (1) 28, 3 (2) 7명 (3) 21전 | | |
| 유제 11 | 64전 | 유제 12 | 54전 |

**유형 ①** (1) 어떤 수를 □라 하면 $\square \times 3 = 18$이므로 $18 \div 3 = \square$, $\square = 6$입니다.
(2) 바르게 계산하면 $6 \div 3 = 2$입니다.

**유제 1** 어떤 수를 □라 하면 $\square - 5 = 35$이므로 $\square = 35 + 5 = 40$입니다.
따라서 바르게 계산하면 $40 \div 5 = 8$입니다.

**유제 2** 예 어떤 수를 □라 하면 $\square + 4 = 40$이므로 $\square = 40 - 4 = 36$입니다.」 ❶
따라서 바르게 계산하면 $36 \div 4 = 9$입니다.」 ❷

| 채점 기준 |
|---|
| ❶ 어떤 수 구하기 |
| ❷ 바르게 계산한 값 구하기 |

**유형 ②** (1) (도로의 한쪽에 세우려는 가로등과 가로등 사이의 간격 수)$= 72 \div 8 = 9$(군데)
(2) (도로의 한쪽에 필요한 가로등의 수)
$= 9 + 1 = 10$(개)
(3) (필요한 가로등의 수)$= 10 + 10 = 20$(개)

**유제 3** (도로의 한쪽에 심으려는 가로수와 가로수 사이의 간격 수)$= 56 \div 7 = 8$(군데)
(도로의 한쪽에 필요한 가로수의 수)
$= 8 + 1 = 9$(그루)
⇨ (필요한 가로수의 수)$= 9 \times 2 = 18$(그루)

**유제 4** (나무와 나무 사이의 간격 수)
$= 10 - 1 = 9$(군데)
⇨ (나무 사이의 간격)$= 54 \div 9 = 6$(m)

**유형 ③** (1) (1 1 0) (1 1 0) (1 1 0)……에서 규칙적으로 반복되는 수는 1, 1, 0이고, 한 묶음 안의 수는 3개입니다.
(2) $24 \div 3 = 8$이므로 24번째 수는 8번째 묶음의 마지막 수인 0입니다.

**유제 5** (8 6 3 5) (8 6 3 5) (8 6 3 5)……에서 규칙적으로 반복되는 수는 8, 6, 3, 5이고, 한 묶음 안의 수는 4개입니다.
따라서 $32 \div 4 = 8$이므로 32번째 수는 8번째 묶음의 마지막 수인 5입니다.

**유제 6** (9 0 0 4 2) (9 0 0 4 2) (9 0 0 4 2)……에서 규칙적으로 반복되는 수는 9, 0, 0, 4, 2이고, 한 묶음 안의 수는 5개입니다.
따라서 $45 \div 5 = 9$이므로 45번째 수는 9번째 묶음의 마지막 수인 2이고, 46번째 수는 10번째 묶음의 첫 번째 수인 9입니다.

**유형 4** (1) $32 \div 4 = 8$(시간)
(2) $6 \times 8 = 48$(m)
(3) 애벌레는 달팽이보다 $48 - 32 = 16$(m) 앞서 있습니다.

**유제 7** (나무늘보가 27 m를 가는 동안 걸린 시간)
$= 27 \div 3 = 9$(분)
(나무늘보가 27 m를 가는 동안 코알라가 간 거리)
$= 8 \times 9 = 72$(m)
따라서 코알라가 나무늘보보다
$72 - 27 = 45$(m) 앞서 있습니다.

**유제 8** 예 장난감 자동차가 35 m를 달리는 동안 걸린 시간은 $35 \div 5 = 7$(분)입니다.」❶
장난감 자동차가 35 m를 달리는 동안 장난감 기차가 달린 거리는 $7 \times 7 = 49$(m)입니다.」❷
따라서 장난감 기차와 장난감 자동차는
$49 + 35 = 84$(m) 떨어져 있습니다.」❸

| 채점 기준 |
| --- |
| ❶ 장난감 자동차가 35 m를 달리는 동안 걸린 시간 구하기 |
| ❷ 장난감 기차가 달린 거리 구하기 |
| ❸ 장난감 기차와 장난감 자동차는 몇 m 떨어져 있는지 구하기 |

**유형 5** (2) • $27 \div 3 = 9$의 경우 수 카드 2, 7이 없으므로 만들 수 없습니다.
• $45 \div 5 = 9$의 경우 5가 2번 사용되었으므로 만들 수 없습니다.

**유제 9** 8의 단 곱셈구구에서 곱하는 수가 2, 3, 4, 5일 때의 곱셈식을 몫이 8이 되는 나눗셈식으로 바꿔 보면 $8 \times 2 = 16 \Rightarrow 16 \div 2 = 8$,
$8 \times 3 = 24 \Rightarrow 24 \div 3 = 8$,
$8 \times 4 = 32 \Rightarrow 32 \div 4 = 8$,
$8 \times 5 = 40 \Rightarrow 40 \div 5 = 8$입니다.
이 중에서 수 카드로 만들 수 있는 나눗셈식은
$24 \div 3 = 8$, $32 \div 4 = 8$입니다.

**유제 10** 7의 단 곱셈구구에서 곱하는 수가 1, 2, 3, 4, 6일 때의 곱셈식을 몫이 7이 되는 나눗셈식으로 바꿔 보면 $7 \times 1 = 7 \Rightarrow 7 \div 1 = 7$,
$7 \times 2 = 14 \Rightarrow 14 \div 2 = 7$,
$7 \times 3 = 21 \Rightarrow 21 \div 3 = 7$,
$7 \times 4 = 28 \Rightarrow 28 \div 4 = 7$,
$7 \times 6 = 42 \Rightarrow 42 \div 6 = 7$입니다.
이 중에서 수 카드로 만들 수 있는 나눗셈식은
$14 \div 2 = 7$, $21 \div 3 = 7$, $42 \div 6 = 7$입니다.

**유형 6** (2) $7 \times ■ =$(물건값)$+28$, $3 \times ■ =$(물건값)이므로 $4 \times ■ = 28$, $28 \div 4 = ■$, $■ = 7$입니다. 따라서 물건을 구매하려는 사람은 7명입니다.
(3) 물건값은 $3 \times 7 = 21$(전)입니다.

**유제 11** 물건을 구매하려는 사람을 □명이라 하면
$6 \times □ =$(물건값)$-16$, $8 \times □ =$(물건값)이므로
$2 \times □ = 16$, $16 \div 2 = □$, $□ = 8$입니다.
따라서 물건을 구매하려는 사람이 8명이므로 물건값은 $8 \times 8 = 64$(전)입니다.

**유제 12** 물건을 구매하려는 사람을 □명이라 하면
$6 \times □ =$(물건값)$-18$, $9 \times □ =$(물건값)이므로 $3 \times □ = 18$, $18 \div 3 = □$, $□ = 6$입니다.
따라서 물건을 구매하려는 사람이 6명이므로 물건값은 $9 \times 6 = 54$(전)입니다.

## 상위권 문제 확인과 응용 52~55쪽

| | |
| --- | --- |
| **1** 42 | **2** 2일 |
| **3** 3일 | **4** 28번 |
| **5** 40 cm | **6** 54개 |
| **7** 풀이 참조, 2개 | **8** 24 |
| **9** 풀이 참조, 4개 | **10** 2 m |
| **11** 6대 | **12** 60분 |

**1** • $4 \times ▲ = 28$에서 $28 \div 4 = ▲$, $▲ = 7$입니다.
• $■ \div 5 = 7$에서 $5 \times 7 = ■$, $■ = 35$입니다.
따라서 $■ + ▲ = 35 + 7 = 42$입니다.

**2** (한 명이 가진 색종이 수)$= 42 \div 7 = 6$(장)
$\Rightarrow$ (사용할 수 있는 날수)$= 6 \div 3 = 2$(일)

**3** (토끼 한 마리가 하루에 먹는 당근 수)$= 6 \div 2 = 3$(개)
(토끼 한 마리가 먹어야 할 당근 수)$= 63 \div 7 = 9$(개)
$\Rightarrow$ (토끼 한 마리가 당근 9개를 먹는 데 걸리는 날수)
$= 9 \div 3 = 3$(일)
따라서 토끼 7마리가 당근 63개를 먹는 데에는 3일이 걸립니다.

**4** 규칙적으로 반복되는 말은 '간장공장공장장'이고, 반복되는 글자 7개 중에서 '장'은 4번 나옵니다.
$49 \div 7 = 7$이므로 '간장공장공장장'이 7번 반복되고, 글자 '장'은 모두 $4 \times 7 = 28$(번) 말했습니다.

**5** 정사각형은 네 변의 길이가 모두 같으므로 한 변은 $20 \div 4 = 5$(cm)입니다. 직사각형의 네 변의 길이의 합은 정사각형의 한 변의 8배입니다.
⇨ (직사각형의 네 변의 길이의 합)
$= 5 \times 8 = 40$(cm)

**6** (㉮ 공장에서 시계 56개를 만드는 데 걸린 시간)
$= 56 \div 7 = 8$(분)
(㉯ 공장에서 시계를 만든 시간)$= 8 - 2 = 6$(분)
⇨ (㉯ 공장에서 6분 동안 만든 시계 수)
$= 9 \times 6 = 54$(개)

**7** 예 6의 단 곱셈구구에서 곱하는 수가 2, 4, 5, 7, 9일 때의 곱셈식을 몫이 6이 되는 나눗셈식으로 바꿔 보면 $6 \times 2 = 12$ ⇨ $12 \div 2 = 6$,
$6 \times 4 = 24$ ⇨ $24 \div 4 = 6$,
$6 \times 5 = 30$ ⇨ $30 \div 5 = 6$,
$6 \times 7 = 42$ ⇨ $42 \div 7 = 6$,
$6 \times 9 = 54$ ⇨ $54 \div 9 = 6$입니다.」 ❶
이 중에서 수 카드로 만들 수 있는 나눗셈식은 $42 \div 7 = 6$, $54 \div 9 = 6$으로 모두 2개입니다.」 ❷

| 채점 기준 |
| --- |
| ❶ 6의 단 곱셈구구에서 곱하는 수가 2, 4, 5, 7, 9일 때의 곱셈식을 몫이 6이 되는 나눗셈식으로 바꿔 보기 |
| ❷ 수 카드로 만들 수 있는 나눗셈식은 모두 몇 개인지 구하기 |

**8** 3의 단 곱셈구구에서 곱의 십의 자리 수가 2인 경우는 $3 \times 7 = 21$, $3 \times 8 = 24$, $3 \times 9 = 27$입니다.
$3 \times 7 = 21$ ⇨ $21 \div 3 = 7$,
$3 \times 8 = 24$ ⇨ $24 \div 3 = 8$,
$3 \times 9 = 27$ ⇨ $27 \div 3 = 9$이므로 몫이 될 수 있는 수는 7, 8, 9입니다.
⇨ $7 + 8 + 9 = 24$

**9** 예 짧은 막대의 길이를 □cm라 하면 긴 막대의 길이는 (□+12) cm입니다.」 ❶
□+(□+12)=20, □+□=8, □=4이므로 짧은 막대의 길이는 4 cm이고, 긴 막대의 길이는 $4 + 12 = 16$(cm)입니다.」 ❷
따라서 긴 막대를 잘라 짧은 막대와 길이가 같은 막대를 $16 \div 4 = 4$(개) 만들 수 있습니다.」 ❸

| 채점 기준 |
| --- |
| ❶ 짧은 막대와 긴 막대의 길이를 □를 이용하여 나타내기 |
| ❷ 짧은 막대와 긴 막대의 길이 각각 구하기 |
| ❸ 긴 막대를 잘라 짧은 막대와 길이가 같은 막대를 몇 개 만들 수 있는지 구하기 |

**10** (종이 7장의 폭의 합)$= 3 \times 7 = 21$(m)
(종이를 붙이지 않은 벽의 가로 길이의 합)
$= 37 - 21 = 16$(m)
(양쪽 벽의 끝과 종이 사이, 종이와 종이 사이의 모든 간격 수)=(종이의 수)$+1 = 7 + 1 = 8$(군데)
따라서 간격을 $16 \div 8 = 2$(m)로 해야 합니다.

**11** (기타의 줄 수)$= 6 \times 8 = 48$(줄)
(첼로의 줄 수)$= 72 - 48 = 24$(줄)
⇨ (첼로의 수)$= 24 \div 4 = 6$(대)

**12** • 16명이 2명씩 경기를 하여 $16 \div 2 = 8$(경기)를 하므로 $4 \times 8 = 32$(분) 동안 경기를 합니다.
• 이긴 8명이 2명씩 경기를 하여 $8 \div 2 = 4$(경기)를 하므로 $4 \times 4 = 16$(분) 동안 경기를 합니다.
• 이긴 4명이 2명씩 경기를 하여 $4 \div 2 = 2$(경기)를 하므로 $4 \times 2 = 8$(분) 동안 경기를 합니다.
• 나머지 2명이 결승전 1경기를 하므로 4분 동안 경기를 합니다.
따라서 첫 경기부터 결승전을 마칠 때까지의 경기 시간은 모두 $32 + 16 + 8 + 4 = 60$(분)입니다.

## 최상위권 문제 56~57쪽

| | |
| --- | --- |
| **1** 12 cm | **2** 35, 5 |
| **3** 37살 | **4** 1시간 9분 |
| **5** 36분 | **6** 10개 |

**1**

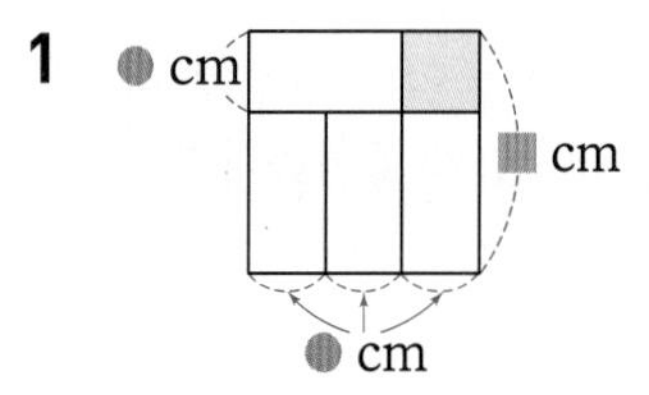


정사각형의 네 변의 길이의 합이 36 cm이므로
▥$= 36 \div 4 = 9$입니다.
직사각형의 크기가 같으므로 ●$= 9 \div 3 = 3$입니다.
따라서 색칠한 작은 정사각형 한 개의 네 변의 길이의 합은 $3 + 3 + 3 + 3 = 12$(cm)입니다.

**2** ㉠÷㉡=7 ⇨ ㉡×7=㉠이므로 ㉡에 1부터 수를 차례로 써넣어 ㉠+㉡=40이 되는 경우를 찾습니다.
• ㉡=1, ㉠=7 ⇨ ㉠+㉡=7+1=8(×)
• ㉡=2, ㉠=14 ⇨ ㉠+㉡=14+2=16(×)
• ㉡=3, ㉠=21 ⇨ ㉠+㉡=21+3=24(×)
• ㉡=4, ㉠=28 ⇨ ㉠+㉡=28+4=32(×)
• ㉡=5, ㉠=35 ⇨ ㉠+㉡=35+5=40(○)

**3** 선생님의 올해 나이는 25보다 크고 50보다 작은 수 중에서 9로 똑같이 나눌 수 있는 수이므로 $9\times3=27$, $9\times4=36$, $9\times5=45$ 중에서 하나입니다.
따라서 선생님의 작년 나이는 $27-1=26$, $36-1=35$, $45-1=44$ 중에서 하나입니다.
이 중에서 7로 똑같이 나눌 수 있는 수는 35이므로 선생님의 올해 나이는 $35+1=36$(살)이고, 선생님의 내년 나이는 $36+1=37$(살)입니다.

**4** 비법 PLUS+ • (자른 횟수)=(토막 수)−1
• (쉬는 횟수)=(자른 횟수)−1

• 5토막으로 자르려면 $5-1=4$(번) 잘라야 하므로 통나무를 한 번 자르는 데 걸리는 시간은 $24\div4=6$(분)입니다.
• 9토막으로 자르려면 $9-1=8$(번) 자르고, $8-1=7$(번) 쉬어야 합니다.
⇨ (통나무를 8번 자르는 데 걸리는 시간) $=6\times8=48$(분),
(쉬는 시간)$=3\times7=21$(분)
따라서 통나무를 9토막으로 자르는 데 걸리는 시간은 $48+21=69$(분) ⇨ 1시간 9분입니다.

**5** 비법 PLUS+ 먼저 송충이와 굼벵이가 같은 시간 동안 몇 m씩 가는지 알아봅니다.

6분 동안 송충이는 $4\times3=12$(m)를 가고, 굼벵이는 $4\times2=8$(m)를 가므로 송충이와 굼벵이 사이의 거리는 6분마다 $12-8=4$(m)씩 줄어듭니다.
굼벵이가 24 m 앞에서 출발했고 $24\div4=6$이므로 송충이와 굼벵이는 $6\times6=36$(분) 후에 만납니다.

**6** 비법 PLUS+ 먼저 수 카드 7장 중에서 4장을 뽑아 만들 수 있는 곱셈식을 알아봅니다.

먼저 7장의 수 카드 중에서 4장을 뽑아 □×□=□□ 형태의 곱셈식을 만들고, 곱셈식을 나눗셈식 2개로 바꾸면 다음과 같습니다.
• $3\times8=24$ ⇨ $24\div3=8$, $24\div8=3$
• $4\times7=28$ ⇨ $28\div4=7$, $28\div7=4$
• $4\times8=32$ ⇨ $32\div4=8$, $32\div8=4$
• $6\times7=42$ ⇨ $42\div6=7$, $42\div7=6$
• $7\times8=56$ ⇨ $56\div7=8$, $56\div8=7$
따라서 만들 수 있는 나눗셈식은 모두 10개입니다.

# 4 곱셈

## 핵심 개념과 문제 61쪽

| | |
|---|---|
| **1** 62, 186 | **2** (1) < (2) > |
| **3** 100권 | **4** 6 |
| **5** 326 | **6** 168개 |

**1** $31\times2=62$, $62\times3=186$
**2** (1) $30\times2=60$ ⓒ< $20\times4=80$
(2) $22\times3=66$ ⓒ> $11\times5=55$
**3** (한 상자에 들어 있는 동화책 수)×(상자 수) $=20\times5=100$(권)
**4** $7\times6=42$이므로 $70\times6=420$입니다.
**5** ㉠ $73\times2=146$ ㉡ $60\times3=180$
⇨ ㉠+㉡$=146+180=326$
**6** (3학년 전체 학생 수)$=21\times4=84$(명)
⇨ (필요한 씨앗의 수)$=2\times84=84\times2=168$(개)

## 핵심 개념과 문제 63쪽

**1**
$$\begin{array}{r} 3\ 6 \\ \times\quad 2 \\ \hline 7\ 2 \end{array}$$
**2** 102
**3** 방법1 예 곱셈식으로 나타내어 구할 수 있습니다.
배는 모두 $16\times4=64$(개)입니다.
방법2 예 덧셈식으로 나타내어 구할 수 있습니다.
배는 모두 $16+16+16+16=64$(개)입니다.
**4** ㉢ **5** 3
**6** 87 cm

**1** $6\times2=12$에서 올림하는 수 1을 십의 자리 곱에 더하여 계산하지 않았습니다.
$$\begin{array}{r} {}^{1}\\ 3\ 6 \\ \times\quad 2 \\ \hline 7\ 2 \end{array}$$
**2** $17>8>6$이므로 $17\times6=102$입니다.
**4** ㉠ $23\times4=92$ ㉡ $48\times3=144$
㉢ $34\times5=170$ ㉣ $39\times4=156$
⇨ $\underset{㉢}{170}>\underset{㉣}{156}>\underset{㉡}{144}>\underset{㉠}{92}$
**5** 6×□의 일의 자리 수가 8이므로 $6\times3=18$, $6\times8=48$에서 □=3 또는 □=8입니다.
□=3인 경우: $46\times3=138$(○)
□=8인 경우: $46\times8=368$(×)
⇨ □=3

6 (자의 길이의 3배)$=35\times3=105$(cm)
따라서 나무토막의 길이는 자의 길이의 3배보다 18 cm 더 짧으므로 $105-18=87$(cm)입니다.

## 상위권 문제 64~71쪽

| | | | |
|---|---|---|---|
| 유형 1 | (1) 3 (2) 162 | | |
| 유제 1 | 256 | 유제 2 | 16, 32, 64, 128 |
| 유형 2 | (1) 152개 (2) 54개 (3) 206개 | | |
| 유제 3 | 262개 | 유제 4 | 4자루 |
| 유형 3 | (1) 9군데 (2) 90 m | | |
| 유제 5 | 88 m | 유제 6 | 풀이참조, 126 m |
| 유형 4 | (1) 280 (2) 1, 2, 3, 4, 5 | | |
| 유제 7 | 8, 9 | 유제 8 | 3개 |
| 유형 5 | (1) 0, 5 (2) 4 (3) 1, 5 | | |
| 유제 9 | (위에서부터) 6, 7, 4 | 유제 10 | 12 |
| 유형 6 | (1) 168 cm (2) 28 cm (3) 140 cm | | |
| 유제 11 | 113 cm | 유제 12 | 4 cm |
| 유형 7 | (1) 3, 4, 5 (2) 215 | | |
| 유제 13 | 576 | 유제 14 | 풀이 참조, 468 |
| 유형 8 | (1) 17, 4 (2) 6, 8 (3) 686866 | | |
| 유제 15 | 162612 | | |

유형 1 (1) $2\times3=6$, $6\times3=18$, $18\times3=54$이므로 바로 앞의 수에 3을 곱하는 규칙입니다.
(2) 바로 앞의 수에 3을 곱하는 규칙이므로 빈칸에 알맞은 수는 $54\times3=162$입니다.

유제 1 $1\times4=4$, $4\times4=16$, $16\times4=64$이므로 바로 앞의 수에 4를 곱하는 규칙입니다.
따라서 빈칸에 알맞은 수는 $64\times4=256$입니다.

유제 2 $6\times2=12$, $12\times2=24$, $24\times2=48$, $48\times2=96$이므로 바로 앞의 수에 2를 곱하는 규칙입니다.
따라서 빈칸에 알맞은 수는 $8\times2=\underline{16}$, $16\times2=\underline{32}$, $32\times2=\underline{64}$, $64\times2=\underline{128}$입니다.

유형 2 (1) (돼지의 다리 수)$=4\times38=38\times4=152$(개)
(2) (닭의 다리 수)$=2\times27=27\times2=54$(개)
(3) (돼지와 닭의 다리 수의 합)
$=152+54=206$(개)

유제 3 (혜린이가 7일 동안 접은 학의 수)
$=16\times7=112$(개)
(태영이가 6일 동안 접은 학의 수)
$=25\times6=150$(개)
따라서 혜린이와 태영이가 접은 학은 모두 $112+150=262$(개)입니다.

유제 4 (아연이가 선물로 받은 연필 수)
$=12\times4=48$(자루)
(친구들에게 나누어 준 연필 수)
$=4\times11=11\times4=44$(자루)
따라서 아연이가 친구들에게 나누어 주고 남은 연필은 모두 $48-44=4$(자루)입니다.

유형 3 (1) (나무 사이의 간격의 수)
$=$(나무의 수)$-1=10-1=9$(군데)
(2) (도로의 길이)
$=$(나무 사이의 간격의 길이)$\times$(간격의 수)
$=10\times9=90$(m)

유제 5 (가로등 사이의 간격의 수)$=12-1=11$(군데)
⇨ (도로의 길이)$=8\times11=11\times8=88$(m)

유제 6 예 $15+15=30$이므로 도로의 한쪽에 심은 나무의 수는 15그루입니다.」 ❶
나무 사이의 간격의 수는 $15-1=14$(군데)입니다.」 ❷
따라서 도로의 길이는
$9\times14=14\times9=126$(m)입니다.」 ❸

| 채점 기준 |
|---|
| ❶ 도로의 한쪽에 심은 나무의 수 구하기 |
| ❷ 나무 사이의 간격의 수 구하기 |
| ❸ 도로의 길이는 몇 m인지 구하기 |

유형 4 (1) $70\times4=280$
(2) $50\times\square$는 280보다 작아야 합니다.
$50\times6=300(\times)$, $50\times5=250(\bigcirc)$이므로 $\square$ 안에 들어갈 수 있는 수는 1, 2, 3, 4, 5입니다.

유제 7 $28\times6=168$이므로 $24\times\square$는 168보다 커야 합니다. $24\times7=168(\times)$, $24\times8=192(\bigcirc)$, $24\times9=216(\bigcirc)$
따라서 $\square$ 안에 들어갈 수 있는 수는 8, 9입니다.

유제 8 $36\times3=108$, $52\times4=208$이므로 $108<38\times\square<208$입니다.
$38\times2=76(\times)$, $38\times3=114(\bigcirc)$, $38\times4=152(\bigcirc)$, $38\times5=190(\bigcirc)$, $38\times6=228(\times)$
따라서 $\square$ 안에 들어갈 수 있는 수는 3, 4, 5이므로 모두 3개입니다.

**유형 5** (1) ㉡×4의 일의 자리 수가 0이므로 0×4=0, 5×4=20에서 ㉡=0 또는 ㉡=5입니다.
(2) ㉡=0일 때, ㉠×4=6이어야 하므로 ㉡=0일 수 없습니다. ⇨ ㉡=5
따라서 ㉡×4=5×4=20으로 일의 자리에서 2를 십의 자리로 올림하였으므로 ㉠×4=6−2, ㉠×4=4입니다.
(3) ㉠×4=4 ⇨ ㉠=1

**유제 9** • 7×㉡의 일의 자리 수가 9이므로 7×7=49에서 ㉡=7입니다.
• 일의 자리에서 4를 십의 자리로 올림하였으므로 ㉠×7의 일의 자리 수는 2입니다.
6×7=42에서 ㉠=6, ㉢=4입니다.

```
    ㉠ 7
×     ㉡
---------
 ㉢ 6 9
```

**유제 10** ㉠×㉠의 일의 자리 수가 4이므로 2×2=4, 8×8=64에서 ㉠=2 또는 ㉠=8입니다.
• ㉠=2인 경우: 62×2=124(×)
• ㉠=8인 경우: 68×8=544(○) → ㉡=4
⇨ ㉠+㉡=8+4=12

**유형 6** (1) (색 테이프 8장의 길이의 합)
=21×8=168(cm)
(2) (겹쳐진 부분의 수)=8−1=7(군데)
(겹쳐진 부분의 길이의 합)
=4×7=28(cm)
(3) (이어 붙인 색 테이프의 전체 길이)
=168−28=140(cm)

**유제 11** (색 테이프 7장의 길이의 합)
=23×7=161(cm)
(겹쳐진 부분의 수)=7−1=6(군데)
(겹쳐진 부분의 길이의 합)=8×6=48(cm)
⇨ (이어 붙인 색 테이프의 전체 길이)
=161−48=113(cm)

**유제 12** (색 테이프 6장의 길이의 합)
=28×6=168(cm)
(겹쳐진 부분의 길이의 합)
=168−148=20(cm)
겹쳐진 한 부분의 길이를 □cm라 하면 겹쳐진 부분의 수는 6−1=5(군데)이므로 □×5=20, □=20÷5=4입니다.
따라서 색 테이프를 4 cm씩 겹쳐서 이어 붙였습니다.

**유형 7** (1) 곱이 가장 큰 곱셈식을 만들어야 하므로 주어진 수 카드 중에서 큰 수 3장을 고르면 3, 4, 5입니다.
(2) 곱하는 수인 한 자리 수에 가장 큰 수를 쓰고 곱해지는 수의 십의 자리에 그 다음 큰 수를, 일의 자리에 나머지 수를 씁니다.
따라서 5>4>3이므로 가장 큰 곱은 43×5=215입니다.

**유제 13** 곱이 가장 큰 곱셈식을 만들어야 하므로 주어진 수 카드 중에서 큰 수 3장을 고르면 4, 6, 9입니다. 곱하는 수인 한 자리 수에 가장 큰 수를 쓰고 곱해지는 수의 십의 자리에 그 다음 큰 수를, 일의 자리에 나머지 수를 씁니다.
따라서 9>6>4이므로 가장 큰 곱은 64×9=576입니다.

**유제 14** 예 곱이 가장 작은 곱셈식을 만들어야 하므로 주어진 수 카드 중에서 작은 수 3장을 고르면 6, 7, 8입니다.」 ❶
곱하는 수인 한 자리 수에 가장 작은 수를 쓰고 곱해지는 십의 자리에 그 다음 작은 수를, 일의 자리에 나머지 수를 씁니다.」 ❷
따라서 6<7<8이므로 가장 작은 곱은 78×6=468입니다.」 ❸

| 채점 기준 |
|---|
| ❶ 수 카드 중에서 작은 수 3장 고르기 |
| ❷ 가장 작은 곱의 곱셈식을 만드는 방법 알기 |
| ❸ 가장 작은 곱 구하기 |

**유형 8** (1) 합이 21이고, 차가 13인 두 수 중에서 작은 수를 □라 하면 큰 수는 □+13입니다.
두 수의 합이 21이므로 □+(□+13)=21, □+□=8, □=4입니다.
⇨ (큰 수)=4+13=17, (작은 수)=4
(2) 두 수의 곱은 17×4=68이므로 ■=6, ●=8입니다.
(3) 대영이의 스마트폰 비밀번호는 ■●■●■■이므로 686866입니다.

**유제 15** 합이 25이고, 차가 11인 두 수 중에서 작은 수를 □라 하면 큰 수는 □+11입니다.
두 수의 합이 25이므로 □+(□+11)=25, □+□=14, □=7입니다.
⇨ (큰 수)=7+11=18, (작은 수)=7
두 수의 곱은 18×7=126이므로 ■=1, ▲=2, ●=6입니다.

따라서 정현이네 집의 현관문 비밀번호는
■●▲●■▲이므로 162612입니다.

**상위권 문제 확인과 응용** 72~75쪽

| | |
|---|---|
| 1 483 | 2 108쪽 |
| 3 120번 | 4 148개 |
| 5 20개 | 6 3개 |
| 7 풀이 참조, 21개 | 8 546 |
| 9 풀이 참조, 504개 | 10 8바퀴 |
| 11 122 | 12 192마리 |

**1** $23■3=23\times3\times7=69\times7=483$

**2** 3월 25일이 일요일이므로 4월 30일까지 일요일은 3월 25일, 4월 1일, 4월 8일, 4월 15일, 4월 22일, 4월 29일로 모두 6번입니다.
따라서 주혜는 동생에게 동화책을 모두 $18\times6=108$(쪽) 읽어 주어야 합니다.

**3** 전날의 2배씩 줄넘기를 하므로 첫째 날은 15번, 둘째 날은 $(15\times2)$번, 셋째 날은 $(15\times2\times2)$번, 넷째 날은 $(15\times2\times2\times2)$번을 해야 합니다.
따라서 넷째 날에는 줄넘기를 모두 $15\times2\times2\times2=30\times2\times2=60\times2=120$(번) 해야 합니다.

**4** (정사각형의 네 변에 그려야 할 별 모양의 수) $=38\times4=152$(개)
꼭짓점에 그리는 별 모양 4개는 겹치므로 빼야 합니다.
따라서 별 모양을 모두 $152-4=148$(개) 그려야 합니다.

**5** 기준이 되는 공이 축구공이므로 축구공 수를 □개라 하면 야구공 수는 (□×5)개, 배구공 수는 (□×3)개입니다. 야구공과 배구공 수를 더하면 (□×8)개입니다. □×8=160에서 $20\times8=160$이므로 □=20입니다.
따라서 축구공은 20개입니다.

**6** $27\times7=189$이고 $42\times7=294$이므로 $189<$□$3\times4<294$입니다.
$43\times4=172$(×), $53\times4=212$(○),
$63\times4=252$(○), $73\times4=292$(○),
$83\times4=332$(×)
따라서 □ 안에 들어갈 수 있는 수는 5, 6, 7로 모두 3개입니다.

**7** 예 $46\times6=276$ ⇨ $300-276=24$,
$46\times7=322$ ⇨ $322-300=22$에서
$24>22$이므로 ㉠은 322입니다.」❶
따라서 300과 322 사이에 있는 세 자리 수는 모두 $322-300-1=21$(개)입니다.」❷

채점 기준
- ❶ ㉠ 구하기
- ❷ 300과 ㉠ 사이에 있는 세 자리 수는 모두 몇 개인지 구하기

**8** 어떤 두 자리 수를 ㉠㉡이라 하면 ㉡㉠×6=114입니다.

```
   ㉡㉠
 ×   6
 1 1 4
```

㉠×6의 일의 자리 수가 4이므로
$4\times6=24$, $9\times6=54$에서
㉠=4 또는 ㉠=9입니다.
- ㉠=4인 경우: ㉡×6=11−2, ㉡×6=9를 만족하는 ㉡은 없습니다.
- ㉠=9인 경우: ㉡×6=11−5, ㉡×6=6 → ㉡=1

따라서 ㉠=9, ㉡=1이므로 처음 두 자리 수 91에 6을 곱하면 $91\times6=546$입니다.

**9** 예 한 층에 3가구씩 살고 있는 아파트 한 동의 가구 수는 $3\times12=12\times3=36$(가구)이므로 가구 수는 $36\times3=108$(가구), 한 층에 4가구씩 살고 있는 아파트 한 동의 가구 수는 $4\times12=12\times4=48$(가구)이므로 가구 수는 $48\times3=144$(가구)입니다.
홍구네 아파트 단지의 전체 가구 수는 $108+144=252$(가구)입니다.」❶
따라서 한 가구에 소화기가 2개씩 비치되어 있으므로 소화기는 모두 $252+252=504$(개)입니다.」❷

채점 기준
- ❶ 홍구네 아파트 단지의 전체 가구 수 구하기
- ❷ 소화기는 모두 몇 개인지 구하기

**10** 톱니바퀴 ㉮가 6바퀴 도는 동안 톱니바퀴 ㉯와 맞물려 돌아가는 톱니 수는 $48\times6=288$(개)입니다.
두 톱니바퀴가 맞물려 돌아가는 톱니 수는 서로 같으므로 톱니바퀴 ㉯가 □바퀴 돈다고 하면 36×□=288에서 $36\times8=288$이므로 □=8입니다.
따라서 톱니바퀴 ㉮가 6바퀴 도는 동안 톱니바퀴 ㉯는 8바퀴 돕니다.

**11** 지워진 부분의 점수는 채치수 선수가 마지막 3경기에서 득점한 점수의 합입니다.
2점 슛은 29개 성공했으므로 $29 \times 2 = 58$(점)을 득점했고, 3점 슛은 19개 성공했으므로
$19 \times 3 = 57$(점)을 득점했습니다.
자유투로 7점을 득점했으므로 채치수 선수가 마지막 3경기에서 득점한 점수는 모두
$58 + 57 + 7 = 122$(점)입니다.

**12** (아메바 한 마리를 6번 배양했을 때의 아메바 수)
$= 2 \times 2 \times 2 \times 2 \times 2 \times 2 = 64$(마리)
⇨ (아메바 3마리를 6번 배양했을 때의 아메바 수)
$= 64 \times 3 = 192$(마리)

## 최상위권 문제 76~77쪽

| | |
|---|---|
| **1** 6 | **2** 497 |
| **3** 726권 | **4** 4가지 |
| **5** 4시간 7분 | **6** 6 |

**1** ♥×♥의 일의 자리 수가 6이므로 $4 \times 4 = 16$, $6 \times 6 = 36$에서 ♥$= 4$ 또는 ♥$= 6$입니다.
• ♥$= 4$인 경우: $44 \times 4 = 176$(×)
• ♥$= 6$인 경우: $66 \times 6 = 396$(○)
따라서 ♥가 나타내는 수는 6입니다.

**2** 비법 PLUS+ ㉢$\times 4 = 28$이므로 곱셈과 나눗셈의 관계를 이용하여 ㉢을 먼저 구합니다.

㉠=㉡$\times 9$, ㉡=㉢$\times 7$, ㉢$\times 4 = 28$
• ㉢$\times 4 = 28$, ㉢$= 28 \div 4 = 7$
• ㉡=㉢$\times 7 = 7 \times 7 = 49$
• ㉠=㉡$\times 9 = 49 \times 9 = 441$
⇨ ㉠+㉡+㉢$= 441 + 49 + 7 = 497$

**3** (도서관에 있는 책꽂이의 칸 수)
$= 6 \times 16 = 16 \times 6 = 96$(칸)
(책이 꽂혀 있는 책꽂이의 칸 수)$= 96 - 5 = 91$(칸)
(책이 8권씩 꽂혀 있는 책꽂이의 칸 수)
$= 91 - 1 = 90$(칸)
(6권씩 꽂혀 있는 책꽂이 칸 수의 책 수)
$= 6 \times 1 = 6$(권)
(8권씩 꽂혀 있는 책꽂이 칸 수의 책 수)
$= 8 \times 90 = 90 \times 8 = 720$(권)
⇨ (도서관에 있는 책 수)$= 6 + 720 = 726$(권)

**4** 비법 PLUS+ 각 점수별로 맞힌 횟수를 표로 정리하여 점수의 합이 90점이 넘는 경우를 찾아봅니다.

| 21점을 맞힌 횟수(번) | 5 | 4 | 4 | 3 | 3 | …… |
|---|---|---|---|---|---|---|
| 21점을 맞힌 횟수별 점수(점) | $21 \times 5 = 105$ | $21 \times 4 = 84$ | $21 \times 4 = 84$ | $21 \times 3 = 63$ | $21 \times 3 = 63$ | …… |
| 14점을 맞힌 횟수(번) | 0 | 1 | 0 | 2 | 1 | …… |
| 14점을 맞힌 횟수별 점수(점) | • | $14 \times 1 = 14$ | • | $14 \times 2 = 28$ | $14 \times 1 = 14$ | …… |
| 7점을 맞힌 횟수(번) | 0 | 0 | 1 | 0 | 1 | …… |
| 7점을 맞힌 횟수별 점수(점) | • | • | $7 \times 1 = 7$ | • | $7 \times 1 = 7$ | …… |
| 점수의 합(점) | 105 | $84 + 14 = 98$ | $84 + 7 = 91$ | $63 + 28 = 91$ | $63 + 14 + 7 = 84$ | …… |

얻은 점수의 합이 90점이 넘는 경우

따라서 얻은 점수의 합이 90점이 넘는 경우는 모두 4가지입니다.

**5** (도로의 한쪽에 있는 가로수 사이의 간격의 수)
$= 48 \div 6 = 8$(군데)
(도로의 한쪽에 있는 가로수의 수)$= 8 + 1 = 9$(그루)
도로의 한쪽에 버팀목을 9개 설치해야 하므로 도로의 양쪽에 설치해야 하는 버팀목은 $9 \times 2 = 18$(개)입니다.
(버팀목을 18개 설치하는 데 걸리는 시간)
$= 9 \times 18 = 18 \times 9 = 162$(분)
마지막 버팀목을 설치한 후 쉬는 시간은 필요 없으므로 쉬는 시간의 합은 $5 \times 17 = 17 \times 5 = 85$(분)입니다.
따라서 버팀목을 모두 설치하는 데 걸리는 시간은 $162 + 85 = 247$(분) ⇨ 4시간 7분입니다.

**6** 비법 PLUS+ ★이 8보다 큰 수, 3과 8 사이의 수, 3보다 작은 수인 경우로 나누어 알아봅니다.

• ★이 8보다 큰 수일 때: ★$= 9$
⇨ $98 \times 3 = 294$(×)
• ★이 3과 8 사이의 수일 때: ★$= 4, 5, 6, 7$
8★$\times 3 = 258$이므로 ★$\times 3$의 일의 자리 수가 8이 되어야 하므로 $6 \times 3 = 18$에서 ★$= 6$이 될 수 있습니다. ⇨ $86 \times 3 = 258$(○)
• ★이 3보다 작은 수일 때: ★$= 1, 2$
⇨ $83 \times 1 = 83$(×), $83 \times 2 = 166$(×)

## 5 길이와 시간

### 핵심 개념과 문제 81쪽

**1** ㉠, ㉣, ㉡, ㉢ **2** 5 cm 6 mm
**3** (1) 2 m (2) 1 cm 2 mm (3) 2 km 100 m
**4** 예 약 1 km 500 m **5** 1 km 150 m
**6** 4 cm 5 mm

**4** 집에서 영화관까지의 거리는 집에서 버스 정류장까지의 거리의 약 3배이므로
약 1500 m=1 km 500 m로 어림할 수 있습니다.

**5** (서현이네 집～학교～인수네 집)
=(서현이네 집～학교)+(학교～인수네 집)
=650 m+500 m=1150 m=1 km 150 m

**6** 62 mm=6 cm 2 mm
⇨ (두 끈의 길이의 차)
=10 cm 7 mm−6 cm 2 mm
=4 cm 5 mm

### 핵심 개념과 문제 83쪽

**1** < **2** ㉠, ㉣
**3** 4, 40, 20 **4** 3시 5분 50초
**5** 3시 44분 30초 **6** ㉮ 모둠

**2** ㉠ 1분 5초=1분+5초=60초+5초=65초
㉡ 2분 30초=2분+30초=120초+30초=150초
㉢ 100초=60초+40초=1분+40초=1분 40초
㉣ 400초=360초+40초=6분+40초=6분 40초

**3** 6시간 50분 40초−2시간 10분 20초
=4시간 40분 20초

**4** (수영을 끝낸 시각)
=(수영을 시작한 시각)+(수영을 한 시간)
=1시 40분 30초+1시간 25분 20초
=3시 5분 50초

**5** (축구 경기를 시작한 시각)
=(축구 경기가 끝난 시각)
−(축구 경기가 진행된 시간)
=5시 20분−1시간 35분 30초
=3시 44분 30초

**6** (㉮ 모둠의 달리기 기록)
=1분 20초+1분 32초=2분 52초
(㉯ 모둠의 달리기 기록)
=1분 26초+1분 28초=2분 54초
⇨ 2분 52초<2분 54초이므로 ㉮ 모둠이 경주에서 이겼습니다.

### 상위권 문제 84～89쪽

유형 1 (1) 8 km 100 m / 8 km 400 m (2) 경로 2
유제 1 경로 1 유제 2 경로 1
유형 2 (1) 8시 36분 25초 (2) 1시간 37분 30초
(3) 10시 13분 55초
유제 3 4시 33분 55초 유제 4

유형 3 (1) 3칸 / 3칸 (2) 2 km 700 m
유제 5 3 km 170 m 유제 6 26 cm 2 mm
유형 4 (1) 1분 10초 (2) 오전 10시 1분 10초
유제 7 오후 1시 57분 5초
유제 8 풀이 참조, 오전 7시 1분 12초
유형 5 (1) 13시간 40분 (2) 10시간 20분
유제 9 14시간 3분 50초
유제 10 풀이 참조, 1시간 52분 10초
유형 6 (1) 1 cm 2 mm (2) 3 mm
유제 11 5 mm

유형 1 (1) (경로 1의 거리)
=4 km 700 m+3 km 400 m
=8 km 100 m
(경로 2의 거리)
=2 km 100 m+6 km 300 m
=8 km 400 m
(2) 8 km 100 m<8 km 400 m이므로 경로 2가 더 깁니다.

유제 1 (경로 1의 거리)
=2 km 900 m+3 km 300 m
=6 km 200 m
(경로 2의 거리)
=3 km 650 m+2 km 540 m
=6 km 190 m
⇨ 6 km 200 m>6 km 190 m이므로 경로 1이 더 깁니다.

**유제 2** (경로 1의 거리)
=2 km 400 m+5 km 150 m
+3 km 200 m
=10 km 750 m
(경로 2의 거리)
=7 km 200 m+3 km 800 m=11 km
⇨ 10 km 750 m $<$ 11 km이므로 경로 1이 더 짧습니다.

**유형 2** (1) 시계가 나타내는 시각은 8시 36분 25초입니다.
(2) 97분 30초=60분+37분 30초
=1시간 37분 30초
(3) (야구 연습을 끝낸 시각)
=(야구 연습을 시작한 시각)
+(야구 연습을 한 시간)
=8시 36분 25초+1시간 37분 30초
=10시 13분 55초

**유제 3** 피아노 연습을 끝낸 시각은 6시 17분 15초입니다.
(피아노 연습을 한 시간)
=103분 20초=60분+43분 20초
=1시간 43분 20초
⇨ (피아노 연습을 시작한 시각)
=(피아노 연습을 끝낸 시각)
−(피아노 연습을 한 시간)
=6시 17분 15초−1시간 43분 20초
=4시 33분 55초

**유제 4** 공부를 시작한 시각은 10시 27분 25초입니다.
(공부를 한 시간)
=102분 50초=60분+42분 50초
=1시간 42분 50초
⇨ (공부를 끝낸 시각)
=(공부를 시작한 시각)+(공부를 한 시간)
=10시 27분 25초+1시간 42분 50초
=12시 10분 15초

**유형 3** (2) $\underbrace{500+500+500}_{3칸}+\underbrace{400+400+400}_{3칸}$
=2700(m) → 2 km 700 m

**유제 5** 집에서 학교까지 가려면 적어도 가로로 4칸, 세로로 3칸을 가야 합니다.
⇨ $\underbrace{530+530+530+530}_{4칸}+\underbrace{350+350+350}_{3칸}$
=3170(m) → 3 km 170 m

**유제 6** 3 cm 2 mm=32 mm
개미가 지금 있는 곳에서 빵이 있는 곳까지 가려면 적어도 가로로 5칸, 세로로 3칸을 가야 합니다.
⇨ $\underbrace{32+32+32+32+32}_{5칸}+\underbrace{34+34+34}_{3칸}$
=262(mm) → 26 cm 2 mm

**유형 4** (1) (5일 동안 이 시계가 빨라지는 시간)
=14×5=70(초) → 1분 10초
(2) (5일 후 오전 10시에 이 시계가 가리키는 시각)
=오전 10시+1분 10초
=오전 10시 1분 10초

**유제 7** (일주일 동안 이 시계가 늦어지는 시간)
=25×7=175(초) → 2분 55초
⇨ (일주일 후 오후 2시에 이 시계가 가리키는 시각)
=오후 2시−2분 55초=오후 1시 57분 5초

**유제 8** 예 6일 동안 이 시계가 빨라지는 시간은 12×6=72(초) → 1분 12초입니다.」❶
따라서 6일 후 오전 7시에 이 시계가 가리키는 시각은 오전 7시+1분 12초=오전 7시 1분 12초입니다.」❷

| 채점 기준 |
| --- |
| ❶ 6일 동안 이 시계가 빨라지는 시간 구하기 |
| ❷ 6일 후 오전 7시에 이 시계가 가리키는 시각 구하기 |

**유형 5** (1) 오후 7시 20분은 19시 20분입니다.
⇨ (낮의 길이)
=(해가 진 시각)−(해가 뜬 시각)
=19시 20분−5시 40분
=13시간 40분
(2) 하루는 24시간입니다.
⇨ (밤의 길이)=24시간−(낮의 길이)
=24시간−13시간 40분
=10시간 20분

**유제 9** 오후 5시 8분 10초=17시 8분 10초
(낮의 길이)=(해가 진 시각)−(해가 뜬 시각)
=17시 8분 10초−7시 12분
=9시간 56분 10초
⇨ (밤의 길이)=24시간−(낮의 길이)
=24시간−9시간 56분 10초
=14시간 3분 50초

**유제 10** 예 오후 5시 44분 27초는 17시 44분 27초이므로 낮의 길이는 17시 44분 27초−6시 40분 32초
=11시간 3분 55초입니다.」 ❶
밤의 길이는 24시간−11시간 3분 55초
=12시간 56분 5초입니다.」 ❷
따라서 낮의 길이와 밤의 길이의 차는
12시간 56분 5초−11시간 3분 55초
=1시간 52분 10초입니다.」 ❸

| 채점 기준 |
| --- |
| ❶ 낮의 길이 구하기 |
| ❷ 밤의 길이 구하기 |
| ❸ 낮의 길이와 밤의 길이의 차 구하기 |

**유형 6** (1) (허물을 2번 벗은 애벌레의 길이)
=(허물을 한 번 벗은 애벌레의 길이)+4 mm
=8 mm+4 mm=12 mm
=1 cm 2 mm
(2) (허물을 3번 벗은 애벌레의 길이)
−(허물을 2번 벗은 애벌레의 길이)
=1 cm 5 mm−1 cm 2 mm=3 mm

**유제 11** (허물을 4번 벗은 애벌레의 길이)
=(허물을 3번 벗은 애벌레의 길이)+5 mm
=9 mm+5 mm=14 mm=1 cm 4 mm
⇨ (허물을 5번 벗은 애벌레의 길이)
−(허물을 4번 벗은 애벌레의 길이)
=1 cm 9 mm−1 cm 4 mm=5 mm

## 상위권 문제 확인과 응용 90~93쪽

**1** 승호 **2** 17 cm 9 mm
**3** 6시 33분 55초 **4** 2 km 480 m
**5** 1시간 10분 41초
**6** 풀이 참조, 경로 2, 500 m
**7** 8분 30초 **8** 21 cm 4 mm
**9** 풀이 참조, 오전 11시 45분 49초
**10** 5분 15초
**11** 1월 8일 오전 7시 20분
**12** 1분 12초

**1** 승호가 걸은 거리는 3 km 200 m이고,
지나가 걸은 거리는
700 m+700 m+700 m+700 m
=2800 m=2 km 800 m입니다.
따라서 3 km 200 m>2 km 800 m이므로 더 긴 거리를 걸은 사람은 승호입니다.

**2** 103 mm=10 cm 3 mm
(짧은 색 테이프의 길이)
=10 cm 3 mm−2 cm 7 mm=7 cm 6 mm
⇨ (두 색 테이프의 길이의 합)
=10 cm 3 mm+7 cm 6 mm
=17 cm 9 mm

**3** 초바늘이 시계를 한 바퀴 도는 데 걸리는 시간이 60초=1분이므로 20바퀴 돌았다면 20분이 지난 것입니다.
⇨ (지영이가 숙제를 끝낸 시각)
=6시 13분 55초+20분=6시 33분 55초

**4** 집에서 도서관까지 가려면 적어도 가로로 4칸, 세로로 4칸을 가야 합니다.
⇨ $\underbrace{340+340+340+340}_{4칸}+\underbrace{280+280+280+280}_{4칸}$
=2480(m) → 2 km 480 m

**5** (총기록)=11시 6분 23초−8시=3시간 6분 23초
⇨ (자전거 기록)
=3시간 6분 23초−50분 48초−1시간 4분 54초
=2시간 15분 35초−1시간 4분 54초
=1시간 10분 41초

**6** 예 경로 1의 거리는 3 km 700 m+2 km 550 m
=6 km 250 m입니다.」 ❶
경로 2의 거리는 2 km 450 m+3 km 300 m
=5 km 750 m입니다.」 ❷
따라서 경로 2가 6 km 250 m−5 km 750 m
=500 m 더 짧습니다.」 ❸

| 채점 기준 |
| --- |
| ❶ 경로 1의 거리 구하기 |
| ❷ 경로 2의 거리 구하기 |
| ❸ 어느 경로가 몇 m 더 짧은지 구하기 |

**7** (역을 지나는 데 걸리는 시간의 합)
=2분 30초+2분 30초+2분 30초=7분 30초
(정차한 시간의 합)=30초+30초=60초=1분
⇨ (첫 번째 역을 출발하여 네 번째 역에 도착하는 데 걸리는 시간)
=7분 30초+1분=8분 30초

**8** 4분에 6 mm씩 타들어 가므로 4×6=24(분) 동안에는 6×6=36(mm)가 타들어 갑니다.
36 mm=3 cm 6 mm
⇨ (처음 양초의 길이)
=17 cm 8 mm+3 cm 6 mm
=21 cm 4 mm

**9** 예 집에서 출발하여 공원을 지나 기차역까지 가는 데 걸리는 시간은 37분 54초+46분 17초 =1시간 24분 11초입니다.」 ❶
따라서 오후 1시 10분은 13시 10분이므로 집에서 늦어도 13시 10분−1시간 24분 11초 =11시 45분 49초에 출발해야 합니다.」 ❷

| 채점 기준 |
|---|
| ❶ 집에서 출발하여 공원을 지나 기차역까지 가는 데 걸리는 시간 구하기 |
| ❷ 집에서 늦어도 오전 몇 시 몇 분 몇 초에 출발해야 하는지 구하기 |

**10** 오전 8시부터 오후 5시까지는 9시간입니다.
(정호의 시계가 늦어지는 시간)
=25×9=225(초) → 3분 45초
(소희의 시계가 빨라지는 시간)
=10×9=90(초) → 1분 30초
⇨ (두 사람의 시계가 가리키는 시각의 차)
=3분 45초+1분 30초=5분 15초

**11** 1월 7일 오후 5시 20분=1월 7일 17시 20분
⇨ (서울의 시각)=(뉴욕의 시각)+14시간
=1월 7일 17시 20분+14시간
=1월 7일 31시 20분
=1월 8일 오전 7시 20분

**12** 1 km 200 m=1200 m
1200은 100이 12개인 수이므로 1200 m는 100 m의 12배입니다. 따라서 군함조가 100 m를 6초에 가는 빠르기로 1 km 200 m를 간다면 걸리는 시간은 6×12=72(초) → 1분 12초입니다.

## 최상위권 문제 94~95쪽

| | |
|---|---|
| **1** 7 cm 3 mm | **2** 5시 28분 12초 |
| **3** 2 km 300 m | **4** 20분 |
| **5** 2초 | **6** 35분 |

**1** 비법 PLUS+ 짧은 노끈의 길이를 □라 하면 긴 노끈의 길이는 □+34 mm=□+3 cm 4 mm입니다.

34 mm=3 cm 4 mm
짧은 노끈의 길이를 □라 하면 긴 노끈의 길이는 □+3 cm 4 mm입니다.
□+(□+3 cm 4 mm)=18 cm,
□+□=18 cm−3 cm 4 mm=14 cm 6 mm,
□=7 cm 3 mm
따라서 짧은 노끈의 길이는 7 cm 3 mm입니다.

**2** (어제 달리기를 한 시간)
=4시 20분 23초−3시 46분 25초=33분 58초
(오늘 달리기를 한 시간)
=1시간 28분 32초−33분 58초=54분 34초
⇨ (오늘 달리기를 끝낸 시각)
=4시 33분 38초+54분 34초=5시 28분 12초

**3** (㉮ 도로의 가로수 사이의 간격의 수)=6−1=5(군데)
(㉮ 도로의 길이)
=250+250+250+250+250
=1250(m) → 1 km 250 m
(㉯ 도로의 가로수 사이의 간격의 수)=8−1=7(군데)
(㉯ 도로의 길이)
=150+150+150+150+150+150+150
=1050(m) → 1 km 50 m
⇨ (㉮와 ㉯ 도로의 길이의 합)
=1 km 250 m+1 km 50 m=2 km 300 m

**4** 비법 PLUS+ (버스가 출발하는 간격의 수)
=(출발한 버스의 수)−1

오후 1시−오전 9시=13시−9시=4시간
(버스가 출발하는 간격의 수)=13−1=12(번)

4시간 동안 12번 ⇨ 1시간 동안 3번 = 60분 동안 3번 ⇨ 20분 동안 1번

따라서 버스는 20분 간격으로 출발한 것입니다.

**5** (5일 동안 늦어진 시간)=10시−9시 56분=4분
5일은 24×5=120(시간)입니다.

120시간에 4분 ⇨ 30시간에 1분 = 30시간에 60초 ⇨ 1시간에 2초

따라서 한 시간에 2초씩 늦어진 셈입니다.

**6** 비법 PLUS+ 집에서 영화관에 갈 때 걸린 시간을 □분이라 하면 영화관에서 집으로 올 때 걸린 시간은 (□+7)분입니다.

오후 2시 17분=14시 17분
(영화를 보고 오는 데 걸린 전체 시간)
=14시 17분−11시 40분=2시간 37분
(집에서 영화관에 갈 때와 영화관에서 집으로 올 때 걸린 이동 시간의 합)
=2시간 37분−1시간 20분=1시간 17분=77분
집에서 영화관에 갈 때 걸린 시간을 □분이라 하면 영화관에서 집으로 올 때 걸린 시간은 (□+7)분이므로 □+(□+7)=77, □+□=70, 35+35=70이므로 □=35입니다.

## 6 분수와 소수

### 핵심 개념과 문제 99쪽

1 가, 라　　2 5, 4, $\frac{4}{5}$

3 예 (그림) / 9분의 2

4 $\frac{1}{3}$, $\frac{1}{10}$　　5 4조각

6 $\frac{4}{13}$, $\frac{7}{13}$

**1** • 가: 똑같이 넷으로 나누어진 도형입니다.
• 라: 똑같이 셋으로 나누어진 도형입니다.

**3** 전체를 똑같이 9로 나눈 것 중의 2만큼 색칠합니다.
$\frac{2}{9}$는 9분의 2라고 읽습니다.

**4** 단위분수는 분모가 작을수록 큰 수입니다.
분모를 비교하면 $3<5<7<8<10$이므로
가장 큰 분수는 $\frac{1}{3}$이고, 가장 작은 분수는 $\frac{1}{10}$입니다.

**5** 똑같이 8조각으로 나눈 후 $\frac{1}{2}$만큼 먹어야 하므로 그림을 보면 현우는 빵을 4조각 먹어야 합니다.

**6** 분모가 같은 분수는 분자가 클수록 큰 수이므로 분자가 3보다 크고 8보다 작아야 합니다.
⇨ $\frac{4}{13}$, $\frac{7}{13}$

### 핵심 개념과 문제 101쪽

1 $\frac{7}{10}$, 0.7　　2 (1) 19 (2) 83

3 ㉡　　4 다에 ○표, 가에 △표

5 0.4 m, 0.6 m　　6 3개

**1** 색칠한 부분을 분수로 나타내면 $\frac{7}{10}$이고, 소수로 나타내면 $\frac{7}{10}=0.7$입니다.

**2** (1) ■.▲는 0.1이 ■▲개입니다.
(2) 0.1이 ■▲개이면 ■.▲입니다.

**3** ㉠ 0.5 cm=5 mm ⇨ 3.5 cm=3 cm 5 mm
㉡ 1 cm=10 mm ⇨ 65 cm=650 mm
㉢ 1 mm=0.1 cm ⇨ 49 mm=4.9 cm
따라서 길이를 잘못 나타낸 것은 ㉡입니다.

**4** 가: 3.8, 나: 4.4, 다: 5.1
⇨ $5.1>4.9>4.4>3.8$이므로 가장 큰 수는 5.1이고, 가장 작은 수는 3.8입니다.

**5** 1조각은 1 m를 똑같이 10으로 나눈 것 중의 1이므로 0.1 m입니다.
따라서 인혜가 사용한 리본의 길이는 0.1 m가 4개이므로 0.4 m이고, 현서가 사용한 리본의 길이는 0.1 m가 6개이므로 0.6 m입니다.

**6** 자연수의 크기가 같으므로 소수의 크기를 비교하면 0.□<0.4입니다.
따라서 □ 안에 들어갈 수 있는 수는 1, 2, 3으로 모두 3개입니다.

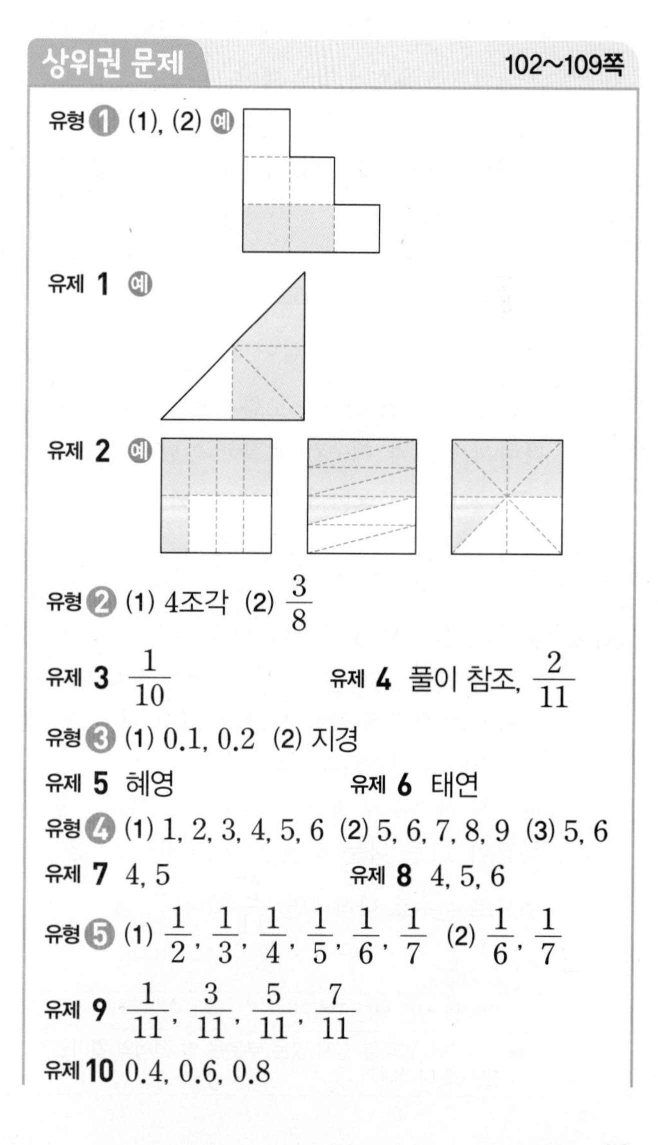

### 상위권 문제 102~109쪽

유형 ① (1), (2) 예 (그림)

유제 1 예 (그림)

유제 2 예 (그림)

유형 ② (1) 4조각 (2) $\frac{3}{8}$

유제 3 $\frac{1}{10}$　　유제 4 풀이 참조, $\frac{2}{11}$

유형 ③ (1) 0.1, 0.2 (2) 지경

유제 5 혜영　　유제 6 태연

유형 ④ (1) 1, 2, 3, 4, 5, 6 (2) 5, 6, 7, 8, 9 (3) 5, 6

유제 7 4, 5　　유제 8 4, 5, 6

유형 ⑤ (1) $\frac{1}{2}$, $\frac{1}{3}$, $\frac{1}{4}$, $\frac{1}{5}$, $\frac{1}{6}$, $\frac{1}{7}$ (2) $\frac{1}{6}$, $\frac{1}{7}$

유제 9 $\frac{1}{11}$, $\frac{3}{11}$, $\frac{5}{11}$, $\frac{7}{11}$

유제 10 0.4, 0.6, 0.8

유형 6 (1) 8.6 (2) 8.4

유제 11 0.7 　　유제 12 7.2, 2.7

유형 7 (1) $\frac{3}{7}$, $\frac{1}{7}$ (2) $\frac{1}{7}$, $\frac{1}{10}$, $\frac{1}{11}$

(3) $\frac{3}{7}$, $\frac{1}{7}$, $\frac{1}{10}$, $\frac{1}{11}$

유제 13 $\frac{1}{9}$, $\frac{1}{8}$, $\frac{3}{8}$, $\frac{5}{8}$

유제 14 풀이 참조, 수정, 유리, 재우

유형 8 (1) 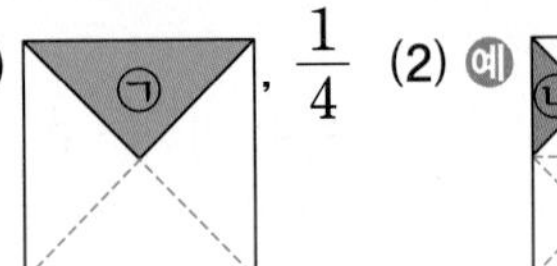

, $\frac{1}{4}$ (2) 예 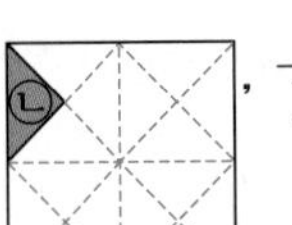

, $\frac{1}{16}$

유제 15 $\frac{1}{16}$

유제 2 전체를 똑같이 8로 나누고, 나눈 것 중의 5만큼 색칠합니다.

유형 2 (1) 영란이가 먹고 남은 케이크는 $8-1=7$(조각)이고, $\frac{4}{7}$는 전체를 똑같이 7로 나눈 것 중의 4이므로 윤호가 먹은 케이크는 4조각입니다.

(2) 영란이와 윤호가 먹고 남은 케이크는 $8-1-4=3$(조각)이므로 케이크 한 개의 $\frac{3}{8}$입니다.

유제 3 은희가 색칠하고 남은 도화지는 $10-4=6$(조각)이고, $\frac{5}{6}$는 전체를 똑같이 6으로 나눈 것 중의 5이므로 혜수가 색칠한 도화지는 5조각입니다.
따라서 은희와 혜수가 색칠하고 남은 도화지는 $10-4-5=1$(조각)이므로 도화지 한 장의 $\frac{1}{10}$입니다.

유제 4 예 옥수수는 밭을 똑같이 11로 나눈 것 중의 6만큼 심었고, 양파는 옥수수를 심은 부분의 절반만큼 심었으므로 밭을 똑같이 11로 나눈 것 중의 3만큼 심었습니다.」 ❶
따라서 옥수수와 양파를 심지 않은 부분은 밭을 똑같이 11로 나눈 것 중의 $11-6-3=2$만큼이므로 분수로 나타내면 $\frac{2}{11}$입니다.」 ❷

| 채점 기준 |
| --- |
| ❶ 양파를 심은 부분 구하기 |
| ❷ 옥수수와 양파를 심지 않은 부분은 밭 전체의 얼마인지 분수로 나타내기 |

유형 3 (1) 선호: $\frac{1}{10}=0.1$, 민종: $\frac{2}{10}=0.2$

(2) $\underset{지경}{0.4}>\underset{소은}{0.3}>\underset{민종}{0.2}>\underset{선호}{0.1}$이므로 우유를 가장 많이 마신 사람은 지경입니다.

유제 5 명진: $\frac{9}{10}$ m$=0.9$ m, 혜영: $\frac{5}{10}$ m$=0.5$ m
따라서 $\underset{혜영}{0.5}<\underset{명진}{0.9}<\underset{민성}{1.4}<\underset{규리}{1.9}$이므로 가장 짧은 색 테이프를 가지고 있는 사람은 혜영입니다.

유제 6 • 민희: $\frac{7}{10}$ m$=0.7$ m
• 정수: 0.1 m가 5개 ⇨ 0.5 m
• 찬우: $\frac{6}{10}$ m$=0.6$ m
따라서 $\underset{태연}{0.8}>\underset{민희}{0.7}>\underset{찬우}{0.6}>\underset{정수}{0.5}$이므로 가장 긴 끈을 가지고 있는 사람은 태연입니다.

유형 4 (1) $\frac{\square}{9}<\frac{7}{9}$에서 $\square<7$이므로 □ 안에 들어갈 수 있는 수는 1, 2, 3, 4, 5, 6입니다.

(2) $\frac{4}{10}<\frac{\square}{10}$에서 $4<\square$이므로 □ 안에 들어갈 수 있는 수는 5, 6, 7, 8, 9입니다.

(3) 위 (1), (2)에서 □ 안에 공통으로 들어갈 수 있는 수는 5, 6입니다.

유제 7 • ㉠ $0.3<0.\square$에서 □ 안에 들어갈 수 있는 수는 4, 5, 6, 7, 8, 9입니다.
• ㉡ $5.6>5.\square$에서 $0.6>0.\square$이므로 □ 안에 들어갈 수 있는 수는 1, 2, 3, 4, 5입니다.
⇨ □ 안에 공통으로 들어갈 수 있는 수는 4, 5입니다.

유제 8 • ㉠ $\frac{1}{3}>\frac{1}{\square}$에서 $3<\square$이므로 □ 안에 들어갈 수 있는 수는 4, 5, 6, 7, 8, 9입니다.
• ㉡ $7.8>\square.9$에서 □ 안에 들어갈 수 있는 수는 2, 3, 4, 5, 6입니다.
⇨ □ 안에 공통으로 들어갈 수 있는 수는 4, 5, 6입니다.

**유형 5** (1) $\frac{1}{8}$보다 큰 단위분수는

$\frac{1}{2}$, $\frac{1}{3}$, $\frac{1}{4}$, $\frac{1}{5}$, $\frac{1}{6}$, $\frac{1}{7}$입니다.

(2) $\frac{1}{2}$, $\frac{1}{3}$, $\frac{1}{4}$, $\frac{1}{5}$, $\frac{1}{6}$, $\frac{1}{7}$ 중에서 $\frac{1}{5}$보다 작은 분수는 $\frac{1}{6}$, $\frac{1}{7}$입니다.

**유제 9** 분모가 11인 분수 중에서 분자가 8보다 작은 수는 $\frac{1}{11}$, $\frac{2}{11}$, $\frac{3}{11}$, $\frac{4}{11}$, $\frac{5}{11}$, $\frac{6}{11}$, $\frac{7}{11}$입니다.
이 중에서 분자가 홀수인 수는
$\frac{1}{11}$, $\frac{3}{11}$, $\frac{5}{11}$, $\frac{7}{11}$입니다.

**유제 10** $\frac{3}{10}=0.3$이고, 0.1이 9개인 수는 0.9이므로 0.3보다 크고 0.9보다 작은 ■.▲ 형태의 소수를 모두 찾아보면 0.4, 0.5, 0.6, 0.7, 0.8입니다.
이 중에서 ▲ 부분이 짝수인 수는 0.4, 0.6, 0.8입니다.

**유형 6** (1) 가장 큰 소수를 만들려면 앞에서부터 차례대로 큰 수를 놓아야 합니다.
따라서 $8>6>4>1$이므로 만들 수 있는 소수 중에서 가장 큰 수는 8.6입니다.

(2) 가장 큰 소수가 8.6이므로 두 번째로 큰 소수는 8.4입니다.

**유제 11** 가장 작은 소수를 만들려면 앞에서부터 차례대로 작은 수를 놓아야 합니다.
따라서 $0<4<7<9$이므로 만들 수 있는 소수 중에서 가장 작은 수는 0.4이고, 두 번째로 작은 수는 0.7입니다.

**유제 12**
- 수의 크기를 비교하면 $7>5>3>2$이므로 만들 수 있는 소수 중에서 가장 큰 수는 7.5, 두 번째로 큰 수는 7.3이고, 세 번째로 큰 수는 7.2입니다.
- 수의 크기를 비교하면 $2<3<5<7$이므로 만들 수 있는 소수 중에서 가장 작은 수는 2.3, 두 번째로 작은 수는 2.5이고, 세 번째로 작은 수는 2.7입니다.

**유형 7** (1) 분모가 7로 같은 분수 $\frac{1}{7}$, $\frac{3}{7}$의 크기를 비교하면 $\frac{3}{7}>\frac{1}{7}$입니다.

(2) 단위분수 $\frac{1}{11}$, $\frac{1}{10}$, $\frac{1}{7}$의 크기를 비교하면
$\frac{1}{7}>\frac{1}{10}>\frac{1}{11}$입니다.

(3) 위 (1), (2)에서 $\frac{3}{7}>\frac{1}{7}>\frac{1}{10}>\frac{1}{11}$입니다.

**유제 13**
- 분모가 8로 같은 분수 $\frac{3}{8}$, $\frac{1}{8}$, $\frac{5}{8}$의 크기를 비교하면 $\frac{1}{8}<\frac{3}{8}<\frac{5}{8}$입니다.
- 단위분수 $\frac{1}{9}$, $\frac{1}{8}$의 크기를 비교하면 $\frac{1}{9}<\frac{1}{8}$입니다.

⇨ $\frac{1}{9}<\frac{1}{8}<\frac{3}{8}<\frac{5}{8}$

**유제 14** 예 분모가 5로 같은 분수 $\frac{2}{5}$와 $\frac{1}{5}$의 크기를 비교하면 $\frac{2}{5}>\frac{1}{5}$입니다.」 ❶
단위분수 $\frac{1}{6}$과 $\frac{1}{5}$의 크기를 비교하면
$\frac{1}{5}>\frac{1}{6}$입니다.」 ❷
따라서 $\frac{2}{5}>\frac{1}{5}>\frac{1}{6}$이므로 아이스크림을 많이 먹은 사람부터 차례대로 이름을 쓰면 수정, 유리, 재우입니다.」 ❸

| 채점 기준 |
| --- |
| ❶ 분모가 같은 분수끼리 크기 비교하기 |
| ❷ 단위분수끼리 크기 비교하기 |
| ❸ 아이스크림을 많이 먹은 사람부터 차례대로 이름 쓰기 |

**유형 8** (1) ㉠ 조각은 전체를 똑같이 4로 나눈 것 중의 1이므로 칠교판 전체의 $\frac{1}{4}$입니다.

(2) ㉡ 조각은 전체를 똑같이 16으로 나눈 것 중의 1이므로 칠교판 전체의 $\frac{1}{16}$입니다.

**유제 15**

A2 A0 A1 A4 A3

⇨ A4 용지는 A0 용지를 똑같이 16으로 나눈 것 중의 1이므로 A0 용지의 $\frac{1}{16}$입니다.

상위권 문제 확인과 응용 110~113쪽

| | | | |
|---|---|---|---|
| 1 | 6.6 cm | 2 | $\frac{9}{10}$, 0.9 |
| 3 | 3배 | 4 | $\frac{8}{15}$ |
| 5 | 0.7, $\frac{5}{10}$, $\frac{6}{10}$ | 6 | 풀이 참조, 6 |
| 7 | 5개 | 8 | $\frac{3}{57}$ |
| 9 | 풀이 참조, 38.9 | 10 | 18분 |
| 11 | $\frac{1}{8}$ | 12 | 100년 후 |

**1** • 6 cm 5 mm=65 mm
• 5 cm 8 mm=58 mm
⇨ 66>65>58이므로 가장 긴 변의 길이는 66 mm=6.6 cm입니다.

**2** 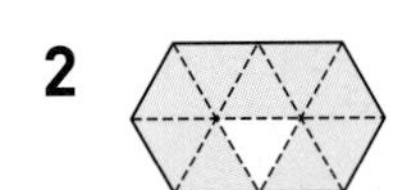
색칠한 부분은 전체를 똑같이 10으로 나눈 것 중의 9이므로 $\frac{9}{10}$입니다.
⇨ $\frac{9}{10}=0.9$

**3** 남은 찰흙은 전체를 똑같이 12로 나눈 것 중의 12−3=9이므로 $\frac{9}{12}$입니다.
$\frac{3}{12}$은 $\frac{1}{12}$이 3개, $\frac{9}{12}$는 $\frac{1}{12}$이 9개인 수이므로 남은 찰흙은 사용한 찰흙의 9÷3=3(배)입니다.

**4** 선우가 먹고 남은 초콜릿은 15−4=11(조각)이고, $\frac{3}{11}$은 전체를 똑같이 11로 나눈 것 중의 3이므로 은서가 먹은 초콜릿은 3조각입니다. 따라서 선우와 은서가 먹고 남은 초콜릿은 15−4−3=8(조각)이므로 초콜릿 한 개의 $\frac{8}{15}$입니다.

**5** $\frac{8}{10}=0.8$, $\frac{5}{10}=0.5$, $\frac{6}{10}=0.6$
⇨ $0.2<0.4<\underline{0.5<0.6<0.7}<0.8<0.9<1.1$

**6** 예 ㉠ $\frac{3}{17}<\frac{\square}{17}<\frac{7}{17}$에서 3<□<7이므로 □ 안에 들어갈 수 있는 수는 4, 5, 6입니다.」❶
㉡ 6.5<6.□<6.9에서 0.5<0.□<0.9이므로 □ 안에 들어갈 수 있는 수는 6, 7, 8입니다.」❷
따라서 □ 안에 공통으로 들어갈 수 있는 수는 6입니다.」❸

| 채점 기준 |
|---|
| ❶ ㉠의 □ 안에 들어갈 수 있는 수 구하기 |
| ❷ ㉡의 □ 안에 들어갈 수 있는 수 구하기 |
| ❸ ㉠과 ㉡의 □ 안에 공통으로 들어갈 수 있는 수 구하기 |

**7** $\frac{5}{10}=0.5$
만들 수 있는 ■.▲ 형태의 소수는 0.3, 0.4, 0.6, 3.4, 3.6, 4.3, 4.6, 6.3, 6.4입니다.
이 중에서 $\frac{5}{10}$보다 크고 5보다 작은 소수는 0.6, 3.4, 3.6, 4.3, 4.6이므로 모두 5개 만들 수 있습니다.

**8** 분자가 3이므로 분모가 될 수 있는 수는 57 또는 75입니다.
$\frac{3}{57}$과 $\frac{3}{75}$은 분자가 3으로 같으므로 분모가 작을수록 큰 수입니다.
따라서 만들 수 있는 가장 큰 분수는 $\frac{3}{57}$입니다.

**9** 예 자연수 부분은 0부터 시작해서 2씩 커지는 규칙이고, 소수 부분은 1, 3, 5, 7, 9가 반복되는 규칙입니다.」❶
따라서 20번째 소수의 자연수 부분은 2×19=38이고, 소수 부분은 9이므로 38.9입니다.」❷

| 채점 기준 |
|---|
| ❶ 소수의 규칙 찾기 |
| ❷ 20번째 소수 구하기 |

**10** 간 거리와 남은 거리를 그림으로 나타내면 다음과 같습니다.
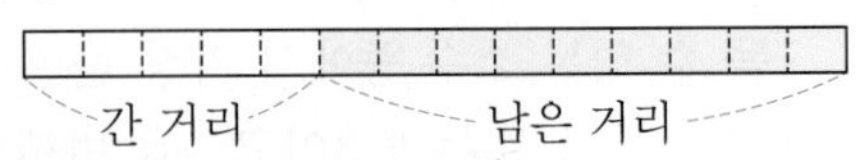

$\frac{5}{14}$는 $\frac{1}{14}$이 5개인 수이므로 공원의 $\frac{1}{14}$만큼 도는 데 10÷5=2(분)이 걸립니다.
따라서 $\frac{9}{14}$는 $\frac{1}{14}$이 9개인 수이므로 남은 거리를 도는 데에는 2×9=18(분)이 걸립니다.

**11** 16분음표 2개가 모이면 8분음표, 8분음표 2개가 모이면 4분음표, 4분음표 2개가 모이면 2분음표와 음의 길이가 같으므로 음의 길이를 수직선으로 나타내면 다음과 같습니다.

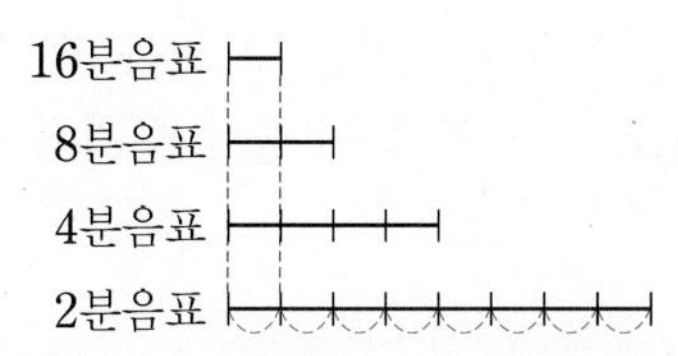


⇨ 16분음표의 음의 길이는 2분음표의 음의 길이의 $\frac{1}{8}$입니다.

**12** 종유석은 10년에 1 mm씩 아래로 자라고, 석순은 10년에 0.5 mm씩 위로 자라므로 종유석과 석순 사이의 거리는 10년에 1.5 mm씩 가까워집니다. 따라서 100년 동안 15 mm=1.5 cm 가까워지므로 종유석과 석순은 100년 후에 만나 석주가 됩니다.

## 최상위권 문제 114~115쪽

| | |
|---|---|
| **1** $\frac{10}{12}$, $\frac{9}{12}$, $\frac{7}{11}$ | **2** 0.5 |
| **3** $\frac{4}{9}$ | **4** 20개 |
| **5** 지영 | **6** $\frac{3}{8}$, $\frac{6}{8}$, $\frac{6}{7}$ |

**1** 비법 PLUS+ 단위분수가 아닌 경우에도 분자가 같을 때에는 단위분수처럼 분모가 작을수록 큰 수입니다.

㉠은 1을 똑같이 12로 나눈 것 중의 7이므로 $\frac{7}{12}$입니다.
분모가 12로 같은 분수끼리 비교하면
$\frac{10}{12}>\frac{9}{12}>\frac{7}{12}$이고,
분자가 7로 같은 분수끼리 비교하면
$\frac{7}{11}>\frac{7}{12}>\frac{7}{13}>\frac{7}{14}$입니다.
따라서 ㉠이 나타내는 분수보다 큰 수는
$\frac{10}{12}$, $\frac{9}{12}$, $\frac{7}{11}$입니다.

**2** (그림) = (그림) ⇨ $\frac{1}{2}=\frac{5}{10}=0.5$

**3** 어제 읽은 양과 오늘 읽은 양, 남은 양을 그림으로 나타내면 다음과 같습니다.

어제 읽은 양 / 오늘 읽은 양 / 남은 양

전체의 $\frac{1}{3}$은 전체를 똑같이 9로 나눈 것 중의 3입니다. 따라서 오늘 읽은 양은 전체를 똑같이 9로 나눈 것 중의 $9-2-3=4$이므로 전체의 $\frac{4}{9}$입니다.

**4** 비법 PLUS+ 수 카드가 1장씩만 있으므로 자연수 부분과 소수 부분에는 같은 수가 올 수 없는 것에 주의합니다.

- 자연수 부분이 3일 때 소수 부분이 될 수 있는 수: 9 → 1개
- 자연수 부분이 4일 때 소수 부분이 될 수 있는 수: 1, 2, 3, 5, 6, 7, 8, 9 → 8개
- 자연수 부분이 5일 때 소수 부분이 될 수 있는 수: 1, 2, 3, 4, 6, 7, 8, 9 → 8개
- 자연수 부분이 6일 때 소수 부분이 될 수 있는 수: 1, 2, 3 → 3개

⇨ $1+8+8+3=20$(개)

**5** 비법 PLUS+ 혜민, 성우, 지영이가 읽은 책의 양을 수직선에 나타내어 비교합니다. 이때, 수직선 전체의 길이를 같게 하는 것이 아니라 수직선 한 칸의 길이를 같게 하여 비교해야 합니다.

세 사람이 읽은 책의 양을 수직선으로 나타내면 다음과 같습니다.

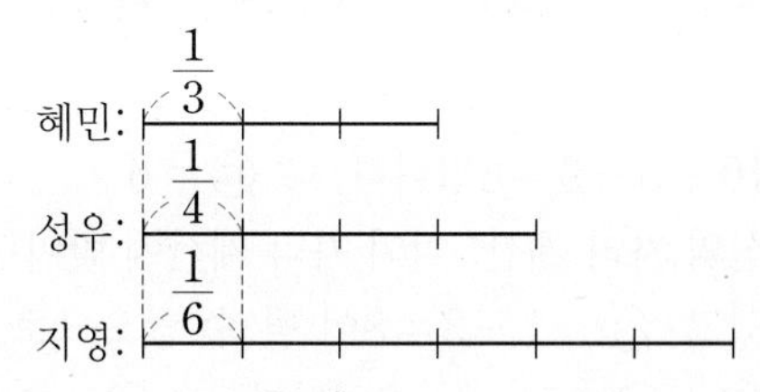


⇨ 수직선의 전체 길이가 책의 쪽수를 나타내므로 쪽수가 가장 많은 책은 지영이의 책입니다.

**6** $(\frac{1}{2})$, $(\frac{1}{3}, \frac{2}{3})$, $(\frac{1}{4}, \frac{2}{4}, \frac{3}{4})$, $(\frac{1}{5}, \frac{2}{5}, \frac{3}{5}, \frac{4}{5})$……
1개 2개 3개 4개

$1+2+3+4+5+6=21$이므로 21번째 분수는 $\frac{6}{7}$, 24번째 분수는 $\frac{3}{8}$, 27번째 분수는 $\frac{6}{8}$입니다.

⇨ $\frac{3}{8}<\frac{6}{8}<\frac{6}{7}$

# 1 덧셈과 뺄셈

복습 상위권 문제 2~3쪽

1 466 2 1221
3 498 4 818 m
5 2, 4, 6
6 527, 443, 214 또는 443, 527, 214 / 756
7 792 8 8, 0, 3 / 4, 7, 5

**1** 찢어진 종이에 적힌 세 자리 수의 백의 자리 숫자가 4이므로 찢어진 종이에 써 놓은 수가 더 작습니다.
찢어진 종이에 적힌 세 자리 수를 □라 하면
720－□＝254 ⇨ 720－254＝□, □＝466입니다.

**2** 7＞6＞5＞4이므로 만들 수 있는 세 자리 수 중에서 가장 큰 수는 765이고, 가장 작은 수는 456입니다.
⇨ 765＋456＝1221

**3** 어떤 수를 □라 하면 잘못 계산한 식은 713＋□＝928입니다.
⇨ 928－713＝□, □＝215
따라서 바르게 계산하면 713－215＝498입니다.

**4** (민우네 집~승연이네 집)
＝(민우네 집~도서관)＋(학교~승연이네 집)
－(학교~도서관)
＝384＋607－173＝991－173＝818(m)

**5** • 일의 자리 계산: 5에서 9를 뺄 수 없으므로 10＋5－9＝6입니다. ⇨ ㉢＝6
• 십의 자리 계산: 일의 자리 계산에 받아내림한 수가 있고, ㉠－1－3＝8이 될 수 없으므로 10＋㉠－1－3＝8입니다. ⇨ ㉠＝2
• 백의 자리 계산: 십의 자리 계산에 받아내림한 수가 있으므로 9－1－㉡＝4입니다.
⇨ ㉡＝4

**6** 527＞443＞395＞214이므로 빼는 수는 가장 작은 수인 214, 나머지 두 수는 가장 큰 수와 두 번째로 큰 수인 527과 443이 되어야 합니다.
⇨ 527＋443－214＝970－214＝756
또는 443＋527－214＝970－214＝756

**7** □－429＜364에서 □－429＝364일 때
364＋429＝□, □＝793입니다.
□－429는 364보다 작아야 하므로 □ 안에는 793보다 작은 수가 들어가야 합니다.
따라서 □ 안에 들어갈 수 있는 세 자리 수는 792, 791, 790……이고 이 중에서 가장 큰 수는 792입니다.

**8** • 일의 자리 계산에서 13－4＝9이므로 일의 자리 수를 바꿔야 합니다.
• 십의 자리 계산에서 10－1－7＝2입니다.
• 백의 자리 계산에서 8－1－5＝2이므로 백의 자리 수를 바꿔야 합니다.
⇨ 308－574는 계산할 수 없고, 803－475＝328이므로 574의 백의 자리 수와 일의 자리 수를 바꿔야 합니다.

복습 상위권 문제 확인과 응용 4~7쪽

1 334 2 주희, 196개
3 5, 8, 3 4 902
5 754 6 7
7 604 cm 8 423
9 477, 328, 805 또는 328, 477, 805
10 258 11 364 m
12 5 위안

**1** • 100이 4개, 10이 7개, 1이 27개인 수:
400＋70＋27＝497
• 100이 3개, 10이 53개, 1이 1개인 수:
300＋530＋1＝831
⇨ 831－497＝334

**2** (주희가 가지고 있는 구슬 수)
＝324＋541＝865(개)
(영훈이가 가지고 있는 구슬 수)
＝416＋253＝669(개)
따라서 865＞669이므로 주희가 구슬을 865－669＝196(개) 더 많이 가지고 있습니다.

**3** • 일의 자리 계산: 7+●=10 ⇨ ●=3
• 십의 자리 계산: 1+●+4=▲,
1+3+4=▲ ⇨ ▲=8
• 백의 자리 계산: ■+●=▲, ■+3=8
⇨ ■=5

**4** 어떤 세 자리 수의 십의 자리 수와 일의 자리 수를 바꾼 수를 ▲라 하면 ▲−786=134입니다.
⇨ 134+786=▲, ▲=920
따라서 처음 세 자리 수는 920의 십의 자리 수와 일의 자리 수를 바꾼 수이므로 902입니다.

**5** • 8>6>5>1>0이므로 만들 수 있는 세 자리 수 중에서 가장 큰 수는 865이고, 두 번째로 큰 수는 861, 세 번째로 큰 수는 860입니다.
• 0<1<5<6<8이므로 만들 수 있는 세 자리 수 중에서 가장 작은 수는 105이고, 두 번째로 작은 수는 106입니다.
따라서 만들 수 있는 세 번째로 큰 수와 두 번째로 작은 수의 차는 860−106=754입니다.

**6** 237+195=432이므로 721−2□9>432입니다.
721−2□9=432일 때 721−432=289이므로 2□9는 289보다 작아야 합니다.
따라서 □ 안에 들어갈 수 있는 수는 0부터 7까지의 수이고 이 중에서 가장 큰 수는 7입니다.

**7** 색 테이프 4장의 길이의 합은
208+208+208+208=832(cm)이고, 겹쳐진 부분은 3군데이므로 겹쳐진 부분의 길이의 합은
76+76+76=228(cm)입니다.
⇨ (이어 붙인 색 테이프의 전체 길이)
=(색 테이프 4장의 길이의 합)
−(겹쳐진 부분의 길이의 합)
=832−228=604(cm)

**8** 연속한 두 수에서 작은 수를 □라 하면 큰 수는 □+1이고, 두 수의 합이 847이므로
□+1+□=847입니다.
□+□=847−1=846이고, 423+423=846이므로 □=423입니다.
따라서 두 수 중에서 작은 수는 423입니다.

**9** 수를 어림하여 어림한 두 수의 합이 약 800인 경우를 찾아 두 수의 합을 구합니다.
619는 약 600, 595는 약 600, 477은 약 500, 328은 약 300, 192는 약 200으로 어림할 수 있습니다.
• 600+200=800 ⇨ 619+192=811
• 600+200=800 ⇨ 595+192=787
• 500+300=800 ⇨ 477+328=805
811, 805, 787 중에서 800에 가장 가까운 수는 805입니다.
따라서 합이 800에 가장 가까운 덧셈식은
477+328=805입니다.

**10**
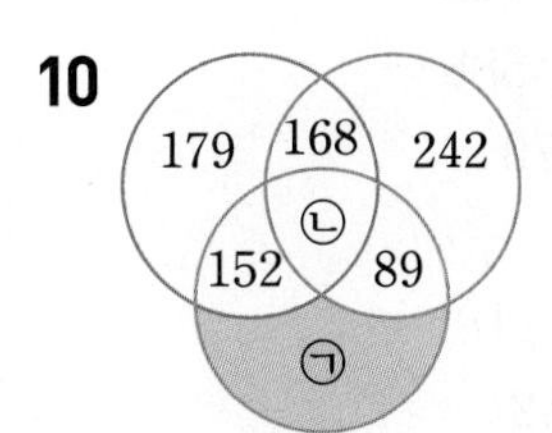


한 원 안에 있는 네 수의 합을 구합니다.
• 파란색 원: 179+152+㉡+168=499+㉡
• 초록색 원: 168+㉡+89+242=499+㉡
• 노란색 원: 152+㉠+89+㉡=241+㉠+㉡
한 원 안에 있는 네 수의 합이 같음을 이용하면
241+㉠+㉡=499+㉡입니다.
241+㉠=499 ⇨ 499−241=㉠, ㉠=258
따라서 색칠한 부분에 알맞은 수는 258입니다.

**11** (도봉산의 높이)=(남산의 높이)+475
=265+475=740(m)
(관악산의 높이)=(도봉산의 높이)−111
=740−111=629(m)
⇨ (관악산의 높이)−(남산의 높이)
=629−265=364(m)

**12** 터키 돈 1 리라와 말레이시아 돈 2 링깃을 우리나라 돈으로 바꾸면
327+259+259=586+259=845(원)입니다.
중국 돈 1 위안을 우리나라 돈으로 바꾸면 169원입니다.
845−169=676, 676−169=507,
507−169=338, 338−169=169,
169−169=0이므로 845에서 169를 5번 빼면 0이 됩니다.
따라서 터키 돈 1 리라와 말레이시아 돈 2 링깃을 우리나라 돈으로 바꾼 돈은 중국 돈으로 5 위안입니다.

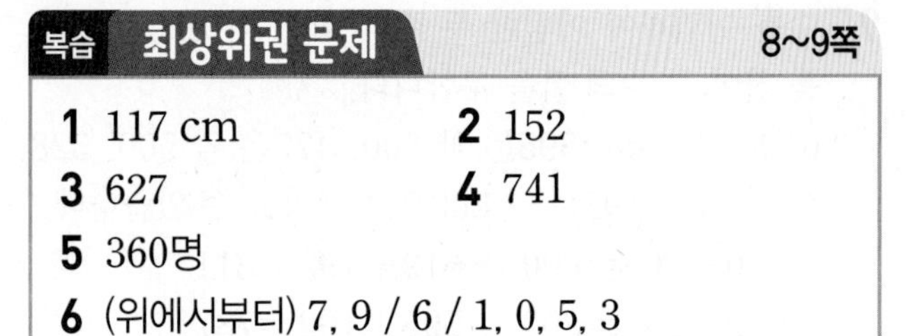

복습 **최상위권 문제** 8~9쪽

**1** 117 cm **2** 152
**3** 627 **4** 741
**5** 360명
**6** (위에서부터) 7, 9 / 6 / 1, 0, 5, 3

**1** (㉮의 길이)$=389+182=571$(cm)
⇨ (㉰의 길이)=(㉮의 길이)+(㉯의 길이)$-843$
$=571+389-843$
$=960-843=117$(cm)

**2** • $412 ▣ 236=412-236+412$
$=176+412=588$
• $370 ▣ □=370-□+370$
⇨ $370-□+370=588$,
$370-□=588-370=218$,
$370-218=□$, $□=152$

**3** 세 자리 수를 ■▲●라 하면
• 백의 자리 수는 십의 자리 수의 2배이므로
■$=$▲$\times 2$이고 (■, ▲)로 나타내면 (2, 1), (4, 2), (6, 3), (8, 4)입니다.
• 십의 자리 수와 일의 자리 수의 합이 7이므로
▲$+$●$=7$이고, 십의 자리 수가 1, 2, 3, 4일 때 (▲, ●)로 나타내면 (1, 6), (2, 5), (3, 4), (4, 3)입니다.
두 조건을 만족하는 것을 (■, ▲, ●)로 나타내면 (2, 1, 6), (4, 2, 5), (6, 3, 4), (8, 4, 3)이므로 세 자리 수는 216, 425, 634, 843입니다.
따라서 가장 큰 수와 가장 작은 수의 차는
$843-216=627$입니다.

**4** 비법 PLUS+ 먼저 두 사람이 각각 가지고 있는 5장의 수 카드를 알아봅니다.

우성이가 만들 수 있는 가장 큰 네 자리 수가 8643이므로 우성이에게는 9가 없고, 수지가 만들 수 있는 가장 작은 네 자리 수가 1057이므로 수지에게는 2가 없습니다.
우성이가 가지고 있는 수 카드의 수는 2, 3, 4, 6, 8이고, 수지가 가지고 있는 수 카드의 수는 0, 1, 5, 7, 9입니다.
우성이가 가지고 있는 수 카드로 만들 수 있는 가장 작은 세 자리 수는 234이고, 수지가 가지고 있는 수 카드로 만들 수 있는 가장 큰 세 자리 수는 975입니다. ⇨ $975-234=741$

**5** 비법 PLUS+ 그림을 그려 보면 축구를 좋아하는 학생 수를 구하는 식을 쉽게 만들 수 있습니다.

야구와 축구를 둘 다 좋아하지 않는 학생이 70명이므로 야구 또는 축구를 좋아하는 학생은
$550-70=480$(명)입니다.

야구 또는 축구를 좋아하는 학생 수(480명)
야구와 축구를 모두 좋아하는 학생 수(266명)
야구를 좋아하는 학생 수(386명)
축구를 좋아하는 학생 수

⇨ (축구를 좋아하는 학생 수)
$=480-386+266=94+266=360$(명)

**6** 비법 PLUS+ 계산 결과의 천의 자리 수를 먼저 알아본 다음 백의 자리부터 거꾸로 계산하여 □ 안에 알맞은 수를 구해 봅니다.

```
    1 1
    ㉠ 8 ㉡
+   2 ㉢ 4
---------
㉣ ㉤ ㉥ ㉦
```

□ 안에 들어갈 수 있는 수는 주어진 2, 4, 8을 제외한 0, 1, 3, 5, 6, 7, 9입니다.
• 받아올림이 3번 있으므로 ㉣$=1$입니다.
• 백의 자리 계산에서 $1+$㉠$+2=10+$㉤이므로 ㉠은 7 또는 9입니다.
㉠$=7$일 때 ㉤$=0$(○), ㉠$=9$일 때 ㉤$=2$(×)
• 십의 자리 계산에서 $1+8+$㉢$=10+$㉥이므로 남은 수 3, 5, 6, 9는 모두 ㉢이 될 수 있습니다.
㉢$=3$일 때 ㉥$=2$(×), ㉢$=5$일 때 ㉥$=4$(×),
㉢$=6$일 때 ㉥$=5$(○), ㉢$=9$일 때 ㉥$=8$(×)
• ㉢$=6$, ㉥$=5$일 때 남은 수는 3, 9이므로
㉡$=9$, ㉦$=3$입니다.

# 2 평면도형

## 복습 상위권 문제 10~11쪽

| | |
|---|---|
| **1** 20개 | **2** 15개 |
| **3** 11 cm | **4** 64 cm |
| **5** 23개 | **6** 293 |

**1** 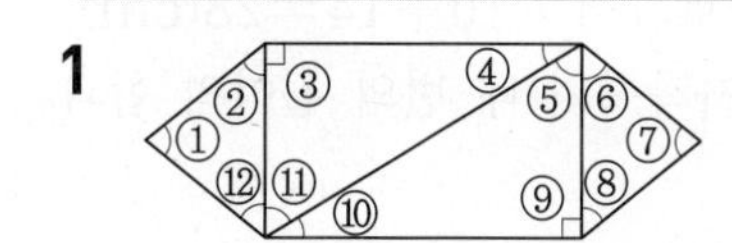


• 각 1개짜리: ①, ②, ③, ④, ⑤, ⑥, ⑦, ⑧, ⑨, ⑩, ⑪, ⑫ → 12개
• 각 2개짜리: ②+③, ④+⑤, ⑤+⑥, ⑧+⑨, ⑩+⑪, ⑪+⑫ → 6개
• 각 3개짜리: ④+⑤+⑥, ⑩+⑪+⑫ → 2개
⇨ $12+6+2=20$(개)

**2** 2개의 점을 잇는 선분을 모두 그은 후 선분의 개수를 세어 봅니다.

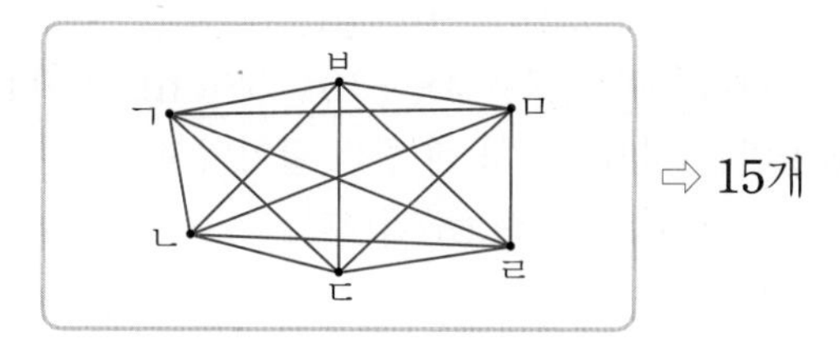


⇨ 15개

**3** 직사각형 가의 네 변의 길이의 합은 $17+5+17+5=44$(cm)입니다.
□+□+□+□=44, $11+11+11+11=44$에서 □=11이므로 정사각형 나의 한 변은 11 cm입니다.

**4** 6 cm 13 cm

굵은 선의 길이는 가로가 $6+13=19$(cm), 세로가 13 cm인 직사각형의 네 변의 길이의 합과 같습니다.
따라서 굵은 선의 길이는
$19+13+19+13=64$(cm)입니다.

다른 풀이 모든 선분의 길이를 구한 다음 더합니다.

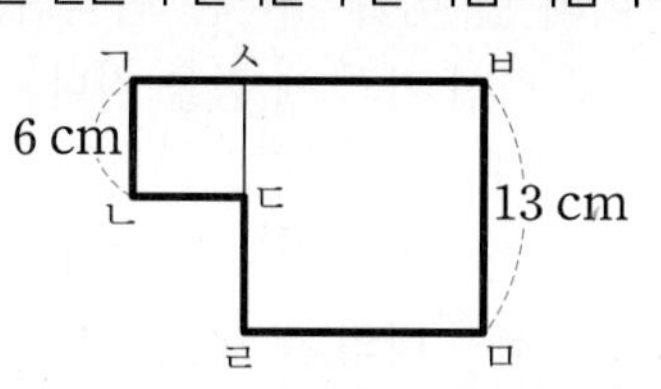


(선분 ㄴㄷ)=(선분 ㄱㅅ)=(선분 ㄱㄴ)=6 cm,
(선분 ㄹㅁ)=(선분 ㅅㅂ)=(선분 ㅂㅁ)=13 cm,
(선분 ㄷㄹ)=(선분 ㅂㅁ)−(선분 ㄱㄴ)=$13-6=7$(cm)
⇨ (굵은 선의 길이)
$=6+6+7+13+13+13+6=64$(cm)

**5** • 작은 정사각형 1개짜리: 16개
• 작은 정사각형 4개짜리: 6개
• 작은 정사각형 9개짜리: 1개
⇨ $16+6+1=23$(개)

**6** 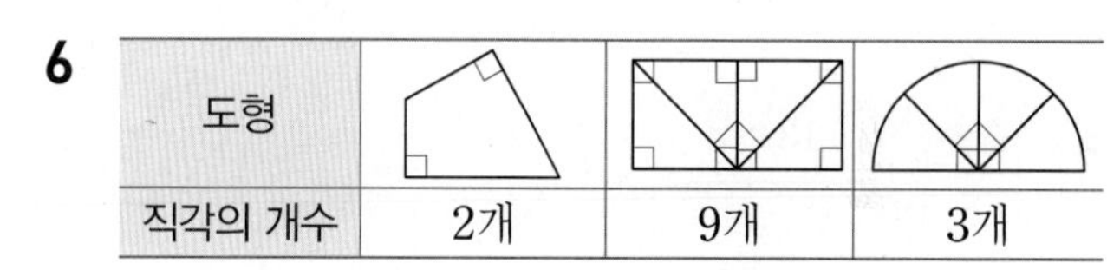

| 도형 | | | |
|---|---|---|---|
| 직각의 개수 | 2개 | 9개 | 3개 |

⇨ 직각의 개수가 각 자리의 수를 나타냅니다.
백의 자리 숫자가 2, 십의 자리 숫자가 9, 일의 자리 숫자가 3이므로 293을 나타낸 것입니다.

## 복습 상위권 문제 확인과 응용 12~15쪽

| | |
|---|---|
| **1** 10개 | **2** 18개 |
| **3** 예 | **4** 2 cm |
| | **5** 4가지 |
| | **6** 18개 |
| **7** 84 cm | **8** 15 cm |
| **9** 92 cm | **10** 23개 |
| **11** 20개 | **12** 예 |

**1** 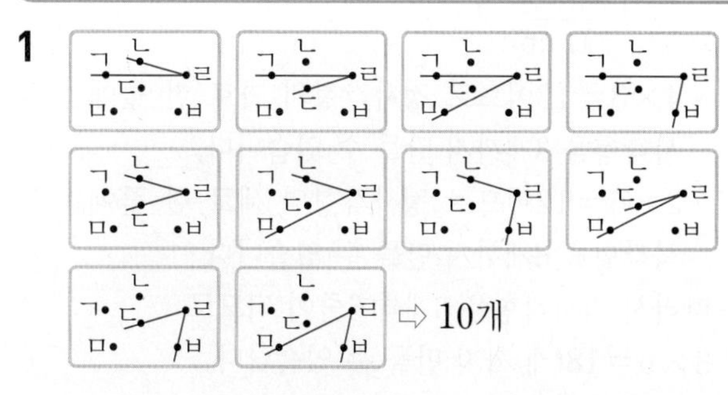


⇨ 10개

**2** • 직선 가의 한 점을 지나는 반직선은 3개 그을 수 있으므로 직선 가의 세 점을 지나는 반직선은 $3\times3=9$(개) 그을 수 있습니다.

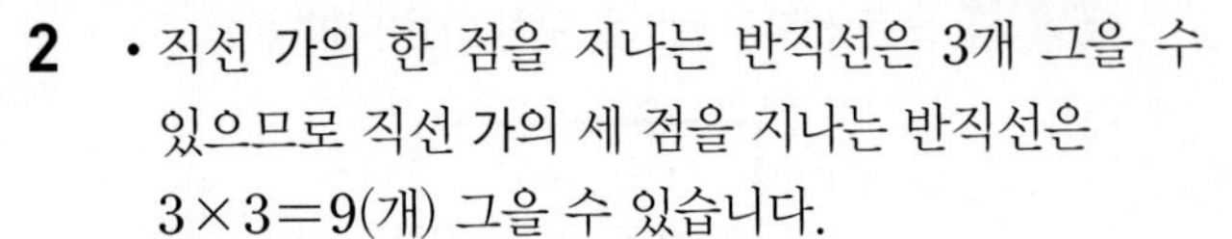

• 직선 나의 한 점을 지나는 반직선은 3개 그을 수 있으므로 직선 나의 세 점을 지나는 반직선은 $3\times3=9$(개) 그을 수 있습니다.

따라서 그을 수 있는 반직선은 모두 $9+9=18$(개)입니다.

**3** 다음과 같이 직선을 그으면 직각삼각형이 4개 만들어집니다.

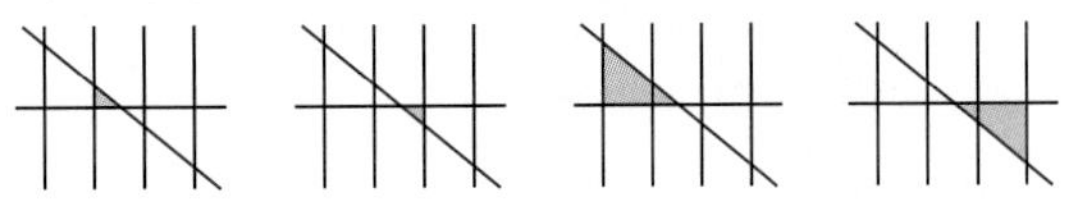

**4**

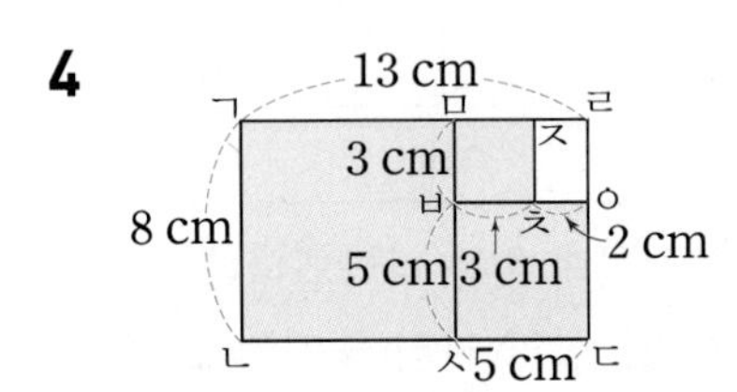


(선분 ㄴㅅ)=(선분 ㄱㄴ)=8(cm),

(선분 ㅂㅅ)=(선분 ㅅㄷ)=(선분 ㄴㄷ)−(선분 ㄴㅅ)
$=13-8=5$(cm),

(선분 ㅂㅊ)=(선분 ㅁㅂ)=(선분 ㅁㅅ)−(선분 ㅂㅅ)
$=8-5=3$(cm)

⇨ (선분 ㅇㅊ)=(선분 ㅂㅇ)−(선분 ㅂㅊ)
$=5-3=2$(cm)

**5**

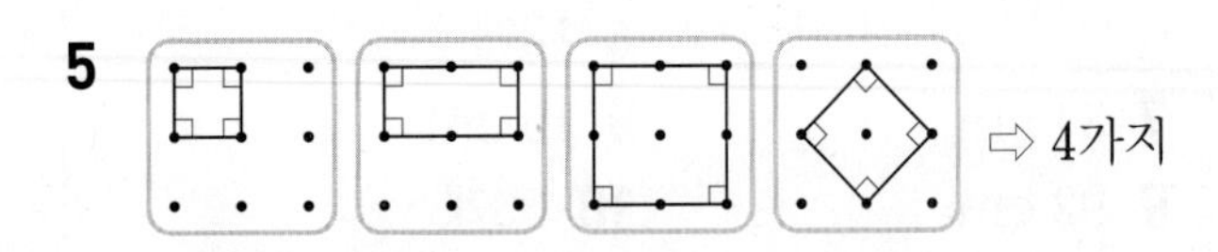


**6**

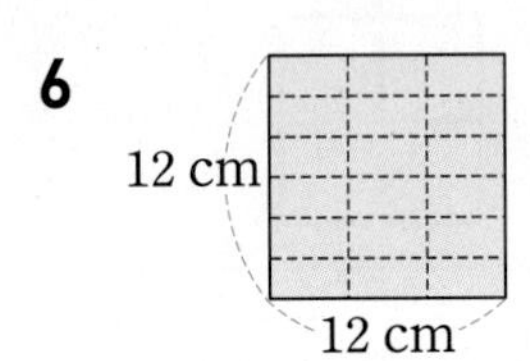


• $4\times3=12$이므로 정사각형의 가로 한 줄에는 직사각형을 3개까지 만들 수 있습니다.

• $2\times6=12$이므로 정사각형의 세로 한 줄에는 직사각형을 6개까지 만들 수 있습니다.

따라서 직사각형은 3개씩 6줄이 되므로 $3\times6=18$(개)까지 만들 수 있습니다.

**7**

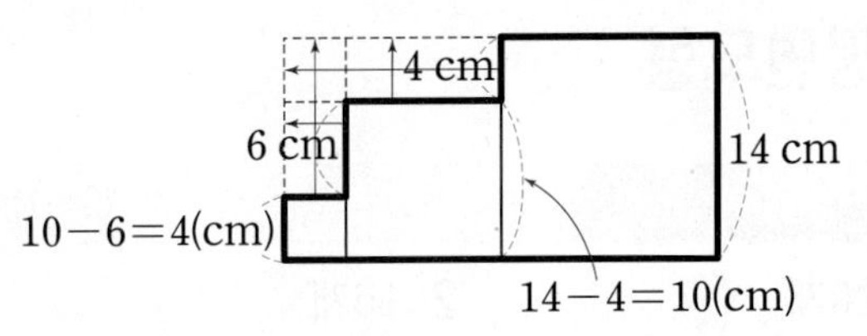


중간 크기 정사각형의 한 변은 $14-4=10$(cm), 가장 작은 정사각형의 한 변은 $10-6=4$(cm)입니다.

굵은 선의 길이는 가로가 $4+10+14=28$(cm), 세로가 14 cm인 직사각형의 네 변의 길이의 합과 같습니다.

따라서 굵은 선의 길이는 $28+14+28+14=84$(cm)입니다.

**8** (직사각형 ㄱㄴㄷㄹ의 네 변의 길이의 합)
−(정사각형 ㅁㅂㄷㄹ의 네 변의 길이의 합)
=(선분 ㄱㅁ)+(선분 ㄴㅂ)=14 cm

⇨ (선분 ㄱㅁ)=(선분 ㄴㅂ)=7 cm

따라서 직사각형 ㄱㄴㄷㄹ의 세로는 $22-7=15$(cm)입니다.

**9** 정사각형 모양의 종이 6장의 가로의 합은 $8\times6=48$(cm)이고, 겹쳐진 부분의 길이의 합은 $2+2+2+2+2=10$(cm)이므로 만든 직사각형의 가로는 $48-10=38$(cm)입니다.

따라서 만든 직사각형의 네 변의 길이의 합은 $38+8+38+8=92$(cm)입니다.

**10** • 작은 정사각형 1개짜리: 1개

• 작은 정사각형 4개짜리: 4개

• 작은 정사각형 9개짜리: 9개

• 작은 정사각형 16개짜리: 6개

• 작은 정사각형 25개짜리: 3개

⇨ $1+4+9+6+3=23$(개)

**11**

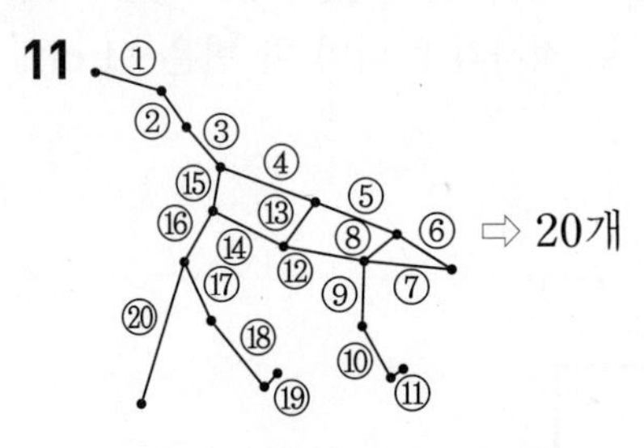


**12** 다음과 같이 옮겨서 만들면 작은 정사각형 2개와 큰 정사각형 1개를 찾을 수 있습니다.

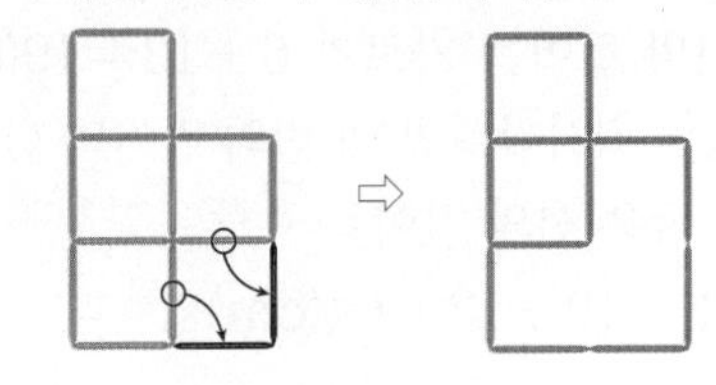

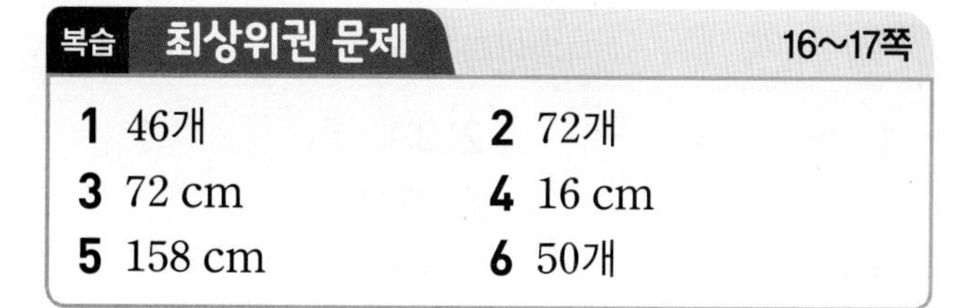

**복습 최상위권 문제** 16~17쪽

| | |
|---|---|
| **1** 46개 | **2** 72개 |
| **3** 72 cm | **4** 16 cm |
| **5** 158 cm | **6** 50개 |

**1** 맨 위와 맨 아래에 정사각형이 각각 1개씩 늘어나는 규칙이므로 여섯 번째 모양은 다음과 같습니다.

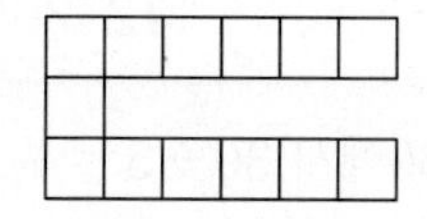

- 작은 정사각형 1개짜리: 13개
- 작은 정사각형 2개짜리: 12개
- 작은 정사각형 3개짜리: 9개
- 작은 정사각형 4개짜리: 6개
- 작은 정사각형 5개짜리: 4개
- 작은 정사각형 6개짜리: 2개

⇨ $13+12+9+6+4+2=46$(개)

**2** 직각삼각형 2개로 만들 수 있는 정사각형이 몇 개 필요한지 알아봅니다. $5\times8=40$이므로 큰 정사각형의 한 변에 붙일 수 있는 작은 정사각형은 8개입니다. 또 큰 정사각형의 네 꼭짓점 부분에 붙일 수 있는 작은 정사각형은 4개입니다.
따라서 작은 정사각형은 $8+8+8+8+4=36$(개) 필요하므로 필요한 직각삼각형은 모두 $36+36=72$(개)입니다.

**3** 비법 PLUS+ 자른 직사각형의 세로는 가로의 3배가 됩니다.

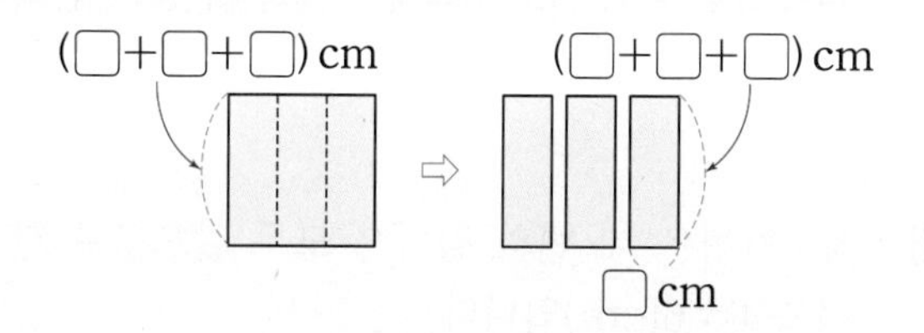


자른 직사각형의 가로를 □ cm라 하면 세로는 (□+□+□) cm입니다. 자른 직사각형 한 개의 네 변의 길이의 합이 48 cm이므로
□(가로)+(□+□+□)(세로)+□(가로)+(□+□+□)(세로)=48,
□×8=48이고 6×8=48이므로 □=6입니다.
⇨ (처음 정사각형의 한 변)
=□+□+□=6+6+6=18(cm)
따라서 처음 정사각형의 네 변의 길이의 합은 $18+18+18+18=72$(cm)입니다.

**4** 비법 PLUS+ (변 ㄷㅊ)=(변 ㅇㅋ)이므로 (변 ㅅㅇ)=(변 ㄷㅈ)×2입니다.

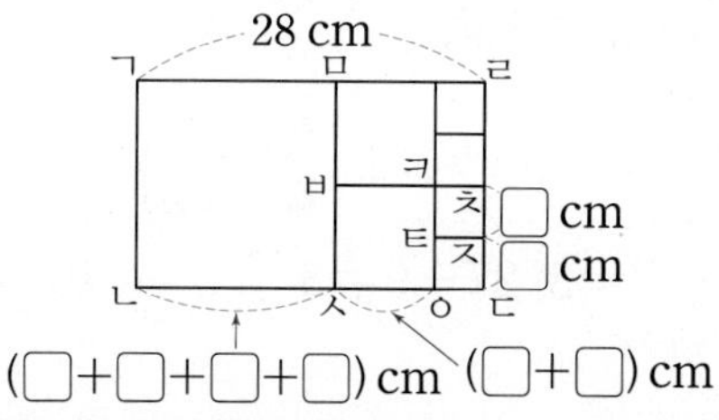


가장 작은 정사각형의 한 변을 □ cm라 하면 중간 크기의 정사각형의 한 변은 (□+□) cm, 가장 큰 정사각형의 한 변은 (□+□+□+□) cm입니다.
변 ㄱㄹ의 길이가 28 cm이므로
(□+□+□+□)+(□+□)+□=28,
□×7=28이고 4×7=28이므로 □=4입니다.
⇨ (변 ㄱㄴ)$=4+4+4+4=16$(cm)

**5** 비법 PLUS+ 굵은 선의 길이는 한 변이 30 cm인 정사각형의 네 변의 길이의 합에 ㉠을 두 번 더한 것입니다.

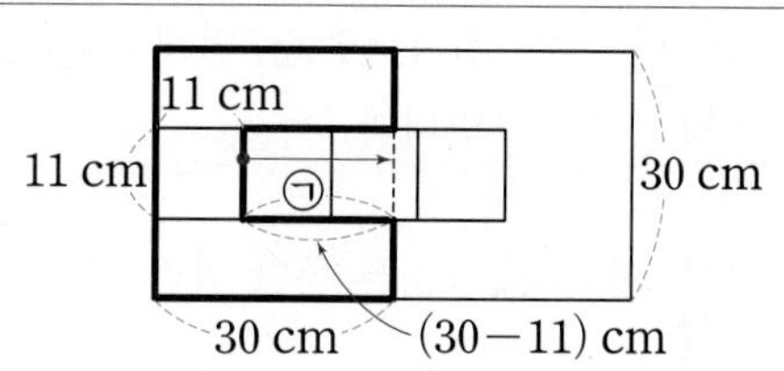


굵은 선의 길이는 한 변이 30 cm인 정사각형의 네 변의 길이의 합에 ㉠을 두 번 더한 것입니다.
㉠$=30-11=19$(cm)
⇨ (굵은 선의 길이)$=30+30+30+30+\underset{㉠}{19}+\underset{㉠}{19}$
$=158$(cm)

**6** 비법 PLUS+ 먼저 만들 수 있는 서로 다른 크기의 직각삼각형은 모두 몇 가지인지 알아봅니다.

만들 수 있는 서로 다른 크기의 직각삼각형은 모두 4가지이고 각 경우에 만들 수 있는 직각삼각형의 개수는 다음과 같습니다.

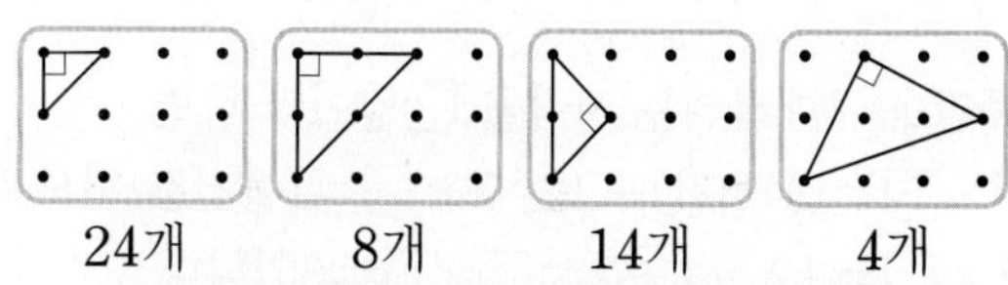

24개 8개 14개 4개

⇨ (크고 작은 직각삼각형의 개수)
$=24+8+14+4=50$(개)

# 3 나눗셈

**복습 상위권 문제** 18~19쪽

| | |
|---|---|
| **1** 2 | **2** 12개 |
| **3** 1 | **4** 18 m |
| **5** $21\div7=3$, $27\div9=3$ | |
| **6** 42전 | |

**1** 어떤 수를 □라 하면 $□\times4=32$이므로 $32\div4=□$, $□=8$입니다.
따라서 바르게 계산하면 $8\div4=2$입니다.

**2** (도로의 한쪽에 세우려는 가로등과 가로등 사이의 간격 수)$=45\div9=5$(군데)
(도로의 한쪽에 필요한 가로등의 수)$=5+1=6$(개)
⇨ (필요한 가로등의 수)$=6\times2=12$(개)

**3** (2 0 1) (2 0 1) (2 0 1)……에서 규칙적으로 반복되는 수는 2, 0, 1이고, 한 묶음 안의 수는 3개입니다.
따라서 $27\div3=9$이므로 27번째 수는 9번째 묶음의 마지막 수인 1입니다.

**4** (진구가 45 m를 달리는 동안 걸린 시간)
$=45\div5=9$(초)
(진구가 45 m를 달리는 동안 인성이가 달린 거리)
$=7\times9=63$(m)
따라서 인성이는 진구보다 $63-45=18$(m) 앞서 있습니다.

**5** 3의 단 곱셈구구에서 곱하는 수가 1, 2, 7, 9일 때의 곱셈식을 몫이 3이 되는 나눗셈식으로 바꿔 보면
$3\times1=3$ ⇨ $3\div1=3$,
$3\times2=6$ ⇨ $6\div2=3$,
$3\times7=21$ ⇨ $21\div7=3$,
$3\times9=27$ ⇨ $27\div9=3$입니다.
이 중에서 수 카드로 만들 수 있는 나눗셈식은
$21\div7=3$, $27\div9=3$입니다.

**6** 물건을 구매하려는 사람을 □명이라 하면
$9\times□=$(물건값)$+12$, $7\times□=$(물건값)이므로
$2\times□=12$, $12\div2=□$, $□=6$입니다.
따라서 물건을 구매하려는 사람이 6명이므로 물건값은 $7\times6=42$(전)입니다.

**복습 상위권 문제** 확인과 응용 20~23쪽

| | |
|---|---|
| **1** 36 | **2** 2개 |
| **3** 2일 | **4** 27번 |
| **5** 48 cm | **6** 15개 |
| **7** 3개 | **8** 18 |
| **9** 4개 | **10** 3 m |
| **11** 5마리 | **12** 26분 |

**1** • $5\times$●$=30$에서 $30\div5=$●, ●$=6$입니다.
• ◆$\div7=6$에서 $7\times6=$◆, ◆$=42$입니다.
따라서 ◆$-$●$=42-6=36$입니다.

**2** 지호와 친구 7명은 모두 $1+7=8$(명)입니다.
(한 명이 가진 구슬 수)$=64\div8=8$(개)
⇨ (필요한 주머니 수)$=8\div4=2$(개)

**3** (원숭이 한 마리가 하루에 먹는 바나나 수)
$=12\div3=4$(개)
(원숭이 한 마리가 먹어야 할 바나나 수)
$=64\div8=8$(개)
⇨ (원숭이 한 마리가 바나나 8개를 먹는 데 걸리는 날수)$=8\div4=2$(일)
따라서 원숭이 8마리가 바나나 64개를 먹는 데에는 2일이 걸립니다.

**4** 규칙적으로 반복되는 말은 '초복중복말복'이고, 반복되는 글자 6개 중에서 '복'은 3번 나옵니다.
$54\div6=9$이므로 '초복중복말복'이 9번 반복되고, 글자 '복'은 모두 $3\times9=27$(번) 말했습니다.

**5** 정사각형은 네 변의 길이가 모두 같으므로 한 변은 $24\div4=6$(cm)입니다.
도형을 둘러싼 굵은 선의 길이는 정사각형의 한 변의 8배입니다.
⇨ (굵은 선의 길이)$=6\times8=48$(cm)

**6** (㉮ 공장에서 밥솥 18개를 만드는 데 걸린 시간)
$=18\div3=6$(분)
(㉯ 공장에서 밥솥을 만든 시간)$=6-3=3$(분)
⇨ (㉯ 공장에서 3분 동안 만든 밥솥의 수)
$=5\times3=15$(개)

**7** 5의 단 곱셈구구에서 곱하는 수가 1, 2, 3, 4, 5일 때의 곱셈식을 몫이 5가 되는 나눗셈식으로 바꿔 보면 $5\times1=5$ ⇨ $5\div1=5$,
$5\times2=10$ ⇨ $10\div2=5$,
$5\times3=15$ ⇨ $15\div3=5$,
$5\times4=20$ ⇨ $20\div4=5$,
$5\times5=25$ ⇨ $25\div5=5$입니다.
이 중에서 수 카드로 만들 수 있는 나눗셈식은
$10\div2=5$, $15\div3=5$, $20\div4=5$로
모두 3개입니다.

참고 • $5\div1=5$의 경우 (두 자리 수)÷(한 자리 수)의 나눗셈식이 아닙니다.
• $25\div5=5$의 경우 5가 2번 사용되었으므로 만들 수 없습니다.

**8** 4의 단 곱셈구구에서 곱의 십의 자리 수가 2인 경우는 $4\times5=20$, $4\times6=24$, $4\times7=28$입니다.
$4\times5=20$ ⇨ $20\div4=5$,
$4\times6=24$ ⇨ $24\div4=6$,
$4\times7=28$ ⇨ $28\div4=7$이므로 몫이 될 수 있는 수는 5, 6, 7입니다.
따라서 몫이 될 수 있는 수들의 합은
$5+6+7=18$입니다.

**9** 짧은 막대의 길이를 □ cm라 하면 긴 막대의 길이는 (□+18) cm입니다.
□+(□+18)=30, □+□=12, □=6
⇨ (짧은 막대의 길이)=6 cm,
(긴 막대의 길이)=6+18=24(cm)
따라서 긴 막대를 잘라 짧은 막대와 길이가 같은 막대를 $24\div6=4$(개) 만들 수 있습니다.

**10** (종이 8장의 폭의 합)$=2\times8=16$(m)
(종이를 붙이지 않은 벽의 가로 길이의 합)
$=43-16=27$(m)
(양쪽 벽의 끝과 종이 사이, 종이와 종이 사이의 모든 간격 수)=(종이의 수)+1=8+1=9(군데)
따라서 간격을 $27\div9=3$(m)로 해야 합니다.

**11** (개미의 다리 수)$=6\times7=42$(개)
(거미의 다리 수)$=82-42=40$(개)
⇨ (거미의 수)$=40\div8=5$(마리)

**12** • 27명이 3명씩 경기를 하여 $27\div3=9$(경기)를 하므로 $2\times9=18$(분) 동안 경기를 합니다.
• 1등한 9명이 3명씩 경기를 하여 $9\div3=3$(경기)를 하므로 $2\times3=6$(분) 동안 경기를 합니다.
• 두 번 1등한 3명이 2분 동안 경기를 하여 우승자를 가립니다.
따라서 첫 경기부터 우승자가 나올 때까지의 경기 시간은 모두 $18+6+2=26$(분)입니다.

## 복습 최상위권 문제 24~25쪽

| | | | |
|---|---|---|---|
| **1** | 12 cm | **2** | 27, 3 |
| **3** | 34살 | **4** | 1시간 17분 |
| **5** | 24분 | **6** | 8개 |

**1**

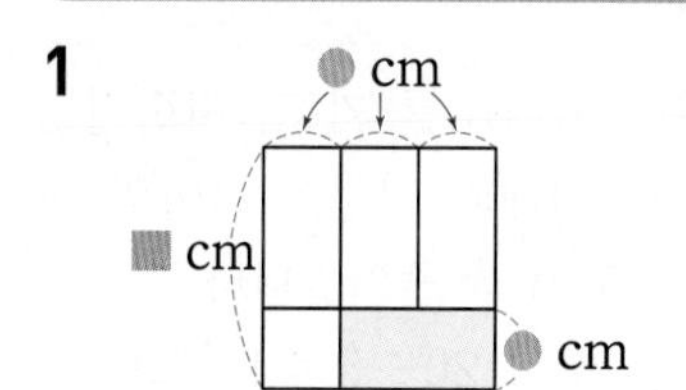


정사각형의 네 변의 길이의 합이 24 cm이므로
■$=24\div4=6$입니다.
모든 직사각형은 크기가 같으므로 ●$=6\div3=2$입니다.
직사각형의 짧은 쪽의 길이는 2 cm, 긴 쪽의 길이는 $6-2=4$(cm)입니다.
따라서 색칠한 직사각형 한 개의 네 변의 길이의 합은 $4+2+4+2=12$(cm)입니다.

**2** ㉠÷㉡=9 ⇨ ㉡×9=㉠이므로 ㉡에 1부터 수를 차례로 써넣어 ㉠+㉡=30이 되는 경우를 찾습니다.
• ㉡=1, ㉠=9 ⇨ ㉠+㉡=9+1=10(×)
• ㉡=2, ㉠=18 ⇨ ㉠+㉡=18+2=20(×)
• ㉡=3, ㉠=27 ⇨ ㉠+㉡=27+3=30(○)

**3** 삼촌의 올해 나이는 30보다 크고 50보다 작은 수 중에서 5로 똑같이 나눌 수 있는 수이므로 $5\times7=35$, $5\times8=40$, $5\times9=45$ 중에서 하나입니다.
따라서 삼촌의 내년 나이는 $35+1=36$,
$40+1=41$, $45+1=46$ 중에서 하나입니다.
이 중에서 9로 똑같이 나눌 수 있는 수는 36이므로 삼촌의 올해 나이는 $36-1=35$(살)이고, 삼촌의 작년 나이는 $35-1=34$(살)입니다.

**4** 비법 PLUS+ • (자른 횟수)=(토막 수)−1
• (쉬는 횟수)=(자른 횟수)−1

• 7토막으로 자르려면 $7-1=6$(번) 잘라야 하므로 통나무를 한 번 자르는 데 걸리는 시간은 $30\div6=5$(분)입니다.
• 10토막으로 자르려면 $10-1=9$(번) 자르고, $9-1=8$(번) 쉬어야 합니다.

⇨ (통나무를 9번 자르는 데 걸리는 시간)
$=5\times9=45$(분),
(쉬는 시간)$=4\times8=32$(분)

따라서 통나무를 10토막으로 자르는 데 걸리는 시간은 $45+32=77$(분) ⇨ 1시간 17분입니다.

**5** 비법 PLUS+ 먼저 지네와 지렁이가 같은 시간 동안 몇 m씩 가는지 알아봅니다.

6분 동안 지네는 $5\times2=10$(m)를 가고, 지렁이는 $5\times3=15$(m)를 가므로 지네와 지렁이 사이의 거리는 6분마다 $15-10=5$(m)씩 줄어듭니다.
지네가 20 m 앞에서 출발했고 $20\div5=4$이므로 지네와 지렁이는 $6\times4=24$(분) 후에 만납니다.

**6** 비법 PLUS+ 먼저 수 카드 7장 중에서 4장을 뽑아 만들 수 있는 곱셈식을 알아봅니다.

먼저 7장의 수 카드 중에서 4장을 뽑아 □×□=□□ 형태의 곱셈식을 만들고, 곱셈식을 나눗셈식 2개로 바꾸면 다음과 같습니다.
• $4\times9=36$ ⇨ $36\div4=9$, $36\div9=4$
• $6\times9=54$ ⇨ $54\div6=9$, $54\div9=6$
• $7\times8=56$ ⇨ $56\div7=8$, $56\div8=7$
• $7\times9=63$ ⇨ $63\div7=9$, $63\div9=7$

따라서 만들 수 있는 나눗셈식은 모두 8개입니다.

# 4 곱셈

## 복습 상위권 문제 26~27쪽

| | |
|---|---|
| **1** 81 | **2** 210개 |
| **3** 84 m | **4** 8, 9 |
| **5** 4, 7 | **6** 187 cm |
| **7** 455 | **8** 9909 |

**1** $1\times3=3$, $3\times3=9$, $9\times3=27$이므로 바로 앞의 수에 3을 곱하는 규칙입니다.
따라서 빈칸에 알맞은 수는 $27\times3=81$입니다.

**2** (빨간색 주머니 3개에 들어 있는 구슬 수)
$=42\times3=126$(개)
(파란색 주머니 4개에 들어 있는 구슬 수)
$=21\times4=84$(개)
따라서 빨간색 주머니 3개와 파란색 주머니 4개에 들어 있는 구슬은 모두 $126+84=210$(개)입니다.

**3** (가로수 사이의 간격의 수)$=15-1=14$(군데)
⇨ (도로의 길이)$=6\times14=14\times6=84$(m)

**4** $90\times5=450$이므로 $60\times$□는 450보다 커야 합니다. $60\times7=420$(×), $60\times8=480$(◯), $60\times9=540$(◯)
따라서 □ 안에 들어갈 수 있는 수는 8, 9입니다.

**5** $6\times$㉡의 일의 자리 수가 2이므로 $6\times2=12$, $6\times7=42$에서 ㉡=2 또는 ㉡=7입니다.
• ㉡=2인 경우: ㉠$\times2=32-1$, ㉠$\times2=31$을 만족하는 ㉠은 없습니다.
• ㉡=7인 경우: ㉠$\times7=32-4$, ㉠$\times7=28$ → ㉠=4

⇨ ㉠=4, ㉡=7

**6** (색 테이프 7장의 길이의 합)$=31\times7=217$(cm)
(겹쳐진 부분의 수)$=7-1=6$(군데),
(겹쳐진 부분의 길이의 합)$=5\times6=30$(cm)
⇨ (이어 붙인 색 테이프의 전체 길이)
$=217-30=187$(cm)

**7** 곱이 가장 큰 곱셈식을 만들어야 하므로 주어진 수 카드 중에서 큰 수 3장을 고르면 5, 6, 7입니다.
곱하는 수인 한 자리 수에 가장 큰 수를 쓰고 곱해지는 수의 십의 자리에 그 다음 큰 수를, 일의 자리에 나머지 수를 씁니다.
따라서 $7>6>5$이므로 가장 큰 곱은 $65\times7=455$입니다.

**8** 합이 23이고, 차가 13인 두 수 중에서 작은 수를 □라 하면 큰 수는 □+13입니다.
두 수의 합이 23이므로 □+(□+13)=23, □+□=10, □=5입니다.
⇨ (큰 수)=5+13=18, (작은 수)=5
두 수의 곱은 18×5=90이므로 ■=9, ▲=0입니다.
따라서 재우의 통장 비밀번호는 ■■▲■이므로 9909입니다.

**복습 상위권 문제 확인과 응용** 28~31쪽

| | |
|---|---|
| **1** 192 | **2** 224번 |
| **3** 144번 | **4** 76개 |
| **5** 30개 | **6** 4개 |
| **7** 12개 | **8** 256 |
| **9** 1080개 | **10** 9바퀴 |
| **11** 116 | **12** 128마리 |

**1** 32⊙3=32×3×2=96×2=192

**2** 9월 20일이 금요일이므로 11월 3일까지 금요일은 9월 20일, 9월 27일, 10월 4일, 10월 11일, 10월 18일, 10월 25일, 11월 1일로 모두 7번입니다.
따라서 재혁이는 팔굽혀펴기를 모두 32×7=224(번) 해야 합니다.

**3** 전날의 2배씩 훌라후프를 하므로 첫째 날은 18번, 둘째 날은 (18×2)번, 셋째 날은 (18×2×2)번, 넷째 날은 (18×2×2×2)번을 해야 합니다.
따라서 넷째 날에는 훌라후프를 모두 18×2×2×2=36×2×2=72×2=144(번) 해야 합니다.

**4** (목장의 네 변에 박아야 할 말뚝의 수)
=20×4=80(개)
꼭짓점에 박는 말뚝 4개는 겹치므로 빼야 합니다.
따라서 말뚝은 모두 80−4=76(개) 필요합니다.

**5** 기준이 되는 과일이 바나나이므로 바나나 수를 □개라 하면 사과 수는 (□×4)개, 감 수는 (□×3)개입니다. 사과와 감 수를 더하면 (□×7)개입니다.
□×7=210에서 30×7=210이므로 □=30입니다.
따라서 바나나는 30개입니다.

**6** 33×6=198이고 66×6=396이므로 198<□2×5<396입니다.
32×5=160(×), 42×5=210(○), 52×5=260(○), 62×5=310(○), 72×5=360(○), 82×5=410(×)
따라서 □ 안에 들어갈 수 있는 수는 4, 5, 6, 7로 모두 4개입니다.

**7** 57×8=456 ⇨ 500−456=44,
57×9=513 ⇨ 513−500=13에서 44>13이므로 ㉠은 513입니다.
따라서 500과 513 사이에 있는 세 자리 수는 모두 513−500−1=12(개)입니다.

**8** 어떤 두 자리 수를 ㉠㉡이라 하면 ㉡㉠×8=184입니다.

```
  ㉡ ㉠
×     8
-------
 1 8 4
```

㉠×8의 일의 자리 수가 4이므로 3×8=4, 8×8=64에서 ㉠=3 또는 ㉠=8입니다.
• ㉠=3인 경우: ㉡×8=18−2, ㉡×8=16 → ㉡=2
• ㉠=8인 경우: ㉡×8=18−6, ㉡×8=12를 만족하는 ㉡은 없습니다.
따라서 ㉠=3, ㉡=2이므로 처음 두 자리 수 32에 8을 곱하면 32×8=256입니다.

**9** 한 층에 4가구씩 살고 있는 아파트 한 동의 가구 수는 4×15=15×4=60(가구)이므로 가구 수는 60×4=240(가구), 한 층에 5가구씩 살고 있는 아파트 한 동의 가구 수는 5×15=15×5=75(가구)이므로 가구 수는 75×4=300(가구)입니다.
주아네 아파트 단지의 전체 가구 수는 240+300=540(가구)입니다.
따라서 한 가구에 비상 손전등이 2개씩 설치되어 있으므로 비상 손전등은 모두 540+540=1080(개)입니다.

**10** 톱니바퀴 ㉮가 7바퀴 도는 동안 톱니바퀴 ㉯와 맞물려 돌아가는 톱니 수는 54×7=378(개)입니다.
두 톱니바퀴가 맞물려 돌아가는 톱니 수는 서로 같으므로 톱니바퀴 ㉯가 □바퀴 돈다고 하면 42×□=378에서 42×9=378이므로 □=9입니다.
따라서 톱니바퀴 ㉮가 7바퀴 도는 동안 톱니바퀴 ㉯는 9바퀴 돕니다.

**11** 지워진 부분의 수는 봉사 활동에 참여한 학생 수의 합입니다.

- (김장 봉사에 참여한 학생 수)$=18\times3=54$(명)
- (연탄 나르기에 참여한 학생 수)$=10\times3=30$(명)
- (복지 시설에서 아이들을 돌보고 청소를 한 학생 수) $=16\times2=32$(명)

따라서 이날 봉사 활동에 참여한 학생은 모두 $54+30+32=116$(명)입니다.

**12** (유글레나 한 마리를 5번 배양했을 때의 유글레나 수) $=2\times2\times2\times2\times2=32$(마리)

⇨ (유글레나 4마리를 5번 배양했을 때의 유글레나 수) $=32\times4=128$(마리)

## 복습 최상위권 문제 32~33쪽

| | |
|---|---|
| **1** 7 | **2** 312 |
| **3** 484개 | **4** 4가지 |
| **5** 3시간 32분 | **6** 3 |

**1** ▲×▲의 일의 자리 수가 9이므로 $3\times3=9$, $7\times7=49$에서 ▲$=3$ 또는 ▲$=7$입니다.

- ▲$=3$인 경우: $33\times3=99$(×)
- ▲$=7$인 경우: $77\times7=539$(○)

따라서 ▲가 나타내는 수는 7입니다.

**2** 비법 PLUS+ ㉢$\times6=48$이므로 곱셈과 나눗셈의 관계를 이용하여 ㉢을 먼저 구합니다.

㉠$=$㉡$\times9$, ㉡$=$㉢$\times5$, ㉢$\times6=48$

- ㉢$\times6=48$, ㉢$=48\div6=8$
- ㉡$=$㉢$\times5$, ㉡$=8\times5=40$
- ㉠$=$㉡$\times9$, ㉠$=40\times9=360$

⇨ ㉠$-$㉡$-$㉢$=360-40-8=320-8=312$

**3** (마트에 있는 진열대의 칸 수)$=11\times8=88$(칸)

(물건이 진열되어 있는 진열대의 칸 수) $=88-7=81$(칸)

(물건이 6개씩 진열되어 있는 진열대의 칸 수) $=81-1=80$(칸)

(4개씩 진열되어 있는 진열대 칸의 물건 수) $=4\times1=4$(개)

(6개씩 진열되어 있는 진열대 칸의 물건 수) $=6\times80=80\times6=480$(개)

⇨ (마트에 있는 물건의 수) $=4+480=484$(개)

**4** 비법 PLUS+ 각 점수별로 맞힌 횟수를 표로 정리하여 점수의 합이 100점을 넘는 경우를 찾아봅니다.

| 24점을 맞힌 횟수(번) | 5 | 4 | 4 | 3 | 3 | …… |
|---|---|---|---|---|---|---|
| 24점을 맞힌 횟수별 점수(점) | $24\times5=120$ | $24\times4=96$ | $24\times4=96$ | $24\times3=72$ | $24\times3=72$ | …… |
| 16점을 맞힌 횟수(번) | 0 | 1 | 0 | 2 | 1 | …… |
| 16점을 맞힌 횟수별 점수(점) | • | $16\times1=16$ | • | $16\times2=32$ | $16\times1=16$ | …… |
| 8점을 맞힌 횟수(번) | 0 | 0 | 1 | 0 | 1 | …… |
| 8점을 맞힌 횟수별 점수(점) | • | • | $8\times1=8$ | • | $8\times1=8$ | …… |
| 점수의 합(점) | 120 | $96+16=112$ | $96+8=104$ | $72+32=104$ | $72+16+8=96$ | …… |

얻은 점수의 합이 100점이 넘는 경우

따라서 얻은 점수의 합이 100점을 넘는 경우는 모두 4가지입니다.

**5** (도로의 한쪽에 설치하는 화분 사이의 간격의 수) $=56\div7=8$(군데)

(도로의 한쪽에 설치하는 화분의 수)$=8+1=9$(개)

도로의 한쪽에 화분을 9개 설치해야 하므로 도로의 양쪽에 설치해야 하는 화분은 $9\times2=18$(개)입니다.

(화분을 18개 설치하는 데 걸리는 시간) $=8\times18=18\times8=144$(분)

마지막 화분을 설치한 후 쉬는 시간은 필요 없으므로 쉬는 시간의 합은 $4\times17=17\times4=68$(분)입니다.

따라서 화분을 모두 설치하는 데 걸리는 시간은 $144+68=212$(분) ⇨ 3시간 32분입니다.

**6** 비법 PLUS+ ★이 7보다 큰 수, 4와 7 사이의 수, 4보다 작은 수인 경우로 나누어 알아봅니다.

- ★이 7보다 큰 수일 때: ★$=8$, 9
  ⇨ $47\times8=376$(×), $47\times9=423$(×)
- ★이 4와 7 사이의 수일 때: ★$=5$, 6
  4★$\times7=238$이므로 ★$\times7$의 일의 자리 수가 8이 되어야 하므로 ★은 5, 6이 될 수 없습니다.
- ★이 4보다 작은 수일 때: ★$=1$, 2, 3
  ★4$\times7=238$에서 ★$\times7=21$이어야 하므로 ★$=3$이 될 수 있습니다.
  ⇨ $34\times7=238$(○)

## 5 길이와 시간

**복습 상위권 문제** 34~35쪽

| | |
|---|---|
| **1** 경로 2 | **2** 12시 8분 25초 |
| **3** 2 km 340 m | **4** 오후 3시 2분 15초 |
| **5** 12시간 27분 | **6** 2 cm 1 mm |

**1** (경로 1의 거리)
=3 km 600 m+4 km 500 m
=8 km 100 m
(경로 2의 거리)
=5 km 700 m+2 km 800 m
=8 km 500 m
⇨ 8 km 100 m<8 km 500 m이므로 경로 2가 더 깁니다.

**2** 축구 연습을 시작한 시각은 10시 30분 20초이고, 축구 연습을 한 시간은 98분 5초=1시간 38분 5초입니다.
⇨ (축구 연습을 끝낸 시각)
=(축구 연습을 시작한 시각)
+(축구 연습을 한 시간)
=10시 30분 20초+1시간 38분 5초
=12시 8분 25초

**3** 집에서 고궁까지 가려면 적어도 가로로 3칸, 세로로 3칸을 가야 합니다.
⇨ $\underbrace{430+430+430}_{3칸}+\underbrace{350+350+350}_{3칸}$
=2340(m) → 2 km 340 m

**4** (9일 동안 이 시계가 빨라지는 시간)
=15×9=135(초) → 2분 15초
⇨ (9일 후 오후 3시에 이 시계가 가리키는 시각)
=오후 3시+2분 15초=오후 3시 2분 15초

참고 • (빨라지는 시계가 가리키는 시각)
=(정확한 시각)+(빨라진 시간)
• (늦어지는 시계가 가리키는 시각)
=(정확한 시각)−(늦어진 시간)

**5** 오후 6시 23분=18시 23분
(낮의 길이)=(해가 진 시각)−(해가 뜬 시각)
=18시 23분−6시 50분
=11시간 33분
⇨ (밤의 길이)=24시간−(낮의 길이)
=24시간−11시간 33분
=12시간 27분

**6** 11 mm=1 cm 1 mm
(허물을 3번 벗은 애벌레의 길이)
=(허물을 2번 벗은 애벌레의 길이)+11 mm
=1 cm 3 mm+1 cm 1 mm=2 cm 4 mm
⇨ (허물을 4번 벗은 애벌레의 길이)
−(허물을 3번 벗은 애벌레의 길이)
=4 cm 5 mm−2 cm 4 mm
=2 cm 1 mm

**복습 상위권 문제 확인과 응용** 36~39쪽

| | |
|---|---|
| **1** 민서 | **2** 20 cm 6 mm |
| **3** 7시 58분 58초 | **4** 2 km 370 m |
| **5** 1시간 48분 2초 | **6** 경로 1, 1 km 300 m |
| **7** 15분 30초 | **8** 20 cm 1 mm |
| **9** 오후 1시 1분 58초 | **10** 7분 20초 |
| **11** 11월 23일 오전 1시 | **12** 1분 15초 |

**1** 민진이가 걸은 거리는 4 km 300 m이고, 민서가 걸은 거리는
900 m+900 m+900 m+900 m+900 m
=4500 m=4 km 500 m입니다.
따라서 4 km 300 m<4 km 500 m이므로 더 긴 거리를 걸은 사람은 민서입니다.

**2** 121 mm=12 cm 1 mm
(짧은 막대의 길이)
=12 cm 1 mm−3 cm 6 mm=8 cm 5 mm
⇨ (두 막대의 길이의 합)
=12 cm 1 mm+8 cm 5 mm
=20 cm 6 mm

**3** 초바늘이 시계를 한 바퀴 도는 데 걸리는 시간이 60초=1분이므로 30바퀴 돌았다면 30분이 지난 것입니다.
⇨ (기범이가 숙제를 끝낸 시각)
=7시 28분 58초+30분=7시 58분 58초

**4** 집에서 이모네 집까지 가려면 적어도 가로로 5칸, 세로로 4칸을 가야 합니다.
⇨ $\underbrace{250+250+250+250+250}_{5칸}$
$+\underbrace{280+280+280+280}_{4칸}$
=2370(m) → 2 km 370 m

**5** (총 걸린 시간)=12시 47분 28초−9시
=3시간 47분 28초
⇨ (2코스를 걷는 데 걸린 시간)
=3시간 47분 28초−1시간 10분 36초
−48분 50초
=2시간 36분 52초−48분 50초
=1시간 48분 2초

**6** (경로 1의 거리)
=6 km 300 m+5 km 750 m=12 km 50 m
(경로 2의 거리)
=8 km 850 m+4 km 500 m=13 km 350 m
따라서 경로 1이
13 km 350 m−12 km 50 m=1 km 300 m
더 짧습니다.

**7** (역을 지나는 데 걸리는 시간의 합)
=3분 30초+3분 30초+3분 30초+3분 30초
=14분
(정차한 시간의 합)
=30초+30초+30초=90초=1분 30초
⇨ (첫 번째 역을 출발하여 다섯 번째 역에 도착하는 데 걸리는 시간)
=14분+1분 30초=15분 30초

**8** 6분에 8 mm씩 타들어 가므로 6×6=36(분) 동안에는 8×6=48(mm)가 타들어 갑니다.
48 mm=4 cm 8 mm
⇨ (처음 양초의 길이)
=15 cm 3 mm+4 cm 8 mm
=20 cm 1 mm

**9** (집에서 출발하여 시장을 지나 기차역까지 가는 데 걸리는 시간)
=29분 47초+58분 15초=1시간 28분 2초
⇨ 오후 2시 30분=14시 30분이므로 집에서 늦어도 14시 30분−1시간 28분 2초=13시 1분 58초
→ 오후 1시 1분 58초에 출발해야 합니다.

**10** 오전 10시부터 오후 6시까지는 8시간입니다.
(민솔이의 시계가 늦어지는 시간)
=35×8=280(초) → 4분 40초
(효철이의 시계가 빨라지는 시간)
=20×8=160(초) → 2분 40초
⇨ (두 사람의 시계가 가리키는 시각의 차)
=4분 40초+2분 40초=7분 20초

**11** 맨체스터가 오전 9시일 때 서울은 오후 6시=18시이므로 서울의 시각은 맨체스터의 시각보다 9시간 빠릅니다.
11월 22일 오후 4시=11월 22일 16시
⇨ (서울의 시각)=(맨체스터의 시각)+9시간
=11월 22일 16시+9시간
=11월 22일 25시
=11월 23일 오전 1시

**12** 15 cm=150 mm
150은 10이 15인 수이므로 150 mm는 10 mm의 15배입니다.
따라서 달팽이가 10 mm를 5초에 가는 빠르기로 15 cm를 간다면 걸리는 시간은
5×15=75(초) → 1분 15초입니다.

## 복습 최상위권 문제 40~41쪽

| | | | |
|---|---|---|---|
| **1** | 9 cm 3 mm | **2** | 3시 41분 35초 |
| **3** | 2 km 780 m | **4** | 30분 |
| **5** | 10초 | **6** | 25분 |

**1** 46 mm=4 cm 6 mm
긴 끈의 길이를 □라 하면 짧은 끈의 길이는 □−4 cm 6 mm입니다.
□+(□−4 cm 6 mm)=14 cm,
□+□=14 cm+4 cm 6 mm=18 cm 6 mm,
□=9 cm 3 mm
따라서 긴 끈의 길이는 9 cm 3 mm입니다.
다른 풀이 짧은 끈의 길이를 □라 하면 긴 끈의 길이는 □+4 cm 6 mm입니다.
□+(□+4 cm 6 mm)=14 cm,
□+□=14 cm−4 cm 6 mm=9 cm 4 mm,
□=4 cm 7 mm
따라서 긴 끈의 길이는
4 cm 7 mm+4 cm 6 mm=9 cm 3 mm입니다.

**2** (어제 책을 읽은 시간)
=3시 10분 50초−1시 25분 30초
=1시간 45분 20초
(오늘 책을 읽은 시간)
=3시간 11분 10초−1시간 45분 20초
=1시간 25분 50초
⇨ (오늘 책 읽기를 끝낸 시각)
=2시 15분 45초+1시간 25분 50초
=3시 41분 35초

**3** 비법 PLUS+ (가로등 사이의 간격의 수)
=(가로등의 수)−1

(㉮ 도로의 가로등 사이의 간격의 수)=5−1=4(군데)
(㉮ 도로의 길이)
=350+350+350+350=1400(m)
→ 1 km 400 m
(㉯ 도로의 가로등 사이의 간격의 수)=7−1=6(군데)
(㉯ 도로의 길이)
=230+230+230+230+230+230=1380(m)
→ 1 km 380 m
⇨ (㉮와 ㉯ 도로의 길이의 합)
=1 km 400 m+1 km 380 m
=2 km 780 m

**4** 비법 PLUS+ (버스가 출발하는 간격의 수)
=(출발한 버스의 수)−1

오후 2시−오전 8시=14시−8시=6시간
(버스가 출발하는 간격의 수)=13−1=12(번)

6시간 동안 12번 ⇨ 1시간 동안 2번 = 60분 동안 2번 ⇨ 30분 동안 1번

따라서 버스는 30분 간격으로 출발한 것입니다.

**5** (2일 동안 늦어진 시간)=11시−10시 52분=8분
2일은 24×2=48(시간)입니다.

48시간에 8분 ⇨ 6시간에 1분 = 6시간에 60초 ⇨ 1시간에 10초

따라서 한 시간에 10초씩 늦어진 셈입니다.

**6** 비법 PLUS+ 집에서 도서관으로 갈 때 걸린 시간을 □분이라 하면 도서관에서 집으로 올 때 걸린 시간은 (□+8)분입니다.

오후 1시 28분=13시 28분
(책을 읽고 오는 데 걸린 전체 시간)
=13시 28분−10시 50분=2시간 38분
(집에서 도서관에 갈 때와 도서관에서 집으로 올 때 걸린 이동 시간의 합)
=2시간 38분−1시간 40분=58분
집에서 도서관에 갈 때 걸린 시간을 □분이라 하면 도서관에서 집으로 올 때 걸린 시간은 (□+8)분이므로 □+(□+8)=58, □+□=50,
25+25=50이므로 □=25입니다.

# 6 분수와 소수

## 복습 상위권 문제 42~43쪽

1 예

2 $\frac{5}{12}$

3 도경

4 7, 8

5 0.6, 0.7

6 7.4, 2.6

7 $\frac{5}{9}$, $\frac{1}{9}$, $\frac{1}{11}$, $\frac{1}{12}$

8 $\frac{1}{8}$, $\frac{1}{16}$

**1** 전체를 똑같이 6으로 나누고, 나눈 것 중의 4만큼 색칠합니다.

**2** 보성이가 먹고 남은 시루떡은 12−2=10(조각)이고, $\frac{5}{10}$는 전체를 똑같이 10으로 나눈 것 중의 5이므로 설아가 먹은 시루떡은 5조각입니다.
따라서 보성이와 설아가 먹고 남은 시루떡은
12−2−5=5(조각)이므로 시루떡 한 개의 $\frac{5}{12}$입니다.

**3** 현주: $\frac{3}{10}$=0.3, 해영: $\frac{1}{10}$=0.1
⇨ 0.4(도경)>0.3(현주)>0.2(경환)>0.1(해영)이므로 식빵을 가장 많이 먹은 사람은 도경입니다.

**4** ㉠ $\frac{□}{13}>\frac{6}{13}$에서 □>6이므로 □ 안에 들어갈 수 있는 수는 7, 8, 9입니다.
㉡ $\frac{9}{11}>\frac{□}{11}$에서 9>□이므로 □ 안에 들어갈 수 있는 수는 1, 2, 3, 4, 5, 6, 7, 8입니다.
⇨ □ 안에 공통으로 들어갈 수 있는 수는 7, 8입니다.

**5** 0.■ 형태의 소수 중에서 $\frac{8}{10}$=0.8보다 작은 수는 0.1, 0.2, 0.3, 0.4, 0.5, 0.6, 0.7입니다. 이 중에서 0.1이 5개인 수인 0.5보다 큰 수는 0.6, 0.7입니다.

**6** • 수의 크기를 비교하면 7>6>4>2이므로 만들 수 있는 소수 중에서 가장 큰 수는 7.6이고, 두 번째로 큰 수는 7.4입니다.
• 수의 크기를 비교하면 2<4<6<7이므로 만들 수 있는 소수 중에서 가장 작은 수는 2.4이고, 두 번째로 작은 수는 2.6입니다.

**7** • 분모가 9로 같은 분수 $\frac{5}{9}$, $\frac{1}{9}$의 크기를 비교하면 $\frac{5}{9}>\frac{1}{9}$입니다.

• 단위분수 $\frac{1}{11}$, $\frac{1}{12}$, $\frac{1}{9}$의 크기를 비교하면 $\frac{1}{9}>\frac{1}{11}>\frac{1}{12}$입니다.

⇨ $\frac{5}{9}>\frac{1}{9}>\frac{1}{11}>\frac{1}{12}$

**8** 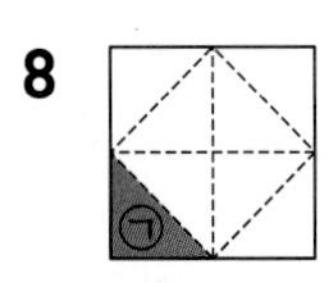


⇨ ㉠ 조각은 전체를 똑같이 8로 나눈 것 중의 1이므로 칠교판 전체의 $\frac{1}{8}$입니다.

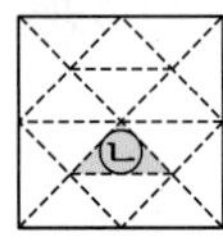


⇨ ㉡ 조각은 전체를 똑같이 16으로 나눈 것 중의 1이므로 칠교판 전체의 $\frac{1}{16}$입니다.

**복습 상위권 문제 확인과 응용** 44~47쪽

| | |
|---|---|
| **1** 7.2 cm | **2** $\frac{7}{10}$, 0.7 |
| **3** 2배 | **4** $\frac{1}{12}$ |
| **5** 1, $\frac{7}{10}$, 1.2 | **6** 7 |
| **7** 4개 | **8** $\frac{4}{97}$ |
| **9** 47.8 | **10** 56초 |
| **11** $\frac{1}{4}$ | **12** 20일 후 |

**1** 7 cm 2 mm=72 mm, 9 cm 4 mm=94 mm이고, 72<73<82<94이므로 가장 짧은 변의 길이는 72 mm=7.2 cm입니다.

**2** 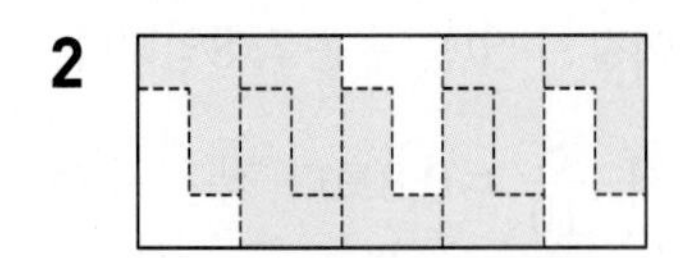

색칠한 부분은 전체를 똑같이 10으로 나눈 것 중의 7이므로 $\frac{7}{10}$입니다. ⇨ $\frac{7}{10}=0.7$

**3** 남은 색 테이프는 전체를 똑같이 18로 나눈 것 중의 18−6=12이므로 $\frac{12}{18}$입니다. $\frac{6}{18}$은 $\frac{1}{18}$이 6개, $\frac{12}{18}$는 $\frac{1}{18}$이 12개인 수이므로 남은 색 테이프는 사용한 색 테이프의 12÷6=2(배)입니다.

**4** 민기가 먹고 남은 케이크는 12−5=7(조각)이고, $\frac{6}{7}$은 전체를 똑같이 7로 나눈 것 중의 6이므로 주성이가 먹은 케이크는 6조각입니다. 따라서 민기와 주성이가 먹고 남은 케이크는 12−5−6=1(조각)이므로 케이크 한 개의 $\frac{1}{12}$입니다.

**5** $\frac{6}{10}=0.6$, $\frac{5}{10}=0.5$, $\frac{7}{10}=0.7$

⇨ 0.5<0.6<0.7<1<1.2<1.4<1.5<2.4

**6** ㉠ $\frac{1}{6}>\frac{1}{\square}>\frac{1}{9}$에서 6<□<9이므로 □ 안에 들어갈 수 있는 수는 7, 8입니다.

㉡ 5.2<□.6<8.1에서 □ 안에 들어갈 수 있는 수는 5, 6, 7입니다.

따라서 □ 안에 공통으로 들어갈 수 있는 수는 7입니다.

**7** $\frac{8}{10}=0.8$

만들 수 있는 ■.▲ 형태의 소수는 0.5, 0.6, 0.7, 5.6, 5.7, 6.5, 6.7, 7.5, 7.6입니다.

이 중에서 $\frac{8}{10}$보다 크고 7보다 작은 소수는 5.6, 5.7, 6.5, 6.7이므로 모두 4개 만들 수 있습니다.

**8** 분자가 4이므로 분모가 될 수 있는 수는 79 또는 97입니다. $\frac{4}{79}$와 $\frac{4}{97}$는 분자가 4로 같으므로 분모가 클수록 작은 수입니다.

따라서 만들 수 있는 가장 작은 분수는 $\frac{4}{97}$입니다.

**9** 자연수 부분은 1부터 시작해서 2씩 커지는 규칙이고, 소수 부분은 2, 4, 6, 8이 반복되는 규칙입니다.

따라서 24번째 소수의 자연수 부분은 47이고, 소수 부분은 8이므로 47.8입니다.

**10** 간 거리와 남은 거리를 그림으로 나타내면 다음과 같습니다.

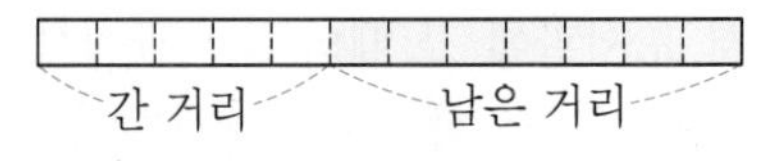


$\frac{5}{12}$는 $\frac{1}{12}$이 5개인 수이므로 공원의 $\frac{1}{12}$만큼 도는 데 40÷5=8(초)가 걸립니다.

따라서 $\frac{7}{12}$은 $\frac{1}{12}$이 7개인 수이므로 남은 거리를 도는 데에는 8×7=56(초)가 걸립니다.

**11** 사용한 철사의 길이를 수직선으로 나타내면 다음과 같습니다.

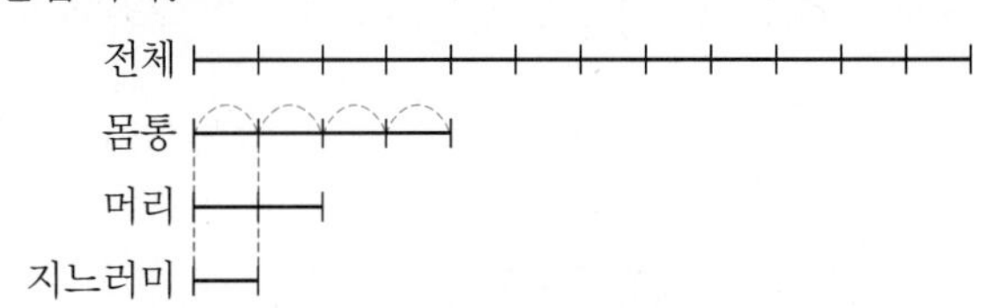


⇨ 지느러미를 만드는 데 사용한 철사의 길이는 몸통을 만드는 데 사용한 철사의 길이의 $\frac{1}{4}$입니다.

**12** 담쟁이덩굴의 줄기는 2일에 8 mm씩, 나팔꽃의 줄기는 2일에 0.7 mm씩 자라므로 2일에 8.7 mm씩 가까워집니다.
따라서 20일 동안 87 mm=8.7 cm 가까워지므로 담쟁이덩굴과 나팔꽃의 줄기 끝은 20일 후에 만나게 됩니다.

## 복습 최상위권 문제 48~49쪽

| | |
|---|---|
| **1** $\frac{3}{8}$, $\frac{5}{9}$, $\frac{5}{11}$ | **2** 0.4 |
| **3** $\frac{3}{12}$ | **4** 23개 |
| **5** 서현 | **6** $\frac{7}{8}$, $\frac{7}{10}$, $\frac{1}{10}$ |

**1** 비법 PLUS+ 단위분수가 아닌 경우에도 분자가 같을 때에는 단위분수처럼 분모가 작을수록 큰 수입니다.

㉠은 1을 똑같이 8로 나눈 것 중의 5이므로 $\frac{5}{8}$입니다.
분모가 8로 같은 분수끼리 비교하면
$\frac{3}{8}<\frac{5}{8}<\frac{6}{8}<\frac{7}{8}$이고,
분자가 5로 같은 분수끼리 비교하면
$\frac{5}{11}<\frac{5}{9}<\frac{5}{8}$입니다.
따라서 ㉠이 나타내는 분수보다 작은 수는
$\frac{3}{8}$, $\frac{5}{9}$, $\frac{5}{11}$입니다.

**2** ⇨ $\frac{2}{5}=\frac{4}{10}=0.4$

**3** 어제 먹은 사탕과 오늘 먹은 사탕, 남은 사탕을 그림으로 나타내면 다음과 같습니다.

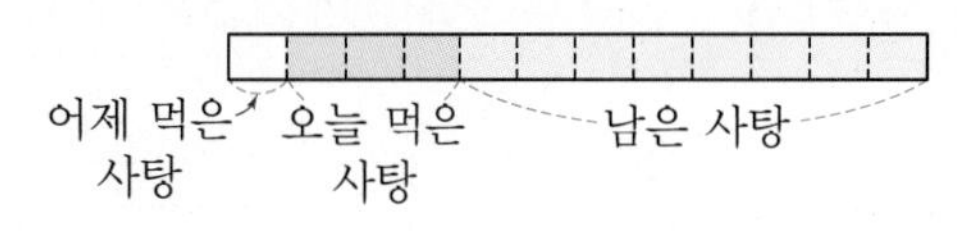


$\frac{2}{3}$는 전체를 똑같이 12로 나눈 것 중의 8입니다.
따라서 오늘 먹은 사탕은 전체를 똑같이 12로 나눈 것 중의 12－1－8＝3이므로 전체의 $\frac{3}{12}$입니다.

**4** 비법 PLUS+ 1부터 8까지의 수 카드가 1장씩 밖에 없는 것에 주의합니다.

- 자연수 부분이 4일 때 소수 부분이 될 수 있는 수: 5, 6, 7, 8 → 4개
- 자연수 부분이 5일 때 소수 부분이 될 수 있는 수: 1, 2, 3, 4, 6, 7, 8 → 7개
- 자연수 부분이 6일 때 소수 부분이 될 수 있는 수: 1, 2, 3, 4, 5, 7, 8 → 7개
- 자연수 부분이 7일 때 소수 부분이 될 수 있는 수: 1, 2, 3, 4, 5 → 5개

⇨ 4＋7＋7＋5＝23(개)

**5** 비법 PLUS+ 준모, 서현, 예은이가 마신 음료수의 양을 수직선에 나타내어 비교합니다. 이때, 수직선 전체의 길이를 같게 하는 것이 아니라 수직선 한 칸의 길이를 같게 하여 비교해야 합니다.

세 사람이 마신 음료수의 양을 수직선으로 나타내면 다음과 같습니다.

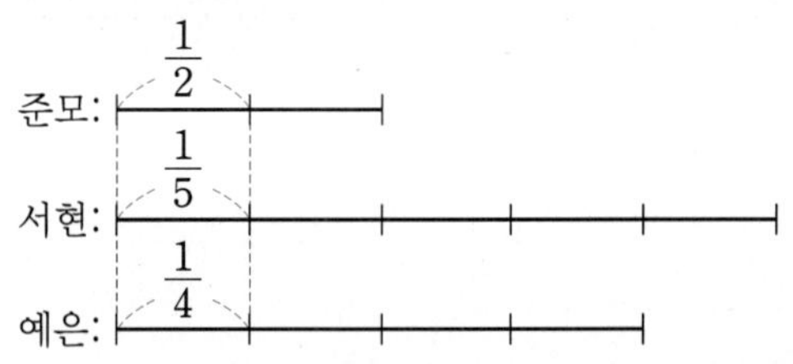


⇨ 수직선의 전체 길이가 음료수의 양을 나타내므로 양이 가장 많은 음료수는 서현이의 음료수입니다.

**6** $(\frac{1}{2})$, $(\frac{1}{4}, \frac{2}{4}, \frac{3}{4})$, $(\frac{1}{6}, \frac{2}{6}, \frac{3}{6}, \frac{4}{6}, \frac{5}{6})$……
(1개, 3개, 5개)

1＋3＋5＋7＝16이므로 16번째 수는 $\frac{7}{8}$이고,
17번째 수는 $\frac{1}{10}$이고, 23번째 수는 $\frac{7}{10}$입니다.
⇨ $\frac{7}{8}>\frac{7}{10}>\frac{1}{10}$

Memo

**발행일** 2018년 10월 1일 **펴낸날** 2018년 10월 1일
**펴낸곳** (주)비상교육 **펴낸이** 양태회 **등록번호** 제 14-1654호
**출판사업총괄** 최대찬 **개발총괄** 김희정 **개발책임** 고경진
**디자인책임** 김재훈 **영업책임** 임진영 **품질책임** 석진안
**마케팅책임** 김동남 **대표전화** 1544-0554
**주소** 서울특별시 구로구 디지털로33길 48 대륭포스트타워 7차 20층



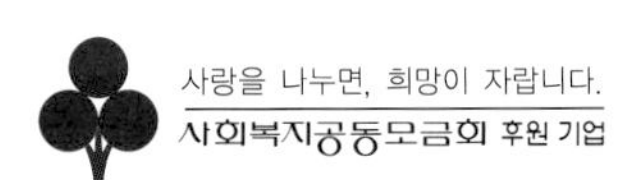


초등학교 반 번 이름

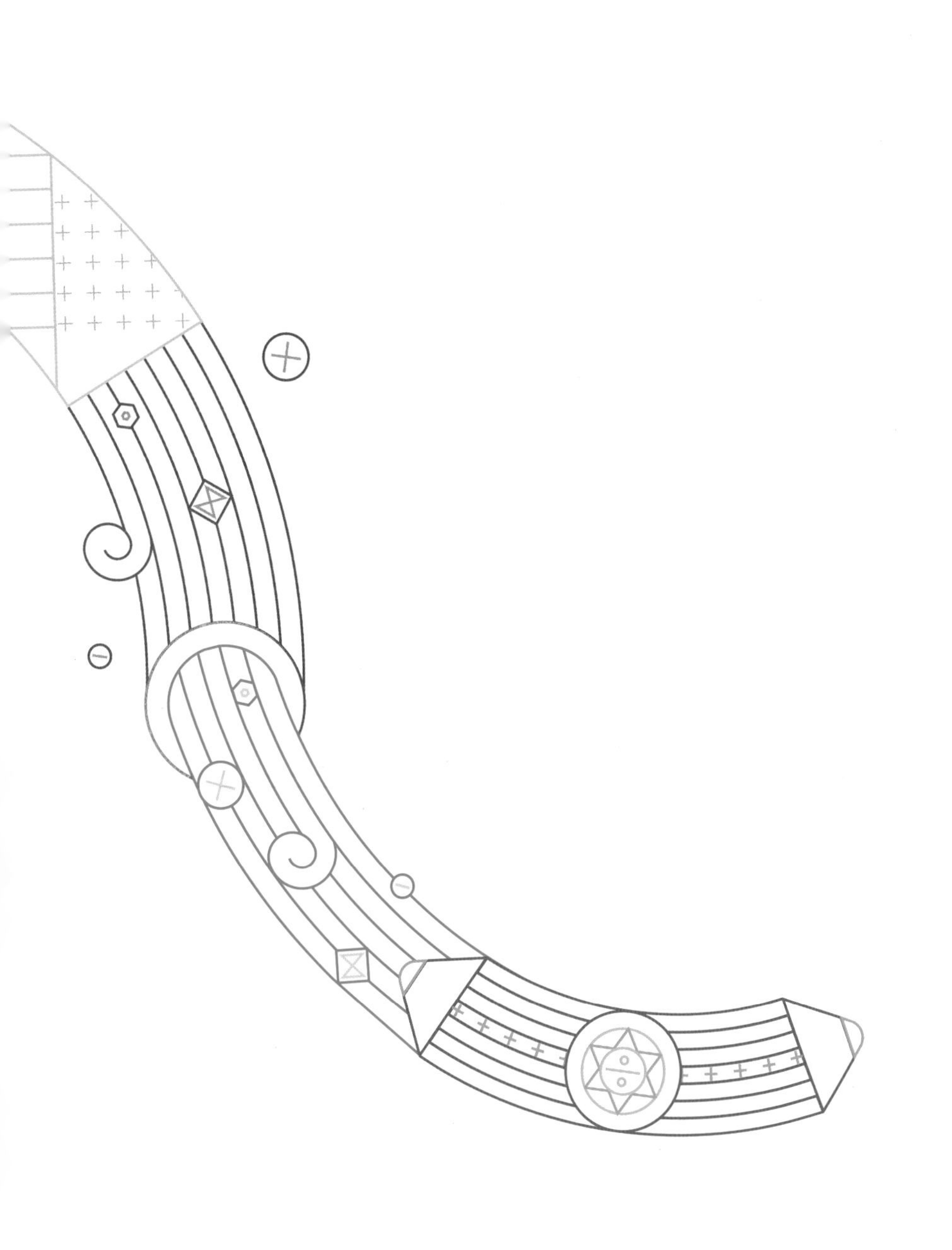

15개정 교육과정

# 개념+유형 최상위 탑 REVIEW BOOK

초등 수학

3·1

책 속의 가접 별책 (특허 제 0557442호)

- 'REVIEW BOOK'은 TOP BOOK에서 쉽게 분리할 수 있도록 제작되었으므로 유통 과정에서 분리될 수 있으나 파본이 아닌 정상제품입니다.
- 표지에 사용된 코팅액에는 항균 성분이 들어 있습니다.

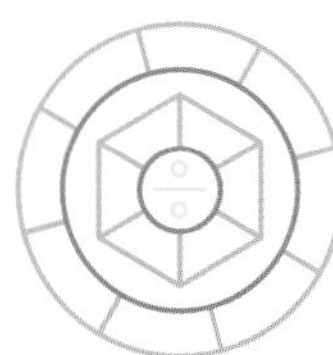

개념+유형 최상위 탑

# Review Book

3·1

복습 

# 상위권 문제



• 찢어진 종이에 적힌 수 구하기

대표유형 1 종이 2장에 세 자리 수를 한 개씩 써 놓았는데 한 장이 찢어져서 백의 자리 숫자만 보입니다. 두 수의 차가 254일 때 찢어진 종이에 적힌 세 자리 수를 구해 보시오.

720 4

( )

• 수 카드로 만든 두 수의 합 또는 차 구하기

대표유형 2 4장의 수 카드 중에서 3장을 뽑아 한 번씩만 사용하여 세 자리 수를 만들려고 합니다. 만들 수 있는 가장 큰 수와 가장 작은 수의 합을 구해 보시오.

5 6 4 7

( )

• 바르게 계산한 값 구하기

대표유형 3 713에서 어떤 수를 빼야 할 것을 잘못하여 더했더니 928이 되었습니다. 바르게 계산하면 얼마인지 구해 보시오.

( )

• 두 지점 사이의 거리 구하기

대표유형 4 민우네 집에서 승연이네 집까지의 거리는 몇 m인지 구해 보시오.

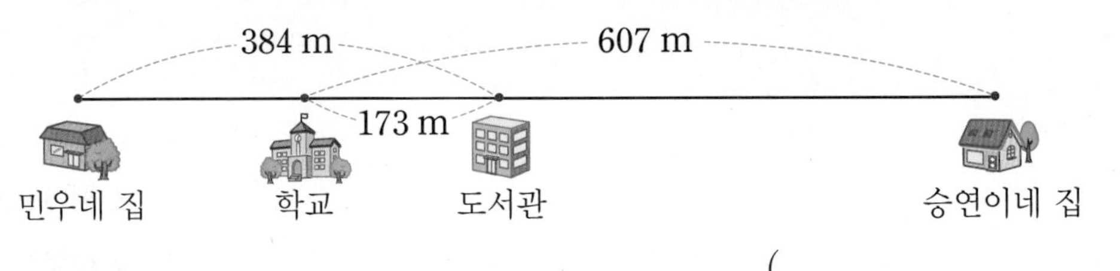


( )

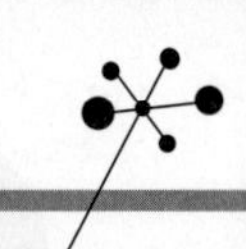



• 덧셈식 또는 뺄셈식 완성하기

**대표유형 5** **오른쪽 뺄셈식에서 ㉠, ㉡, ㉢에 알맞은 수를 각각 구해 보시오.**

$$\begin{array}{r} 9\ ㉠\ 5 \\ -\ ㉡\ 3\ 9 \\ \hline 4\ 8\ ㉢ \end{array}$$

㉠ (　　　　　), ㉡ (　　　　　), ㉢ (　　　　　)

• 계산 결과가 가장 큰 식 만들기

**대표유형 6** **네 수 중에서 세 수를 골라 한 번씩만 사용하여 계산 결과가 가장 큰 식을 만들려고 합니다. □ 안에 알맞은 수를 써넣고 계산해 보시오.**

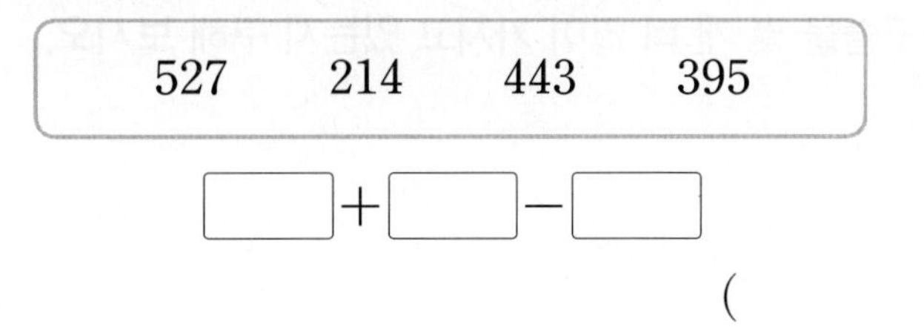


(　　　　　)

• □ 안에 들어갈 수 있는 수 구하기

**대표유형 7** **□ 안에 들어갈 수 있는 세 자리 수 중에서 가장 큰 수를 구해 보시오.**

$□-429<364$

(　　　　　)

• 옳은 식이 되도록 수 카드 바꾸기

**신유형 8** **옳은 식이 되도록 수 카드 2장을 서로 바꿔 보시오. (단, 하나의 수에서 카드를 바꿉니다.)**

8 0 3 − 5 7 4 = 3 2 8

⇨ □□□ − □□□ = 3 2 8

# 복습 상위권 문제 확인과 응용

비법 Note

**1** 다음이 나타내는 두 수의 차를 구해 보시오.

- 100이 4개, 10이 7개, 1이 27개인 수
- 100이 3개, 10이 53개, 1이 1개인 수

(　　　　　　　　)

**2** 주희는 빨간 구슬을 324개, 파란 구슬을 541개 가지고 있고 영훈이는 빨간 구슬을 416개, 파란 구슬을 253개 가지고 있습니다. 주희와 영훈이 중에서 누가 구슬을 몇 개 더 많이 가지고 있는지 구해 보시오.

(　　　　　,　　　　　)

**3** 오른쪽 덧셈식에서 ■, ▲, ●에 알맞은 수를 각각 구해 보시오. (단, 같은 모양은 같은 수를 나타냅니다.)

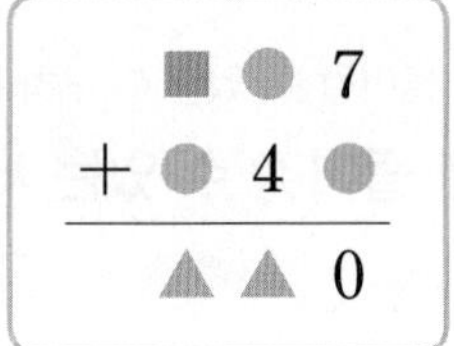


■ (　　　　　　), ▲ (　　　　　　), ● (　　　　　　)

**4** 어떤 세 자리 수의 십의 자리 수와 일의 자리 수를 바꾼 수에서 786을 뺐더니 134가 되었습니다. 처음 세 자리 수를 구해 보시오.

(　　　　　　　　)

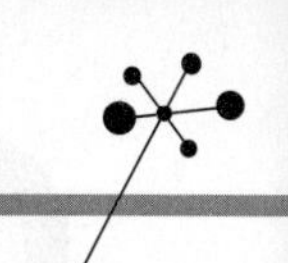

Top Book 18~19쪽의 복습 문제입니다.

비법 Note

**5** 5장의 수 카드를 한 번씩만 사용하여 세 자리 수를 만들려고 합니다. 만들 수 있는 세 번째로 큰 수와 두 번째로 작은 수의 차는 얼마인지 구해 보시오.

1 0 5 8 6

( )

**6** 0부터 9까지의 수 중에서 □ 안에 들어갈 수 있는 가장 큰 수를 구해 보시오.

$721-2\square9>237+195$

( )

**7** 길이가 208 cm인 색 테이프 4장을 그림과 같이 76 cm씩 겹쳐서 이어 붙였습니다. 이어 붙인 색 테이프의 전체 길이는 몇 cm인지 구해 보시오.

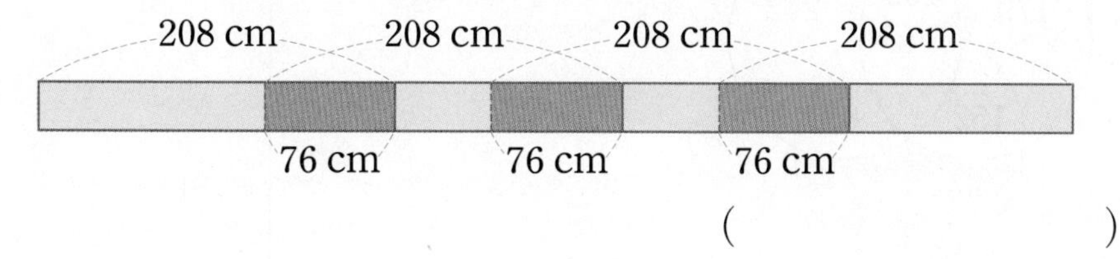


( )

**8** 연속한 두 수가 있습니다. 이 두 수의 합이 847일 때 두 수 중에서 작은 수를 구해 보시오.

( )

비법 Note

**9** 주머니에서 카드 2개를 꺼내 카드에 적힌 수의 합이 800에 가장 가까운 덧셈식을 만들려고 합니다. 어떤 카드를 꺼내야 할지 카드에 적힌 수로 덧셈식을 만들어 보시오.

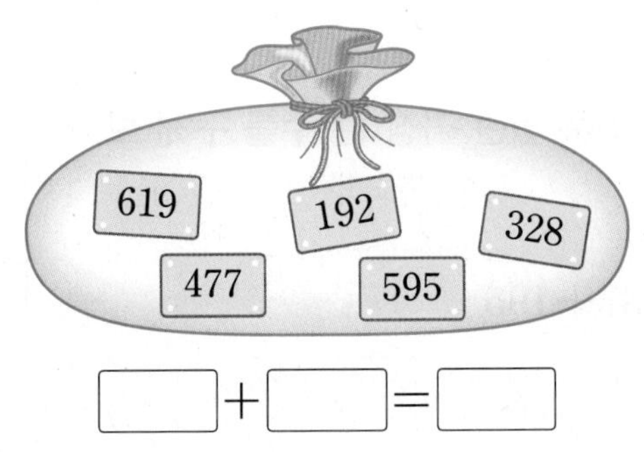


□ + □ = □

**10** 한 원 안에 있는 네 수의 합은 모두 같습니다. 색칠한 부분에 알맞은 수를 구해 보시오.

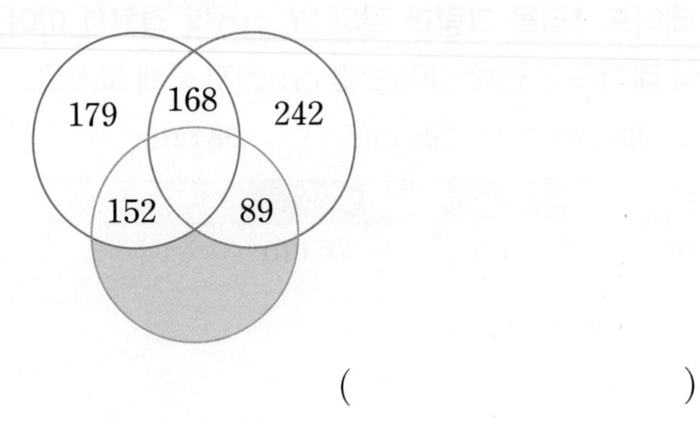


( )

## 창의융합형 문제

**11** 우리나라에는 산이 많이 있습니다. 수도인 서울의 중심에는 N서울타워가 있는 남산이 있으며 서울의 주변에는 도봉산, 관악산 등이 있습니다. 도봉산의 높이는 남산의 높이보다 475 m 더 높고, 관악산의 높이는 도봉산의 높이보다 111 m 더 낮습니다. 남산의 높이가 265 m일 때, 남산의 높이와 관악산의 높이의 차는 몇 m인지 구해 보시오.

▲ 남산과 N서울타워

(　　　　　　　　　　　　)

**12** 각 나라마다 서로 다른 단위의 돈을 쓰고 있기 때문에 두 나라 사이의 화폐를 바꾸는 기준이 필요합니다. 외국 화폐와 비교한 자국 화폐의 값어치를 환율이라고 합니다. 환율은 각 나라의 경제 사정에 따라 국제 경제의 흐름에 따라 매일 조금씩 변합니다. 다음은 어느 날의 환율입니다. 터키 돈 1 리라와 말레이시아 돈 2 링깃을 우리나라 돈으로 바꾸었습니다. 이 돈을 중국 돈으로 바꾸면 몇 위안인지 구해 보시오.

| 미국 | 터키 | 영국 | 말레이시아 | 중국 |
|---|---|---|---|---|
| 1 달러 | 1 리라 | 1 파운드 | 1 링깃 | 1 위안 |
| 1124원 | 327원 | 1455원 | 259원 | 169원 |

(　　　　　　　　　　　　)

창의융합 PLUS +

**N서울타워**
서울의 남산에 세워진 전파탑 전망대입니다. 방송국의 전파탑으로 이용되었으며 1981년에 일반인에게 공개된 후 관광 명소로 유명해져 지금은 대표적인 서울의 상징물입니다.

**각 나라의 화폐 단위**
우리 돈의 화폐 단위는 '원'이고 미국은 '달러', 중국은 '위안', 일본은 '엔', 유럽 연합은 '유로'를 사용합니다.

복습

# 최상위권 문제

**1** ㉮의 길이는 ㉯의 길이보다 182 cm 더 깁니다. ㉯의 길이가 389 cm일 때, ㉰의 길이는 몇 cm인지 구해 보시오.

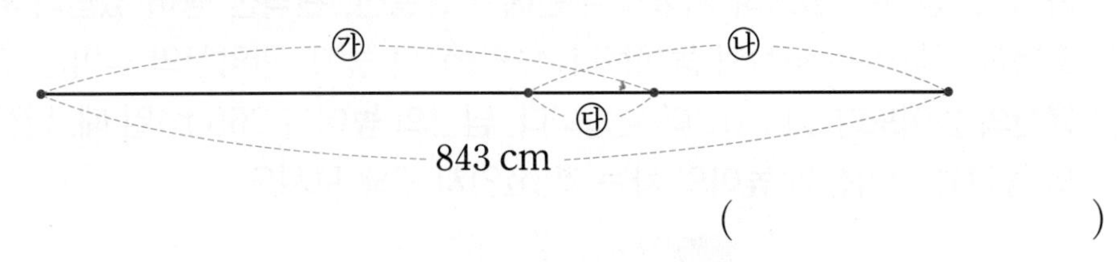


(　　　　　　　　)

**2** 기호 ▣에 대하여 ●▣▲=●−▲+●라고 약속할 때 □ 안에 알맞은 수를 구해 보시오.

412▣236=370▣□

(　　　　　　　　)

**3** 다음을 만족하는 세 자리 수 중에서 가장 큰 수와 가장 작은 수의 차를 구해 보시오. (단, 십의 자리 수는 0보다 큽니다.)

- 백의 자리 수는 십의 자리 수의 2배입니다.
- 십의 자리 수와 일의 자리 수의 합은 7입니다.

(　　　　　　　　)

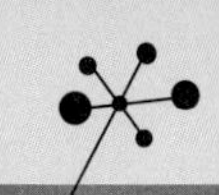

**4** 우성이와 수지는 0부터 9까지의 수 카드를 5장씩 똑같이 나누어 가졌습니다. 나누어 가진 수 카드를 한 번씩만 사용하여 우성이가 만들 수 있는 가장 큰 네 자리 수는 8643이고, 수지가 만들 수 있는 가장 작은 네 자리 수는 1057입니다. 나누어 가진 수 카드를 한 번씩만 사용하여 우성이가 만들 수 있는 가장 작은 세 자리 수와 수지가 만들 수 있는 가장 큰 세 자리 수의 차를 구해 보시오.

(　　　　　　　　　)

**5** 보람이네 학교 학생은 550명입니다. 이 중에서 야구를 좋아하는 학생은 386명이고, 야구와 축구를 모두 좋아하는 학생은 266명입니다. 야구와 축구를 둘 다 좋아하지 않는 학생이 70명일 때, 축구를 좋아하는 학생은 몇 명인지 구해 보시오.

(　　　　　　　　　)

**6** 0부터 9까지의 수를 한 번씩만 사용하여 덧셈식을 만들려고 합니다. □ 안에 알맞은 수를 써넣으시오. (단, 받아올림이 3번 있는 덧셈식입니다.)

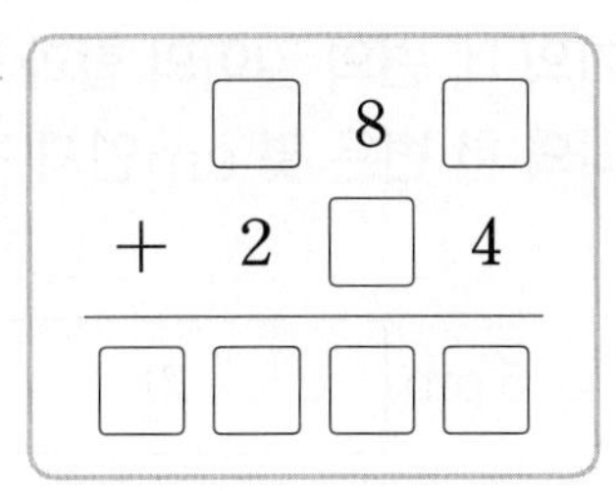

• 찾을 수 있는 크고 작은 각의 개수 구하기

대표유형 1 도형에서 찾을 수 있는 크고 작은 각은 모두 몇 개인지 구해 보시오.

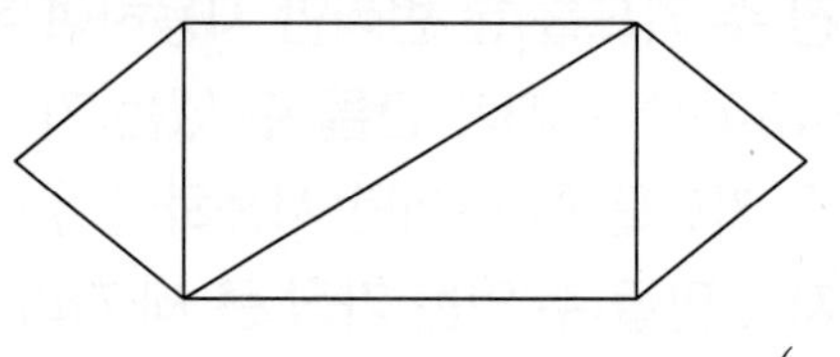

(　　　　　　　　　　)

• 그을 수 있는 선분, 반직선, 직선의 개수 구하기

대표유형 2 주어진 6개의 점 중에서 2개의 점을 이용하여 그을 수 있는 선분은 모두 몇 개인지 구해 보시오.

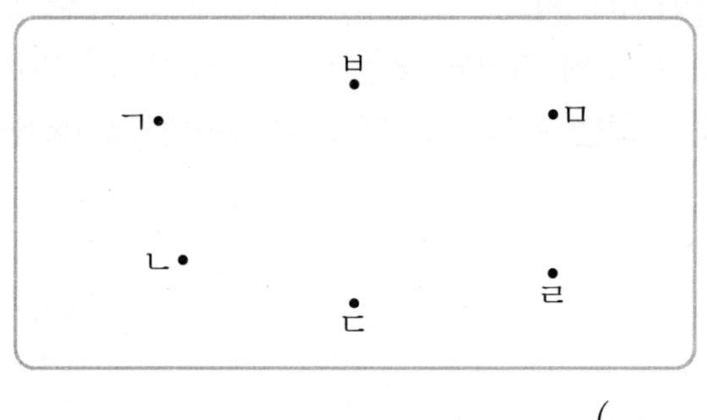


(　　　　　　　　　　)

• 직사각형 또는 정사각형의 한 변의 길이 구하기

대표유형 3 직사각형 가의 네 변의 길이의 합과 정사각형 나의 네 변의 길이의 합은 같습니다. 정사각형 나의 한 변은 몇 cm인지 구해 보시오.

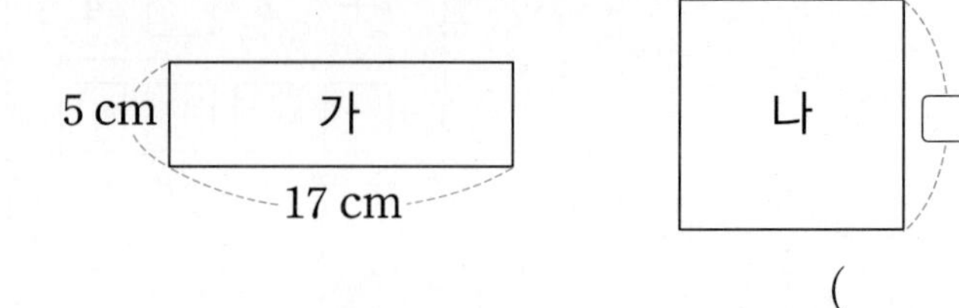


(　　　　　　　　　　)

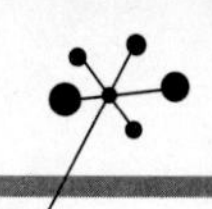

• 이어 붙인 도형을 둘러싼 굵은 선의 길이 구하기

**대표유형 4** **정사각형 2개를 겹치지 않게 이어 붙여 만든 도형입니다. 도형을 둘러싼 굵은 선의 길이는 몇 cm인지 구해 보시오.**

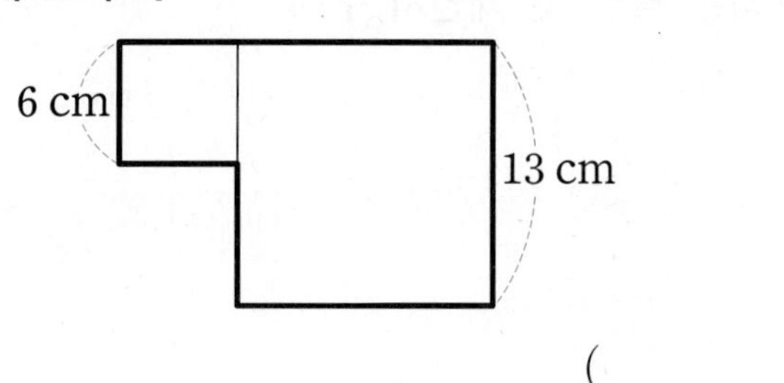


(　　　　　　　　)

• 찾을 수 있는 크고 작은 도형의 개수 구하기

**대표유형 5** **오른쪽은 크기가 같은 정사각형을 겹치지 않게 이어 붙여 만든 도형입니다. 도형에서 찾을 수 있는 크고 작은 정사각형은 모두 몇 개인지 구해 보시오.**

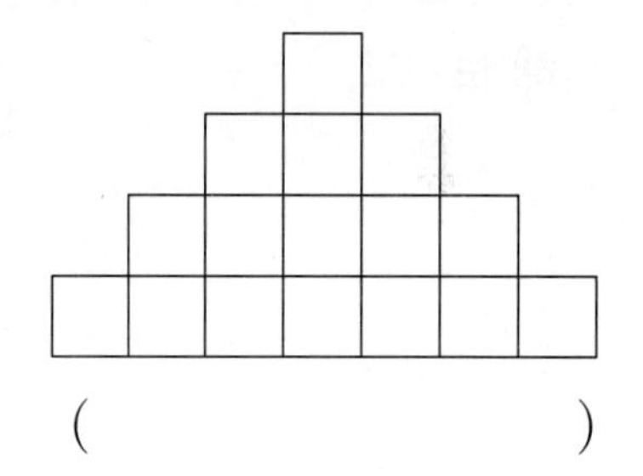

(　　　　　　　　)

• 직각의 개수를 이용하여 세 자리 수를 나타내기

**신유형 6** **보기 와 같은 방법으로 직각의 개수를 이용하여 세 자리 수를 나타내려고 합니다. 다음은 어떤 수를 나타낸 것인지 써 보시오.**

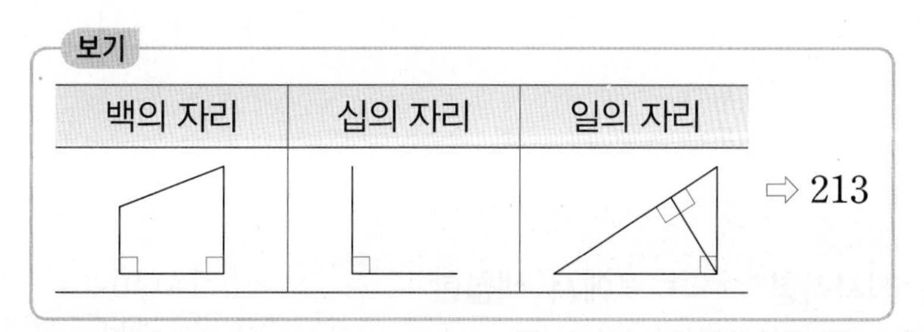


| 백의 자리 | 십의 자리 | 일의 자리 |
|---|---|---|
| | | |

(　　　　　　　　)

복습 # 상위권 문제 확인과 응용

비법 Note

**1** 오른쪽 6개의 점 중에서 3개의 점을 이용하여 각을 그릴 때, 점 ㄹ을 각의 꼭짓점으로 하는 각은 모두 몇 개인지 구해 보시오.

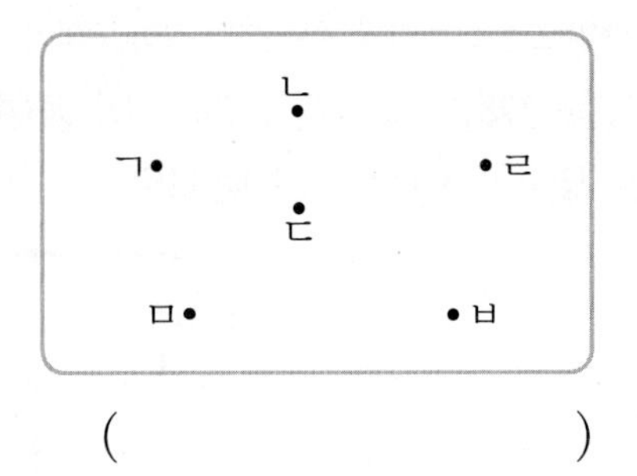


(　　　　　　　　　)

**2** 직선 가 위의 한 점과 직선 나 위의 한 점을 이용하여 그을 수 있는 반직선은 모두 몇 개인지 구해 보시오.

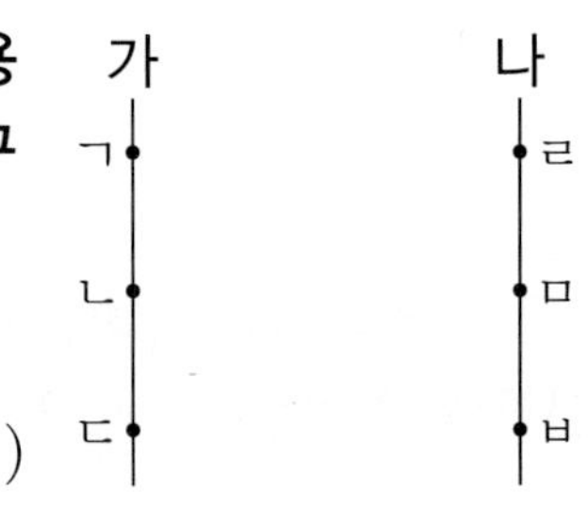


(　　　　　　　　　)

**3** 오른쪽 그림 위에 직선을 1개만 그어서 찾을 수 있는 크고 작은 직각삼각형이 4개가 되도록 만들어 보시오.

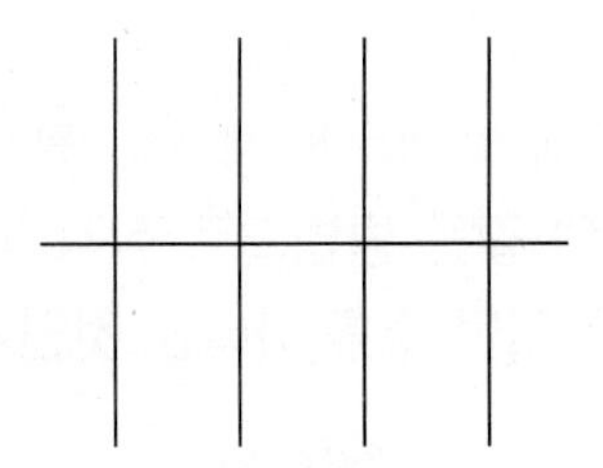

**4** 오른쪽 직사각형 ㄱㄴㄷㄹ에서 색칠한 사각형은 모두 정사각형입니다. 선분 ㅇㅊ의 길이는 몇 cm인지 구해 보시오.

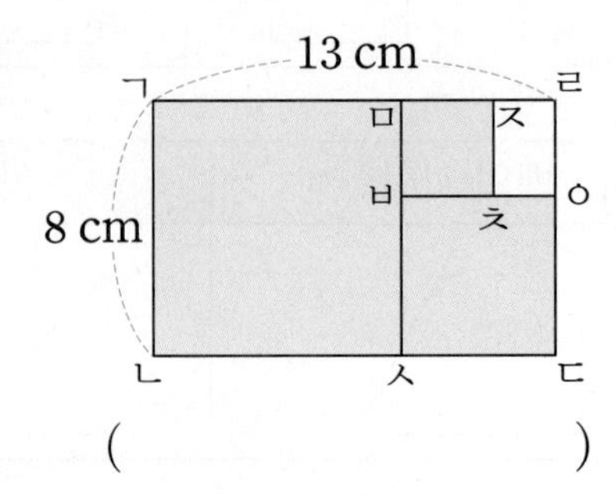


(　　　　　　　　　)

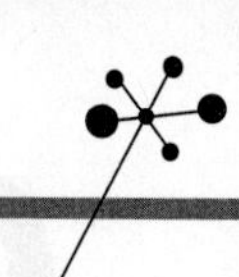



**5** 오른쪽 그림과 같이 일정한 간격으로 점이 9개 있습니다. 이 중에서 점 4개를 꼭짓점으로 하는 직사각형을 만들려고 합니다. 만들 수 있는 서로 다른 모양의 직사각형은 모두 몇 가지인지 구해 보시오.

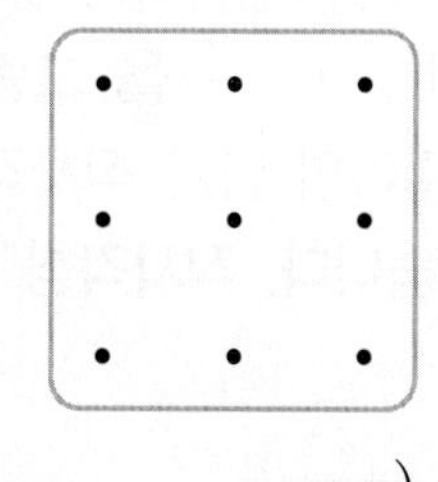

(　　　　　　　　)

비법 Note

**6** 오른쪽과 같은 정사각형 모양의 종이를 잘라 가로가 4 cm, 세로가 2 cm인 직사각형을 여러 개 만들려고 합니다. 직사각형은 몇 개까지 만들 수 있는지 구해 보시오.

(　　　　　　　　)

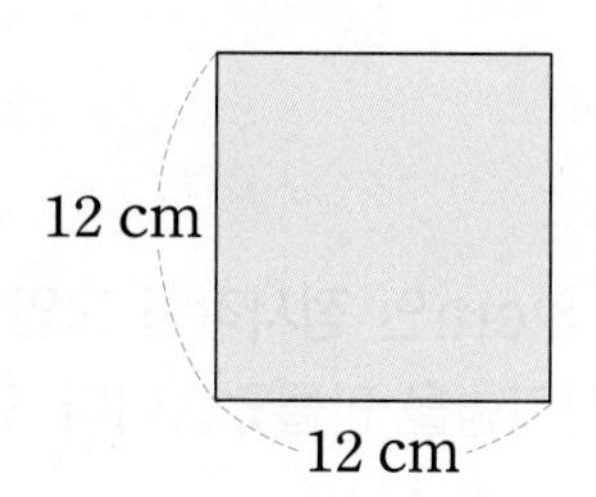


**7** 정사각형 3개를 겹치지 않게 이어 붙여 만든 도형입니다. 도형을 둘러싼 굵은 선의 길이는 몇 cm인지 구해 보시오.

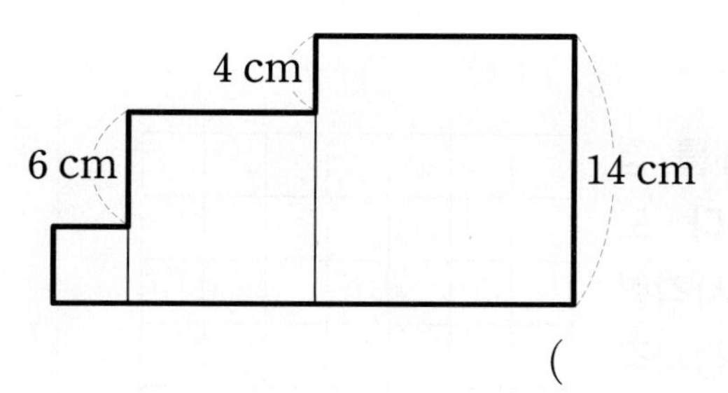


(　　　　　　　　)

비법 Note

**8** 직사각형 모양의 종이 ㄱㄴㄷㄹ을 그림과 같이 접었습니다. 정사각형 ㅁㅂㄷㄹ의 네 변의 길이의 합은 직사각형 ㄱㄴㄷㄹ의 네 변의 길이의 합보다 14 cm 더 짧습니다. 직사각형 ㄱㄴㄷㄹ의 세로는 몇 cm인지 구해 보시오.

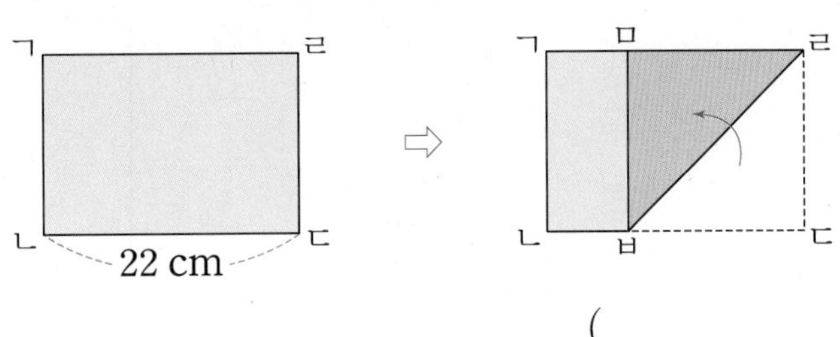


( )

**9** 그림과 같이 한 변이 8 cm인 정사각형 모양의 종이 6장을 2 cm씩 겹치도록 이어 붙여 직사각형을 만들었습니다. 만든 직사각형의 네 변의 길이의 합은 몇 cm인지 구해 보시오.

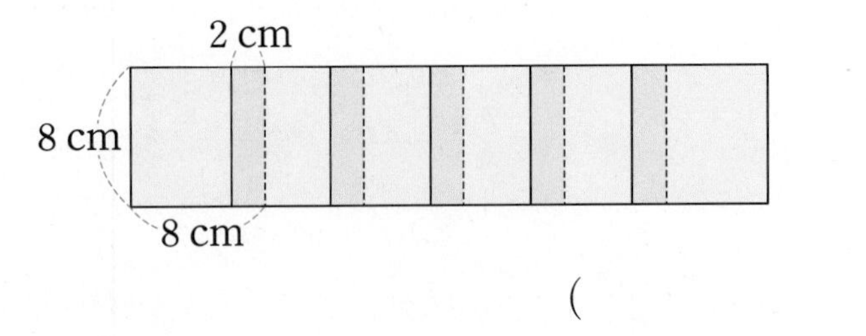


( )

**10** 오른쪽은 크기가 같은 정사각형 35개를 겹치지 않게 이어 붙여 만든 도형입니다. 도형에서 찾을 수 있는 크고 작은 정사각형 중에서 색칠한 정사각형을 포함하는 정사각형은 모두 몇 개인지 구해 보시오.

( )

## 창의융합형 문제

**11** 큰곰자리는 북두칠성이 포함된 북쪽 하늘의 별자리입니다. 북두칠성을 포함하고 있어 북쪽 하늘에서 가장 찾기 쉬운 별자리입니다. 북두칠성의 국자 손잡이를 큰곰의 꼬리로 삼으면 그 앞쪽에 큰곰의 몸통과 머리가 있고 아래쪽으로 큰곰의 다리가 있습니다. 다음은 유정이가 큰곰자리의 별들을 점으로 하여 선분으로 이어 그린 것입니다. 큰곰자리에서 찾을 수 있는 선분은 몇 개인지 구해 보시오.

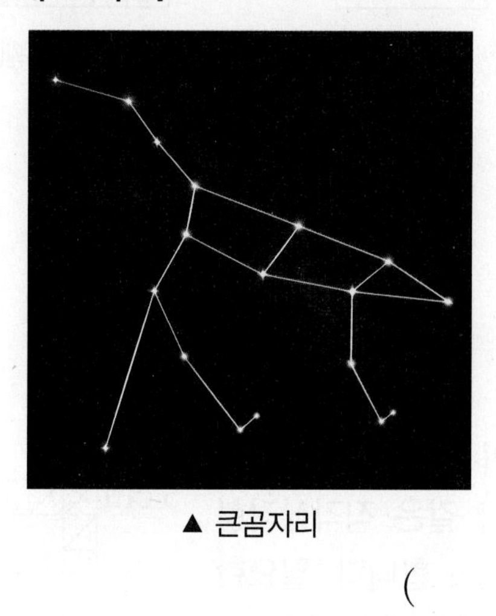

▲ 큰곰자리

( )

**12** 음식점에서 사용하는 초록색 이쑤시개는 친환경 이쑤시개로 녹말을 사용하여 만듭니다. 이쑤시개 13개 중에서 2개만 옮겨 찾을 수 있는 크고 작은 정사각형이 3개가 되도록 모양을 만들어 보시오. (단, 이쑤시개는 겹치거나 부러뜨릴 수 없고, 정사각형의 크기가 모두 같으면 안 됩니다.)

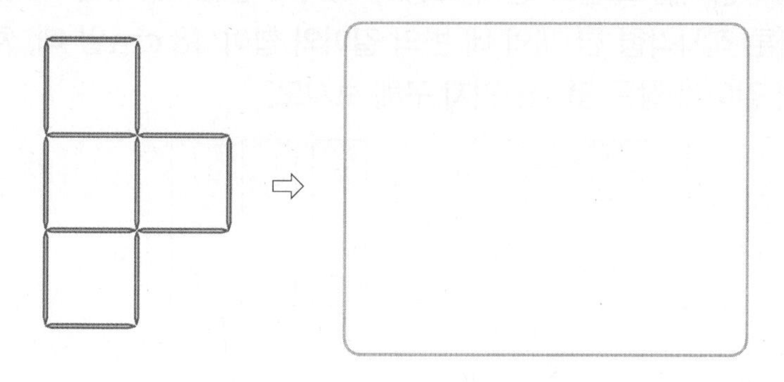

**창의융합 PLUS +**

**큰곰자리**

큰곰자리의 주인공은 칼리스토입니다. 칼리스토는 제우스와의 사랑으로 아르카스를 낳았고, 이것을 알게 된 제우스의 아내 헤라는 칼리스토를 흰곰으로 만들었습니다. 어느 날 숲속에서 칼리스토는 사냥 나온 아르카스와 마주치게 되고, 반가운 나머지 아르카스를 껴안기 위해 달려들었습니다. 아르카스는 흰곰이 자신을 공격하는 것으로 생각하고 활시위를 당겼고, 이 광경을 본 제우스는 흰곰을 하늘에 올려 큰곰자리로 만들었습니다.

**친환경 이쑤시개**

녹말은 식물의 잎에서 만들어진 영양분입니다. 이 녹말을 이용하여 이쑤시개를 만들 수 있습니다. 음식 찌꺼기와 함께 사료로 사용해도 가축에 해가 없고, 강이나 땅을 오염시키지도 않아 '친환경 이쑤시개'라고 불린답니다.

# 복습 최상위권 문제

**1** 다음과 같은 규칙으로 정사각형을 이어 붙여 그렸을 때 여섯 번째 모양에서 찾을 수 있는 크고 작은 직사각형은 모두 몇 개인지 구해 보시오.

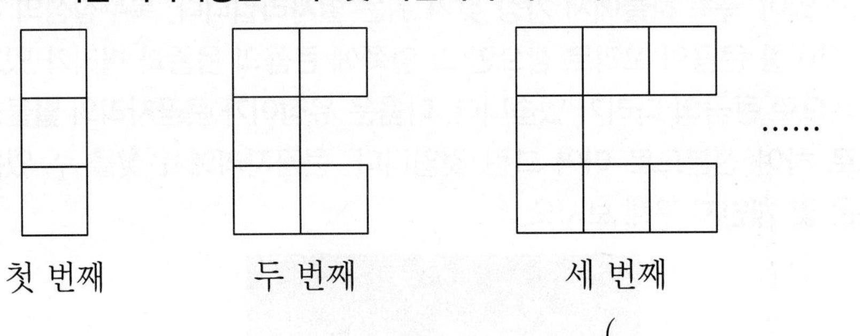


(　　　　　　　　)

**2** 오른쪽 그림과 같이 한 변이 40 cm인 정사각형의 둘레에 모양과 크기가 같은 직각삼각형을 겹치지 않게 이어 붙이려고 합니다. 필요한 직각삼각형은 모두 몇 개인지 구해 보시오.

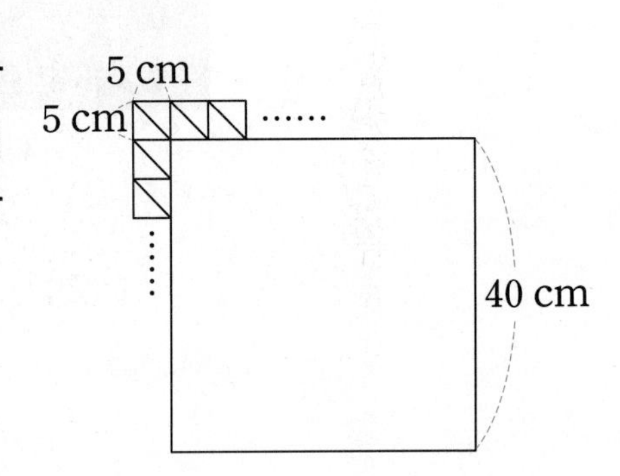


(　　　　　　　　)

**3** 정사각형 모양의 종이를 그림과 같이 모양과 크기가 같은 세 개의 직사각형으로 잘랐습니다. 자른 직사각형 한 개의 네 변의 길이의 합이 48 cm일 때, 처음 정사각형의 네 변의 길이의 합은 몇 cm인지 구해 보시오.

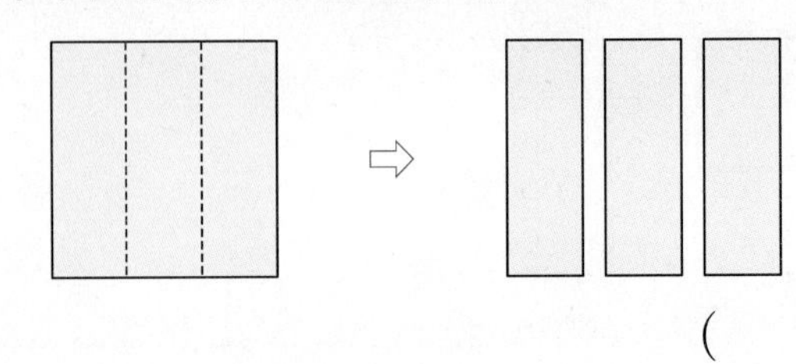

(　　　　　　　　)

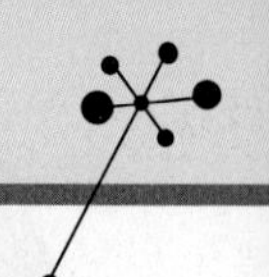

**4** 직사각형 ㄱㄴㄷㄹ을 7개의 정사각형으로 나누었습니다. 변 ㄱㄴ의 길이는 몇 cm인지 구해 보시오.

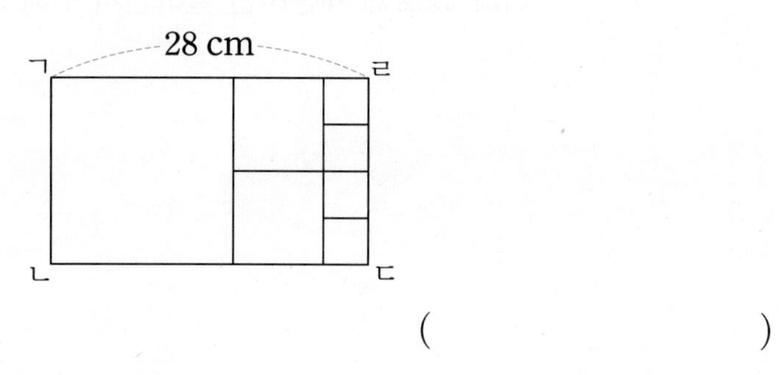


( )

**5** 한 변이 30 cm인 정사각형 2개를 겹치지 않게 이어 붙인 다음, 그 안에 한 변이 11 cm인 정사각형 4개를 겹치지 않게 이어 붙여서 만든 도형입니다. 굵은 선의 길이는 몇 cm인지 구해 보시오.

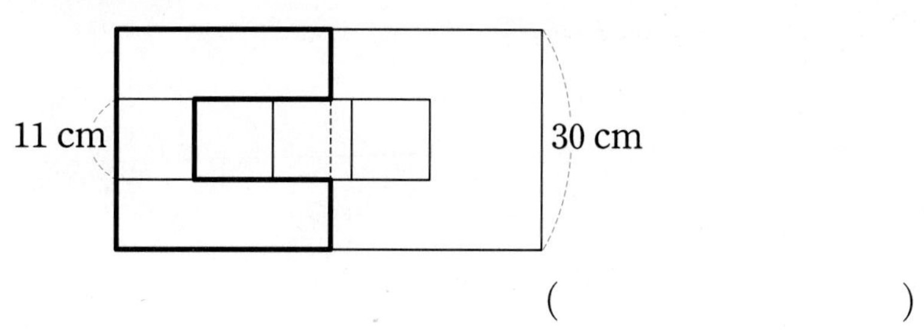


( )

**6** 그림과 같이 일정한 간격으로 점이 12개 있습니다. 이 중에서 3개의 점을 꼭짓점으로 하고 두 변의 길이가 같은 직각삼각형을 만들려고 합니다. 만들 수 있는 크고 작은 직각삼각형은 모두 몇 개인지 구해 보시오.

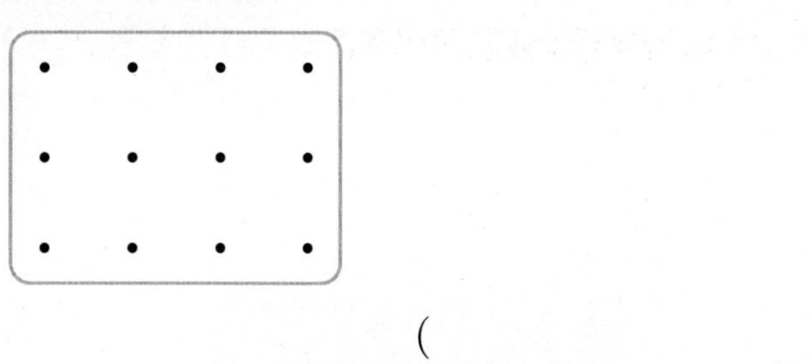

( )

# 상위권 문제

• 바르게 계산한 값 구하기

대표유형 1 어떤 수를 4로 나누어야 할 것을 잘못하여 어떤 수에 4를 곱했더니 32가 되었습니다. 바르게 계산하면 얼마인지 구해 보시오.

( )

• 일정한 간격으로 놓을 때 필요한 물건의 수 구하기

대표유형 2 길이가 45 m인 도로의 양쪽에 처음부터 끝까지 9 m 간격으로 가로등을 세우려고 합니다. 필요한 가로등은 모두 몇 개인지 구해 보시오. (단, 가로등의 두께는 생각하지 않습니다.)

( )

• 규칙을 찾아 ■번째 수 구하기

대표유형 3 수를 일정한 규칙에 따라 늘어놓았습니다. 27번째 수는 무엇인지 구해 보시오.

2 0 1 2 0 1 2 0 1……

( )

• 같은 시간 동안 간 거리 비교하기

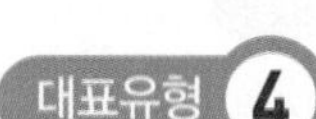

**대표유형 4** **일정한 빠르기로 진구는 1초에 5 m를 달리고, 인성이는 1초에 7 m를 달립니다. 진구와 인성이가 같은 곳에서 동시에 같은 방향으로 출발했다면 진구가 45 m를 달렸을 때 인성이는 진구보다 몇 m 앞서 있는지 구해 보시오.**

(　　　　　　)

• 수 카드로 나눗셈식 만들기

**대표유형 5** **4장의 수 카드 1, 2, 7, 9 중에서 3장을 뽑아 한 번씩만 사용하여 몫이 3이 되는 (두 자리 수)÷(한 자리 수)의 나눗셈식을 만들려고 합니다. 만들 수 있는 나눗셈식을 모두 써 보시오.**

□□÷□=3

(　　　　　　)

• 남거나 모자람을 이용하여 물건값 구하기

**신유형 6** **다음은 중국 고대 수학서인 『구장산술』의 영부족(남거나 모자라는 것) 편에 나온 문제를 응용한 것입니다. 물건값은 얼마인지 구해 보시오.**

여럿이서 함께 물건을 구매하려고 하는데, 각자 9전씩 내면 12전이 남고, 7전씩 내면 딱 맞는다고 합니다. 물건값은 얼마입니까?

(　　　　　　)

복습 Q

# 상위권 문제

확인과 응용

비법 Note

**1** ◆와 ●에 알맞은 수의 차를 구해 보시오.

$$◆ \div 7 = ● \qquad 5 \times ● = 30$$

(　　　　　　　　　)

**2** 지호와 친구 7명이 구슬 64개를 똑같이 나누어 가졌습니다. 지호는 가진 구슬을 주머니에 4개씩 담으려고 합니다. 주머니는 몇 개 필요한지 구해 보시오.

(　　　　　　　　　)

**3** 원숭이 3마리가 하루에 바나나 12개를 먹습니다. 모든 원숭이가 매일 똑같은 수의 바나나를 먹는다면 원숭이 8마리가 바나나 64개를 먹는 데에는 며칠이 걸리는지 구해 보시오.

(　　　　　　　　　)

**4** 성우는 발음하기 어려운 말을 빠르게 말하는 놀이인 잰말 놀이를 하고 있습니다. 성우가 말한 글자가 모두 54자이면 글자 '복'은 모두 몇 번 말했는지 구해 보시오.

초복중복말복초복중복말복
초복중복말복……

(　　　　　　　　　)

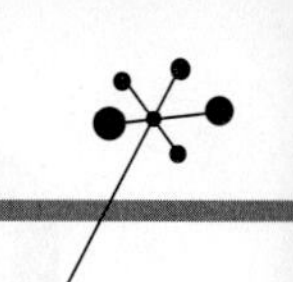



**5** 다음과 같이 크기가 같은 정사각형 3개를 겹치지 않게 이어 붙여 도형을 만들었습니다. 정사각형의 네 변의 길이의 합이 24 cm라면 도형을 둘러싼 굵은 선의 길이는 몇 cm인지 구해 보시오.

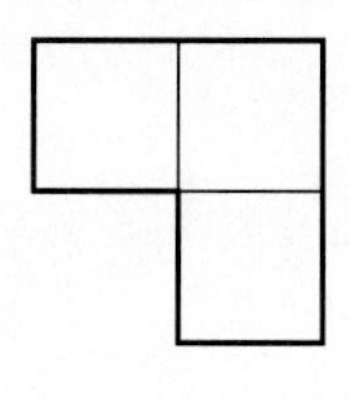

(　　　　　　　　)

비법 Note

**6** ㉮, ㉯ 두 공장에서 밥솥을 만들고 있습니다. ㉮ 공장에서는 1분에 3개씩 만들고, ㉯ 공장에서는 1분에 5개씩 만듭니다. ㉮ 공장이 ㉯ 공장보다 3분 먼저 밥솥을 만들기 시작하여 18개를 만들었을 때, ㉯ 공장에서 만든 밥솥은 몇 개인지 구해 보시오.

(　　　　　　　　)

**7** 6장의 수 카드 0, 1, 2, 3, 4, 5 중에서 3장을 뽑아 한 번씩만 사용하여 몫이 5가 되는 (두 자리 수)÷(한 자리 수)의 나눗셈식을 만들려고 합니다. 만들 수 있는 나눗셈식은 모두 몇 개인지 구해 보시오.

□□÷□=5

(　　　　　　　　)

**8** 나눗셈식에서 몫이 될 수 있는 수들의 합을 구해 보시오. (단, 몫은 한 자리 수입니다.)

2★÷4=▼

( )

비법 Note

**9** 길이가 서로 다른 막대 2개가 있습니다. 긴 막대의 길이는 짧은 막대의 길이보다 18 cm 더 길고, 두 막대의 길이의 합은 30 cm입니다. 긴 막대를 잘라 짧은 막대와 길이가 같은 막대를 몇 개 만들 수 있는지 구해 보시오.

( )

**10** 그림과 같이 가로가 43 m인 직사각형 모양의 벽에 폭이 2 m인 종이를 8장 붙이려고 합니다. 양쪽 벽의 끝과 종이 사이, 종이와 종이 사이의 간격을 모두 일정하게 한다면 그 간격을 몇 m로 해야 하는지 구해 보시오.

43 m

2 m 2 m 2 m 2 m ...... 2 m

( )

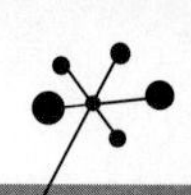



Top Book 54~55쪽의 복습 문제입니다.

## 창의융합형 문제

**11** 개미는 주변에서 쉽게 찾아볼 수 있는 대표적인 곤충의 하나입니다. 곤충의 몸은 머리, 가슴, 배의 세 부분으로 구분되어 있습니다. 머리에는 더듬이와 겹눈이 있고, 가슴에는 6개의 다리가 있습니다. 곤충이라고 착각하지만 곤충이 아닌 대표적인 동물은 거미입니다. 거미는 다리가 8개이고 날개가 없습니다. 개미 7마리와 거미 몇 마리가 있고 다리 수를 세어 보니 모두 82개였습니다. 거미는 몇 마리 있는지 구해 보시오.

▲ 개미

▲ 거미

(　　　　　　　　)

**12** 투호는 일정한 거리에서 화살을 던져 병 속에 많이 넣는 수로 승부를 가르는 놀이입니다. 재혁이네 반 학생 27명이 투호 경기를 하려고 합니다. 3명씩 경기를 하여 1등만 남기고 2, 3등을 탈락시키는 방법으로 마지막 한 명이 남을 때까지 3명씩 묶어 경기를 계속합니다. 경기 시간은 한 경기당 2분이고 쉬는 시간이 없을 때, 첫 경기부터 우승자가 나올 때까지의 경기 시간은 모두 몇 분인지 구해 보시오. (단, 동시에 치르는 경기는 없고, 한 경기를 마친 후에 다음 경기를 시작합니다.)

▲ 투호

(　　　　　　　　)

**창의융합 PLUS +**

**거미류**

거미류는 크게 머리가슴과 배의 두 부분으로 구분됩니다. 다리는 4쌍(8개)으로 이루어져 있고 날개가 없습니다. 거미류는 대부분 배의 아랫면에 거미줄을 만들어 내는 기관이 있습니다. 이 기관에서 진득진득한 실을 뽑아 그물을 만들고 먹이 사냥을 합니다.

**전통 놀이**

전통 놀이는 예로부터 전해져 내려오는 우리 민족 고유의 놀이입니다. 연날리기, 윷놀이, 널뛰기, 비사치기 등 민간에서 전해 내려오는 놀이도 있고, 투호, 바둑, 칠교 등 왕가와 양반에서 행해졌던 놀이들도 있습니다.

# 복습 최상위권 문제

**1** 네 변의 길이의 합이 24 cm인 정사각형을 그림과 같이 모양과 크기가 같은 직사각형 4개와 작은 정사각형 한 개로 나누었습니다. 색칠한 직사각형 한 개의 네 변의 길이의 합은 몇 cm인지 구해 보시오.

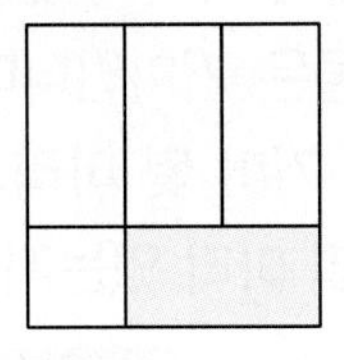

(　　　　　　　)

**2** 다음을 만족하는 ㉠과 ㉡을 각각 구해 보시오.

- ㉠과 ㉡의 합은 30입니다.
- ㉠을 ㉡으로 나누면 몫은 9입니다.

㉠ (　　　　　　　)

㉡ (　　　　　　　)

**3** 삼촌의 올해 나이를 5로 나누면 몫이 ■이고, 삼촌의 내년 나이를 9로 나누면 몫이 ▲입니다. 삼촌의 올해 나이가 30살보다 많고 50살보다 적다면 삼촌의 작년 나이는 몇 살인지 구해 보시오.

(　　　　　　　)

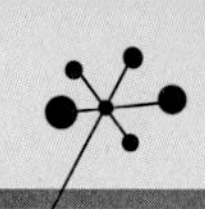

**4** 통나무를 쉬지 않고 7토막으로 자르는 데 30분이 걸립니다. 통나무를 한 번 자르고 나서 4분씩 쉰다면, 통나무를 10토막으로 자르는 데에는 모두 몇 시간 몇 분이 걸리는지 구해 보시오. (단, 통나무를 한 번 자르는 데 걸리는 시간은 일정합니다.)

(　　　　　　　　)

**5** 일정한 빠르기로 3분에 5 m를 가는 지네와 2분에 5 m를 가는 지렁이가 있습니다. 이 지네가 지렁이보다 20 m 앞에서 동시에 같은 방향으로 출발했다면 몇 분 후에 지네와 지렁이가 만나는지 구해 보시오.

(　　　　　　　　)

**6** 7장의 수 카드 [3], [4], [5], [6], [7], [8], [9] 중에서 4장을 뽑아 한 번씩만 사용하여 (두 자리 수)÷(한 자리 수)의 나눗셈식을 만들려고 합니다. 만들 수 있는 나눗셈식은 모두 몇 개인지 구해 보시오.

□□÷□=□

(　　　　　　　　)

# 복습 상위권 문제



• 규칙을 찾아 알맞은 수 구하기

대표유형 1 규칙을 찾아 빈칸에 알맞은 수를 구해 보시오.

| 1 | 3 | 9 | 27 | |
|---|---|---|---|---|

( )

• 전체의 수 구하기

대표유형 2 구슬이 빨간색 주머니에는 42개씩 들어 있고, 파란색 주머니에는 21개씩 들어 있습니다. 빨간색 주머니 3개와 파란색 주머니 4개에 들어 있는 구슬은 모두 몇 개인지 구해 보시오.

( )

• 도로의 길이 구하기

대표유형 3 도로의 한쪽에 처음부터 끝까지 15그루의 가로수가 6 m 간격으로 심어져 있습니다. 이 도로의 길이는 몇 m인지 구해 보시오. (단, 가로수의 두께는 생각하지 않습니다.)

( )

• □ 안에 들어갈 수 있는 수 구하기

대표유형 4 1부터 9까지의 수 중에서 □ 안에 들어갈 수 있는 수를 모두 구해 보시오.

$60 \times \square > 90 \times 5$

( )

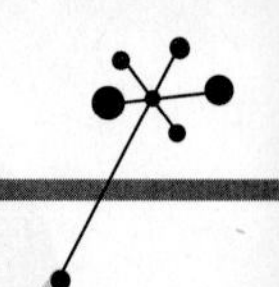



• 곱셈식 완성하기

대표유형 5 **곱셈식에서 ㉠과 ㉡에 알맞은 수를 각각 구해 보시오.**

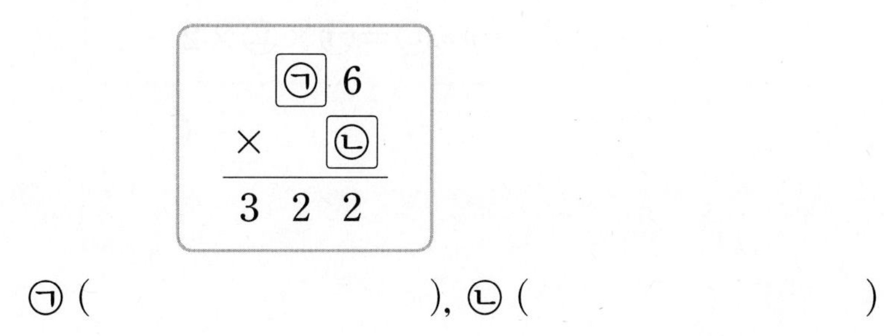


㉠ (　　　　　　), ㉡ (　　　　　　)

• 이어 붙인 색 테이프의 전체 길이 구하기

대표유형 6 **길이가 31 cm인 색 테이프 7장을 그림과 같이 5 cm씩 겹쳐서 이어 붙였습니다. 이어 붙인 색 테이프의 전체 길이는 몇 cm인지 구해 보시오.**

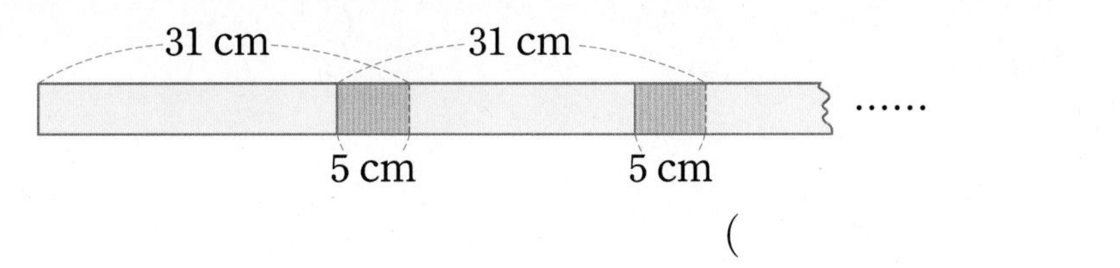


(　　　　　　)

• 곱이 가장 크거나 가장 작은 곱셈식 만들기

대표유형 7 **4장의 수 카드 중에서 3장을 뽑아 한 번씩만 사용하여 (몇십몇)×(몇)의 곱셈식을 만들려고 합니다. 가장 큰 곱을 구해 보시오.**

4 5 6 7

(　　　　　　)

• 조건을 만족하는 수 구하기

신유형 8 **재우는 통장 비밀번호를 다음과 같은 조건으로 설정해 놓았습니다. 재우의 통장 비밀번호는 무엇인지 구해 보시오.**

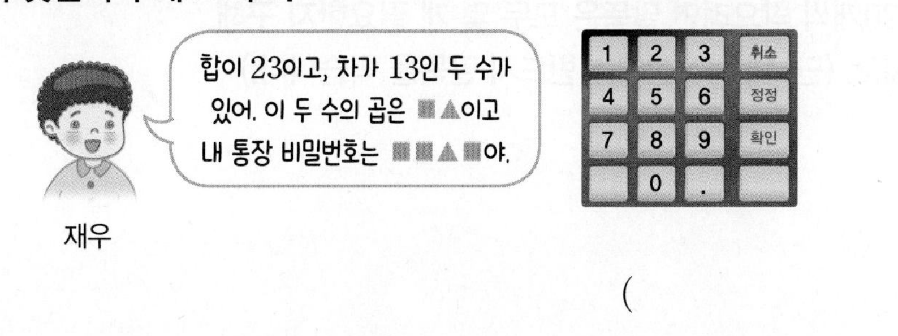


(　　　　　　)

복습 

# 상위권 문제

확인과 응용

비법 Note

**1** 기호 ⊙에 대하여 다음과 같이 약속할 때 32⊙3을 구해 보시오.

㉠⊙㉡=㉠×㉡×2

(　　　　　　　　)

**2** 재혁이는 금요일마다 팔굽혀펴기를 32번씩 합니다. 9월 20일 금요일부터 11월 3일까지 재혁이는 팔굽혀펴기를 모두 몇 번 하게 되는지 구해 보시오.

(　　　　　　　　)

**3** 현경이는 훌라후프를 첫째 날에는 18번을 하고, 둘째 날에는 첫째 날의 2배, 셋째 날에는 둘째 날의 2배를 하기로 했습니다. 현경이가 같은 방법으로 훌라후프를 한다면 넷째 날에는 모두 몇 번 해야 하는지 구해 보시오.

(　　　　　　　　)

**4** 정사각형 모양의 목장 네 변에 오른쪽 그림과 같이 일정한 간격으로 말뚝을 박으려고 합니다. 한 변에 말뚝을 20개씩 박으려면 말뚝은 모두 몇 개 필요한지 구해 보시오. (단, 네 꼭짓점에는 반드시 말뚝을 박습니다.)

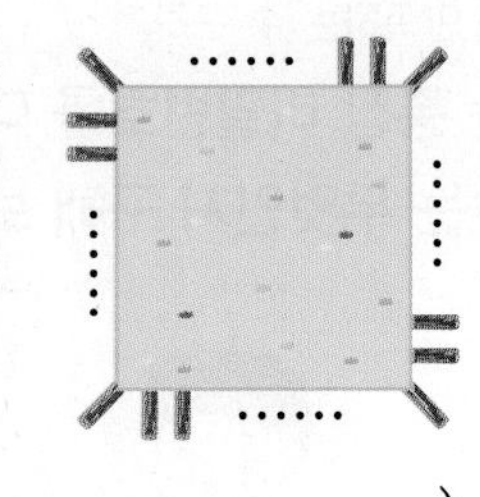

(　　　　　　　　)

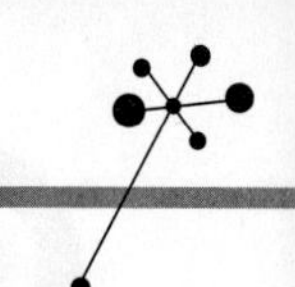

비법 Note

**5** 과일 가게에 사과, 바나나, 감이 있습니다. 사과 수는 바나나 수의 4배이고, 감 수는 바나나 수의 3배입니다. 사과와 감 수의 합이 210개라면 바나나는 몇 개인지 구해 보시오.

( )

**6** 1부터 9까지의 수 중에서 □ 안에 들어갈 수 있는 수는 모두 몇 개인지 구해 보시오.

$33\times6<\square2\times5<66\times6$

( )

**7** 57과 어떤 수를 곱하여 500에 가장 가까운 수 ㉠을 만들었습니다. 500과 ㉠ 사이에 있는 세 자리 수는 모두 몇 개인지 구해 보시오.

( )

비법 Note

**8** 어떤 두 자리 수의 십의 자리 수와 일의 자리 수를 바꾸어 8을 곱했더니 184가 되었습니다. 처음 두 자리 수에 8을 곱하면 얼마인지 구해 보시오.

(　　　　　　　　)

**9** 주아네 아파트 단지에는 15층짜리 건물이 8동 있습니다. 이 건물 중 절반은 한 층에 4가구씩 살고 있고, 나머지는 한 층에 5가구씩 살고 있습니다. 한 가구에 비상 손전등이 2개씩 설치되어 있다고 할 때 주아네 아파트 단지에 설치되어 있는 비상 손전등은 모두 몇 개인지 구해 보시오.

(　　　　　　　　)

**10** 톱니 수가 54개인 톱니바퀴 ㉮와 톱니 수가 42개인 톱니바퀴 ㉯가 맞물려 돌아가고 있습니다. 톱니바퀴 ㉮가 7바퀴 도는 동안 톱니바퀴 ㉯는 몇 바퀴 도는지 구해 보시오.

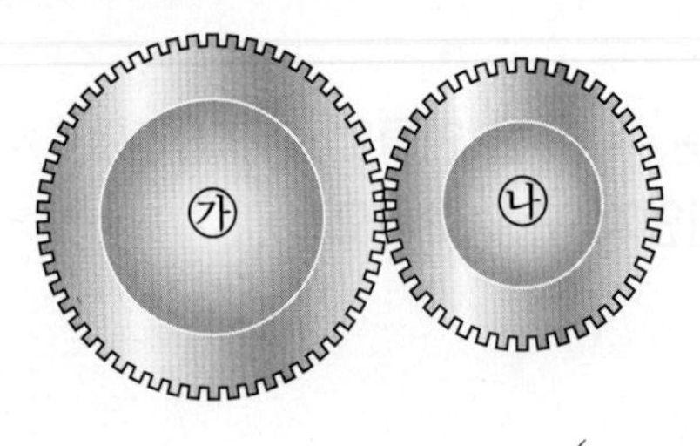


(　　　　　　　　)

## 창의융합형 문제

**11** 다음은 민영이가 읽은 학급 신문 기사의 일부분입니다. 기사를 읽고 지워진 부분에 알맞은 수를 구해 보시오.

학 급 신 문

www.visang.com 2○○○년 ○월 ○일 금요일

**매년 봉사 활동에 참여하는 비상초등학교**

비상초등학교 학생들은 7년째 봉사 활동에 참여하고 있다. 김장 봉사는 한 반에 18명씩 3개 반이 참여했고, 연탄 나르기는 한 반에 10명씩 3개 반이 참여했다. 완성된 김장과 연탄은 동네에 거주하는 홀몸노인과 소년소녀가정에게 전달됐다. 또한 한 반에 16명씩 2개의 반은 복지 시설에서 아이들을 돌보고 청소를 했다. 이날 봉사 활동에 참여한 ■명의 학생들은 "어려운 이웃을 도울 수 이웃을 도울 수 있어서 보람찼다."라고 소감을 전했다.

( )

**12** 실험실에서 유글레나 한 마리를 배양하여 관찰하였습니다. 이 유글레나는 배양 횟수에 따라 그 수가 다음과 같이 늘어나는 것을 발견하였습니다. 이 유글레나와 똑같은 유글레나 4마리를 5번 배양했을 때, 유글레나는 모두 몇 마리가 되는지 구해 보시오.

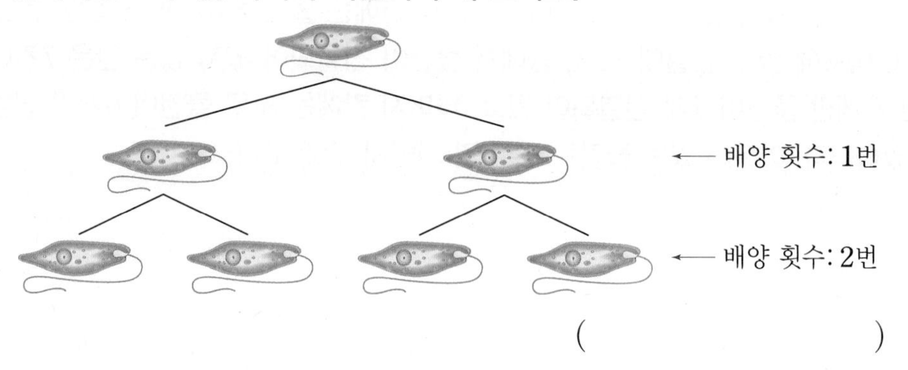


( )

창의융합 PLUS

**김장**

김장은 겨울철 3~4개월간을 위한 채소 저장의 방법으로 우리나라에서 늦가을에 행하는 독특한 행사입니다. 이때 담근 김치를 보통 김장김치라고 합니다. 김장김치는 배추와 무를 주재료로 하고, 미나리, 갓, 마늘, 파, 생강을 부재료로 하여 소금, 젓갈, 고춧가루 등으로 간을 맞추어 겨울내내 보관해 두고 먹습니다.

**유글레나**

연두벌레라고도 하는 유글레나는 식물과 동물의 중간이라고 할 수 있습니다. 맑은 물보다는 흐린 물에서 사는 것으로 알려져 있습니다. 봄에서 여름에 걸쳐 급격하게 증식함으로써 물빛을 바꾸어 놓기도 합니다.

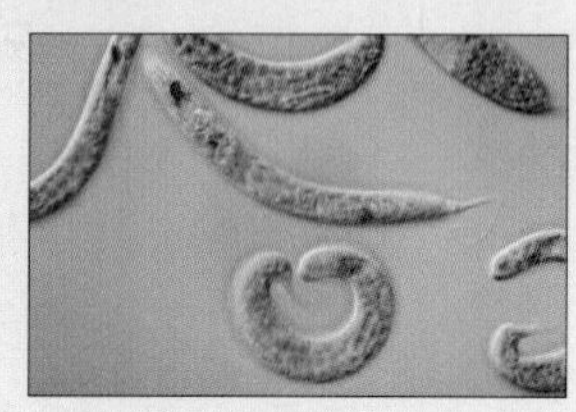

복습

# 최상위권 문제

**1** 곱셈식에서 ▲가 나타내는 수는 모두 같은 수입니다. ▲가 나타내는 수는 얼마인지 구해 보시오.

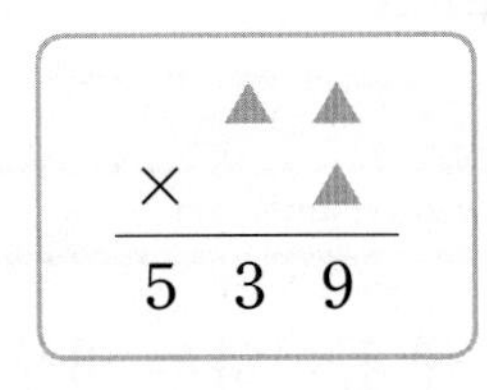

(　　　　　　　　)

**2** 세 수 ㉠, ㉡, ㉢이 있습니다. ㉠은 ㉡의 9배이고, ㉡은 ㉢의 5배입니다. ㉢의 6배가 48일 때, ㉠ − ㉡ − ㉢을 구해 보시오.

(　　　　　　　　)

**3** 마트에 있는 진열대 한 개에는 8칸이 있고, 각 칸에는 물건을 6개씩 진열할 수 있습니다. 마트에 있는 진열대 11개 중에서 물건이 진열되어 있지 않은 칸은 7칸이고, 한 칸에만 물건이 4개 진열되어 있고, 나머지 칸에는 모두 물건이 6개씩 진열되어 있습니다. 마트에 있는 물건은 모두 몇 개인지 구해 보시오.

(　　　　　　　　)

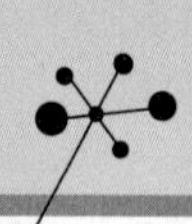

**4** 다음과 같은 과녁판이 있습니다. 화살을 5번 쏘아 과녁에 모두 맞혔을 때, 얻은 점수의 합이 100점을 넘는 경우는 모두 몇 가지인지 구해 보시오. (단, 경계선에 맞히는 경우는 생각하지 않고, 화살의 순서는 관계 없습니다.)

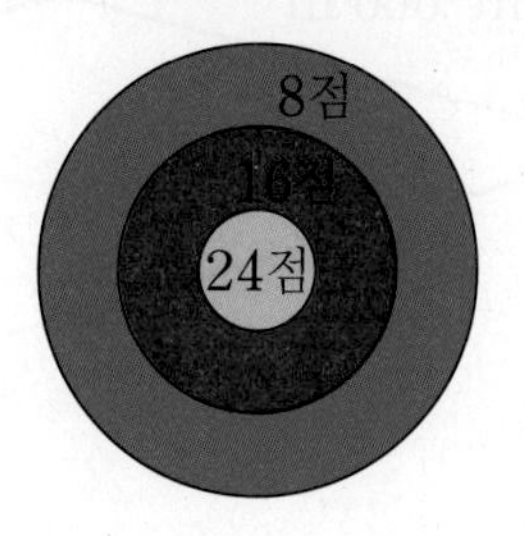


( )

**5** 꽃 박람회장 정문부터 길이가 56 m인 도로의 양쪽에 처음부터 끝까지 7 m 간격으로 화분을 설치하려고 합니다. 화분 1개를 설치하는 데 8분이 걸리고, 설치한 후 4분을 쉰다면 이 도로에 화분을 모두 설치하는 데 걸리는 시간은 몇 시간 몇 분인지 구해 보시오. (단, 화분의 두께는 생각하지 않습니다.)

( )

**6** 1부터 9까지의 수 중에서 서로 다른 수가 적힌 3장의 수 카드 [4], [7], [★]이 있습니다. 이 수 카드를 한 번씩만 사용하여 만들 수 있는 가장 작은 두 자리 수와 나머지 수의 곱을 구하였더니 238이었습니다. ★에 알맞은 수를 구해 보시오.

( )

# 복습 상위권 문제



• 경로의 거리 비교하기

대표유형 1 집에서 도서관까지 가는 경로는 2가지입니다. 경로 1과 경로 2 중 어느 경로가 더 긴지 구해 보시오.

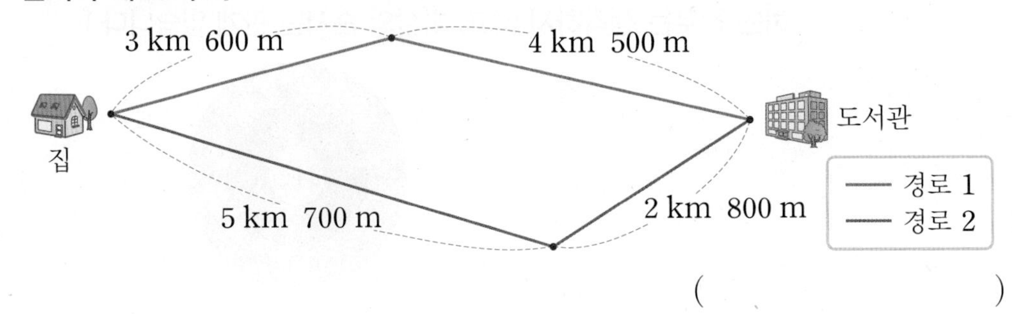


(　　　　　　　　　　)

• 시계를 보고 시각 구하기

대표유형 2 오른쪽 시계는 민준이가 축구 연습을 시작한 시각을 나타낸 것입니다. 민준이가 축구 연습을 98분 5초 동안 했다면 축구 연습을 끝낸 시각은 몇 시 몇 분 몇 초인지 구해 보시오.

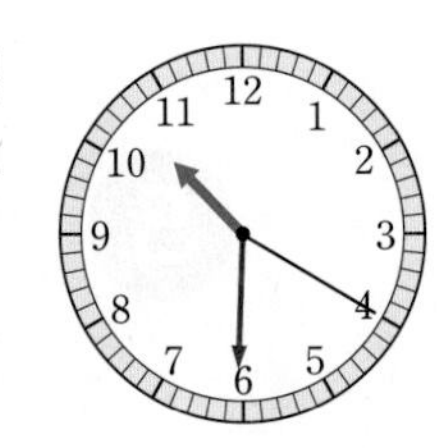

(　　　　　　　　　　)

• 적어도 가야 하는 거리 구하기

대표유형 3 지혜가 집에서 고궁까지 길을 따라가려고 합니다. 적어도 몇 km 몇 m를 가야 고궁에 도착할 수 있는지 구해 보시오.

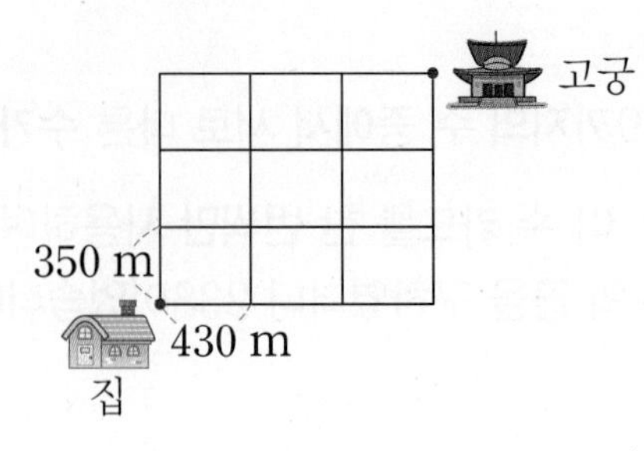


(　　　　　　　　　　)

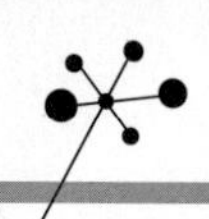





• 고장난 시계가 가리키는 시각 구하기

대표유형 4

하루에 15초씩 빨라지는 시계가 있습니다. 이 시계를 오늘 오후 3시에 정확히 맞추어 놓았습니다. 9일 후 오후 3시에 이 시계가 가리키는 시각은 오후 몇 시 몇 분 몇 초인지 구해 보시오.

( )

• 낮과 밤의 길이 구하기

대표유형 5

어느 날 해가 뜬 시각은 오전 6시 50분이고, 해가 진 시각은 오후 6시 23분이었습니다. 이날 밤의 길이는 몇 시간 몇 분인지 구해 보시오.

( )

• 애벌레의 길이의 차 구하기

신유형 6

호랑나비 애벌레는 자라는 동안 허물을 4번 벗습니다. 다음은 승우가 키우는 호랑나비 애벌레가 자라는 과정을 나타낸 것입니다. 허물을 3번 벗은 애벌레가 허물을 2번 벗은 애벌레보다 11 mm 더 길다면 허물을 4번 벗은 애벌레는 허물을 3번 벗은 애벌레보다 몇 cm 몇 mm 더 긴지 구해 보시오.

허물을 2번 벗은 애벌레의 길이:
1 cm 3 mm

⇨

허물을 3번 벗은 애벌레

⇨

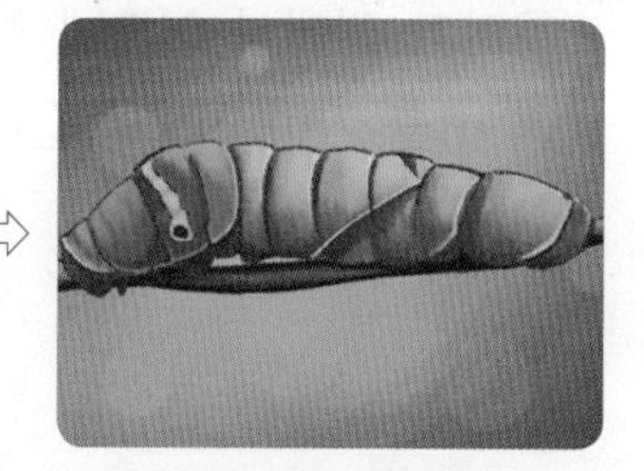

허물을 4번 벗은 애벌레의 길이:
4 cm 5 mm

( )

복습 상위권 문제 확인과 응용

비법 Note

**1** 민진이와 민서가 걷기 운동을 했습니다. 민진이는 4 km보다 300 m 더 긴 거리를 걸었고 민서는 둘레가 900 m인 호수를 5바퀴 걸었습니다. 더 긴 거리를 걸은 사람은 누구인지 구해 보시오.

( )

**2** 길이가 다음과 같은 두 막대가 있습니다. 긴 막대가 짧은 막대보다 3 cm 6 mm 더 길 때, 두 막대의 길이의 합은 몇 cm 몇 mm인지 구해 보시오.

121 mm

( )

**3** 기범이는 7시 28분 58초에 숙제를 시작하여 초바늘이 시계를 30바퀴 돌았을 때 숙제를 끝냈습니다. 기범이가 숙제를 끝낸 시각은 몇 시 몇 분 몇 초인지 구해 보시오.

( )

**4** 윤미가 집에서 이모네 집까지 길을 따라가려고 합니다. 적어도 몇 km 몇 m를 가야 이모네 집에 도착할 수 있는지 구해 보시오.

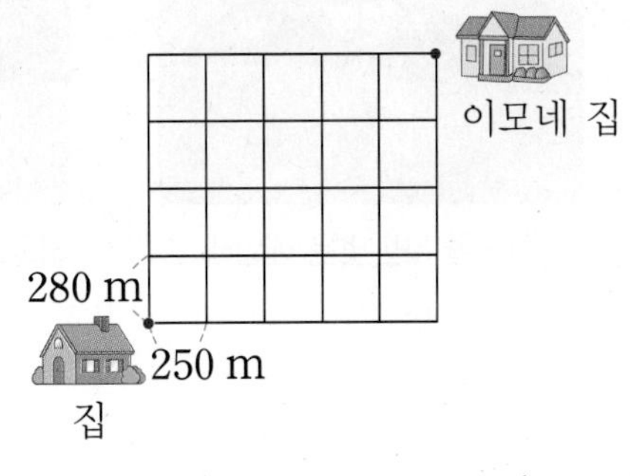


( )

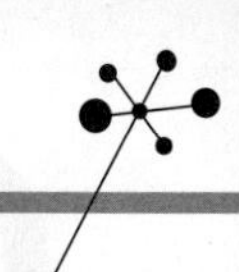



**5** 지성이는 총 3코스로 되어 있는 둘레길을 쉬지 않고 모두 걷는 데 다음과 같은 시간이 걸렸습니다. 지성이의 기록을 보고 2코스를 걷는 데 걸린 시간은 몇 시간 몇 분 몇 초인지 구해 보시오.

비법 Note

총 걸린 시간

| 출발 시각 | 오전 9시 |
|---|---|
| 1코스를 걷는 데 걸린 시간 | 1시간 10분 36초 |
| 2코스를 걷는 데 걸린 시간 | |
| 3코스를 걷는 데 걸린 시간 | 48분 50초 |
| 도착 시각 | 오후 12시 47분 28초 |

( )

**6** 동물원 입구에서 호랑이가 있는 곳까지 가는 경로는 2가지입니다. 경로 1과 경로 2 중 어느 경로가 몇 km 몇 m 더 짧은지 구해 보시오.

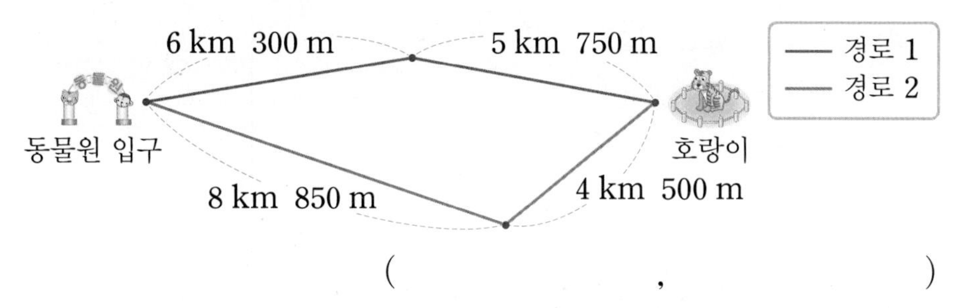


( , )

**7** 어느 지하철은 한 역을 가는 데 일정하게 3분 30초가 걸리고, 역마다 30초씩 정차합니다. 이 지하철이 첫 번째 역을 출발하여 다섯 번째 역에 도착하는 데 걸리는 시간은 몇 분 몇 초인지 구해 보시오.

( )

비법 Note

**8** 어떤 양초에 불을 붙이고 36분이 지난 후에 길이를 재어 보니 15 cm 3 mm였습니다. 이 양초가 6분에 8 mm씩 타들어 간다면 처음 양초의 길이는 몇 cm 몇 mm인지 구해 보시오.

( )

**9** 예서네 집에서 시장까지 가는 데 29분 47초가 걸리고, 시장에서 기차역까지 가는 데 58분 15초가 걸립니다. 예서가 집에서 출발하여 시장을 지나 기차역에 오후 2시 30분까지 도착하려면 집에서 늦어도 오후 몇 시 몇 분 몇 초에 출발해야 하는지 구해 보시오.

( )

**10** 민솔이의 시계는 한 시간에 35초씩 늦어지고, 효철이의 시계는 한 시간에 20초씩 빨라진다고 합니다. 민솔이와 효철이가 오늘 오전 10시에 시계를 정확히 맞추어 놓았다면 같은 날 오후 6시에 두 사람의 시계가 가리키는 시각의 차는 몇 분 몇 초인지 구해 보시오.

( )

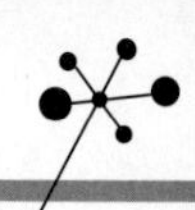

## 창의융합형 문제

**11** 세계의 시간은 19세기부터 영국 그리니치 천문대를 기준으로 한 그리니치 표준시를 사용하고 있습니다. 은수가 영국 맨체스터에서 하는 축구 경기를 보기 위해 인터넷으로 서울과 맨체스터의 시각을 검색했더니 다음과 같았습니다. 축구 경기가 맨체스터 시각으로 11월 22일 오후 4시에 시작한다면 서울 시각으로는 몇 월 며칠 오전 몇 시에 시작하는 것인지 구해 보시오.

( )

**12** 우리가 알고 있는 느린 동물은 달팽이, 거북, 나무늘보 등이 있습니다. 이 중 세상에서 가장 느린 동물은 달팽이입니다. 어느 달팽이가 10 mm를 5초에 가는 빠르기로 15 cm를 간다면 몇 분 몇 초가 걸리는지 구해 보시오.

▲ 달팽이

( )

**창의융합 PLUS +**

**○ 그리니치 천문대**

1675년 태양, 달, 행성의 연구를 목적으로 영국 런던의 그리니치에 설립된 천문대입니다.

**○ 달팽이**

달팽이의 발은 편평하고 몸 표면에서 액체를 분비하면서 이동합니다. 등에는 고둥 모양의 껍데기가 있어 온몸을 껍데기 속에 집어넣을 수 있습니다.

복습

# 최상위권 문제

**1** 길이의 차가 46 mm인 끈 2개를 겹치지 않게 이어 붙였더니 14 cm가 되었습니다. 긴 끈의 길이는 몇 cm 몇 mm인지 구해 보시오.

(　　　　　　　　　　)

**2** 지민이가 어제와 오늘 책 읽기를 시작한 시각과 끝낸 시각을 나타낸 것입니다. 어제와 오늘 책을 읽은 시간이 모두 3시간 11분 10초일 때, 오늘 책 읽기를 끝낸 시각은 몇 시 몇 분 몇 초인지 구해 보시오.

| | 시작한 시각 | 끝낸 시각 |
|---|---|---|
| 어제 | 1시 25분 30초 | 3시 10분 50초 |
| 오늘 | 2시 15분 45초 | |

(　　　　　　　　　　)

**3** ㉮ 도로의 한쪽에 350 m 간격으로 가로등을 5개 세웠고, ㉯ 도로의 한쪽에 230 m 간격으로 가로등을 7개 세웠습니다. ㉮와 ㉯ 도로 모두 처음과 끝에 가로등을 세웠다면 ㉮와 ㉯ 도로의 길이의 합은 몇 km 몇 m인지 구해 보시오. (단, 가로등의 두께는 생각하지 않습니다.)

(　　　　　　　　　　)

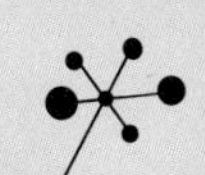

**4** 어느 고속버스 터미널에서 부산으로 가는 첫 번째 버스가 오전 8시에 출발했습니다. 버스가 일정한 간격으로 출발하여 오후 2시에 13번째 버스가 출발했다면 버스는 몇 분 간격으로 출발한 것인지 구해 보시오.

(　　　　　　　　)

**5** 태섭이는 어느 날 오전 11시에 손목시계를 정확히 맞추었습니다. 2일이 지난 후 오전 11시에 손목시계를 보니 오전 10시 52분이었습니다. 태섭이의 손목시계는 한 시간에 몇 초씩 늦어진 셈인지 구해 보시오.

(　　　　　　　　)

**6** 효민이는 오전 10시 50분에 집에서 출발하여 도서관에 갔습니다. 1시간 40분 동안 책을 읽고 집에 돌아왔더니 오후 1시 28분이었습니다. 집으로 올 때 걸린 시간이 도서관에 갈 때 걸린 시간보다 8분 더 길었다면 집에서 도서관에 갈 때 걸린 시간은 몇 분인지 구해 보시오.

(　　　　　　　　)

# 복습 상위권 문제



• 똑같이 나누어 주어진 분수만큼 색칠하기

대표유형 1 똑같이 나누어 주어진 분수만큼 색칠해 보시오.

$\frac{4}{6}$

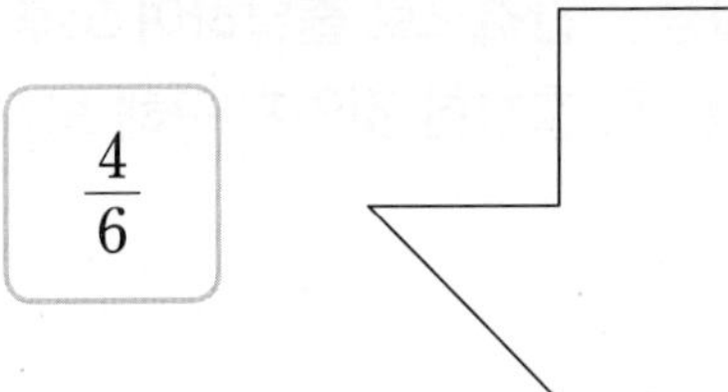

• 남은 부분을 분수로 나타내기

대표유형 2 시루떡 한 개를 똑같이 12조각으로 나누어 보성이는 그중 2조각을 먹었고, 설아는 보성이가 먹고 남은 시루떡의 $\frac{5}{10}$를 먹었습니다. 보성이와 설아가 먹고 남은 시루떡은 시루떡 한 개의 얼마인지 분수로 나타내어 보시오.

(　　　　　　　　)

• 분수와 소수의 크기 비교

대표유형 3 현주네 모둠 학생들이 식빵 한 봉지를 나누어 먹었습니다. 현주가 전체의 $\frac{3}{10}$만큼, 경환이가 전체의 0.2만큼, 해영이가 전체의 $\frac{1}{10}$만큼, 도경이가 전체의 0.4만큼 먹었다면 식빵을 가장 많이 먹은 사람은 누구인지 구해 보시오.

(　　　　　　　　)

• □ 안에 공통으로 들어갈 수 있는 수 구하기

대표유형 4 1부터 9까지의 수 중에서 □ 안에 공통으로 들어갈 수 있는 수를 모두 구해 보시오.

㉠ $\frac{\square}{13} > \frac{6}{13}$　　㉡ $\frac{9}{11} > \frac{\square}{11}$

(　　　　　　　　)

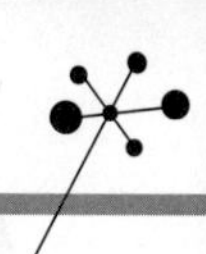



• 조건에 알맞은 수 구하기

대표유형 5 **조건에 알맞은 소수를 모두 구해 보시오.**

• 0.■ 형태의 소수입니다.
• $\frac{8}{10}$보다 작은 수입니다.
• 0.1이 5개인 수보다 큰 수입니다.

( )

• 수 카드로 소수 만들기

대표유형 6 **4장의 수 카드 중에서 2장을 뽑아 한 번씩만 사용하여 ■.▲ 형태의 소수를 만들려고 합니다. 만들 수 있는 소수 중에서 두 번째로 큰 수와 두 번째로 작은 수를 각각 구해 보시오.**

6 7 2 4

두 번째로 큰 수 ( )

두 번째로 작은 수 ( )

• 여러 분수의 크기 비교

대표유형 7 **분수의 크기를 비교하여 큰 수부터 차례대로 써 보시오.**

$\frac{1}{11}$ $\frac{5}{9}$ $\frac{1}{12}$ $\frac{1}{9}$

( )

• 부분은 전체의 얼마인지 분수로 나타내기

신유형 8 **오른쪽 칠교판에서 ㉠과 ㉡ 조각은 각각 칠교판 전체의 얼마인지 단위분수로 나타내어 보시오.**

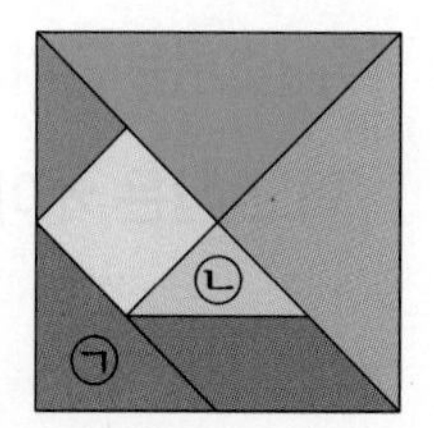


㉠ 조각 ( )

㉡ 조각 ( )

복습 상위권 문제 확인과 응용

비법 Note

**1** 네 변의 길이가 다음과 같은 사각형이 있습니다. 가장 짧은 변의 길이는 몇 cm인지 소수로 나타내어 보시오.

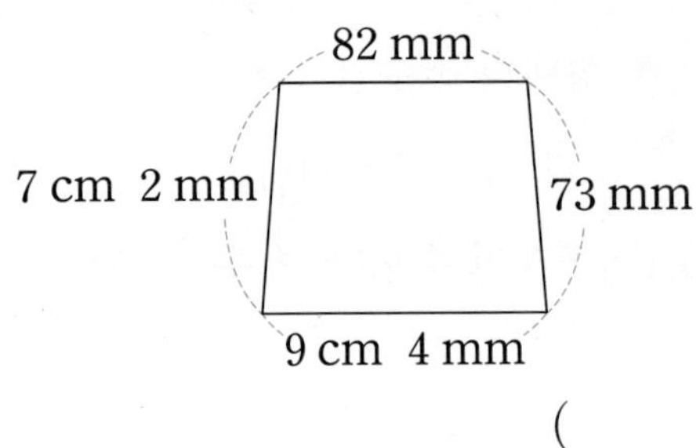


(　　　　　　　　)

**2** 그림을 보고 직사각형에 색칠한 부분을 분수와 소수로 나타내어 보시오.

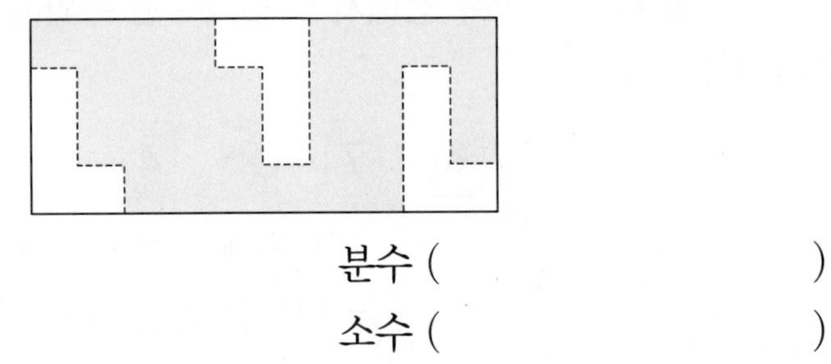

분수 (　　　　　　　　)

소수 (　　　　　　　　)

**3** 승민이는 장미를 만들기 위해 가지고 있던 색 테이프의 $\frac{6}{18}$을 사용했습니다. 남은 색 테이프는 사용한 색 테이프의 몇 배인지 구해 보시오.

(　　　　　　　　)

**4** 케이크 한 개를 똑같이 12조각으로 나누어 민기는 그중 5조각을 먹었고, 주성이는 민기가 먹고 남은 케이크의 $\frac{6}{7}$을 먹었습니다. 민기와 주성이가 먹고 남은 케이크는 케이크 한 개의 얼마인지 분수로 나타내어 보시오.

(　　　　　　　　)

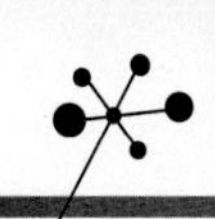



비법 Note

**5** $\frac{6}{10}$보다 크고 1.4보다 작은 수를 모두 찾아 써 보시오.

$\frac{5}{10}$  1  1.5  $\frac{7}{10}$  1.2  2.4

(   )

**6** 1부터 9까지의 수 중에서 □ 안에 공통으로 들어갈 수 있는 수를 구해 보시오.

㉠ $\frac{1}{6} > \frac{1}{\square} > \frac{1}{9}$  ㉡ $5.2 < \square.6 < 8.1$

(   )

**7** 4장의 수 카드 중에서 2장을 뽑아 한 번씩만 사용하여 ■.▲ 형태의 소수를 만들려고 합니다. $\frac{8}{10}$보다 크고 7보다 작은 소수는 모두 몇 개 만들 수 있는지 구해 보시오. (단, ▲에는 0이 올 수 없습니다.)

7  5  0  6

(   )

복습 **상위권 문제** 확인과 응용

비법 Note

**8** 3장의 수 카드를 한 번씩 모두 사용하여 분자가 4인 분수를 만들려고 합니다. 만들 수 있는 가장 작은 분수를 구해 보시오.

4 9 7

(                    )

**9** 다음과 같은 규칙으로 소수를 늘어놓았습니다. 24번째 소수는 얼마인지 구해 보시오.

1.2 3.4 5.6 7.8 9.2 11.4 13.6 15.8……

(                    )

**10** 민숙이는 자전거를 타고 운동장을 한 바퀴 돌려고 합니다. 일정한 빠르기로 운동장의 $\frac{5}{12}$만큼 도는 데 40초가 걸렸습니다. 같은 빠르기로 남은 거리를 도는 데에는 몇 초가 걸리는지 구해 보시오.

(                    )

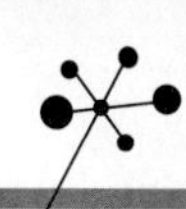

## 창의융합형 문제

**11** 조형물이란 철사, 찰흙, 석고 등 여러 가지 재료를 이용하여 구체적인 형태로 만든 물체를 말합니다. 어느 작가가 철사를 이용하여 다음과 같은 물고기 모양의 조형물을 만들었습니다. 몸통을 만드는 데에는 가지고 있는 철사의 $\frac{1}{3}$만큼, 머리를 만드는 데에는 가지고 있는 철사의 $\frac{1}{6}$만큼, 지느러미를 만드는 데에는 가지고 있는 철사의 $\frac{1}{12}$만큼 사용했습니다. 지느러미를 만드는 데 사용한 철사의 길이는 몸통을 만드는 데 사용한 철사의 길이의 얼마인지 분수로 나타내어 보시오.

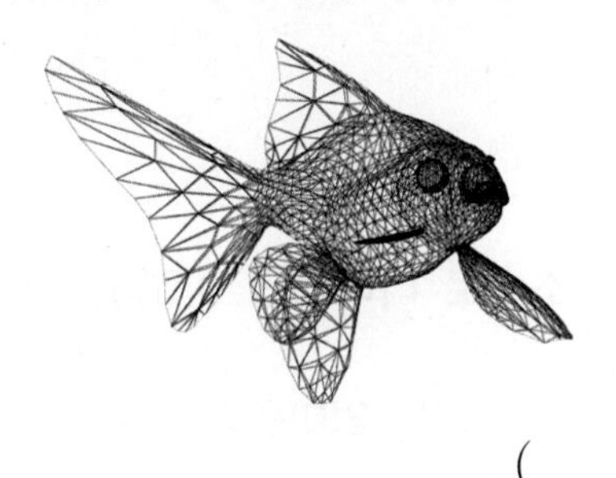

( )

**12** 담쟁이덩굴은 상록성 덩굴 식물로 줄기에 덩굴손이 있어 담이나 나무에 달라붙어 올라가며 자랍니다. 인도가 원산지인 나팔꽃은 한해살이 덩굴 식물로서 관상용으로 심기도 하지만 야생에서도 많이 자랍니다. 주영이네 집 담장에는 담쟁이덩굴과 나팔꽃이 모두 자라고 있습니다. 담쟁이덩굴의 줄기 끝과 나팔꽃의 줄기 끝이 서로를 향해 자라고 있고, 담쟁이덩굴은 2일에 8 mm씩, 나팔꽃은 2일에 0.7 mm씩 줄기가 자랍니다. 담쟁이덩굴과 나팔꽃의 줄기 끝이 만나는 때는 며칠 후인지 구해 보시오. (단, 담쟁이덩굴과 나팔꽃의 현재 줄기 끝 사이의 거리는 8.7 cm입니다.)

▲ 담쟁이덩굴

▲ 나팔꽃

( )

**창의융합 PLUS +**

**철사**
철사는 쇠로 만든 가는 줄로, 조형물을 만들 때 작품의 뼈대가 되거나 뼈대를 이어주는 역할로 사용되며 그 자체로 작품이 되기도 합니다.

**덩굴 식물**
줄기가 길쭉하여 곧게 서지 않고, 지면을 기어가거나 다른 물건에 붙어서 자라는 식물입니다.

▲ 호박

# 최상위권 문제

**1** 수직선에서 ㉠이 나타내는 분수보다 작은 수를 모두 찾아 써 보시오.

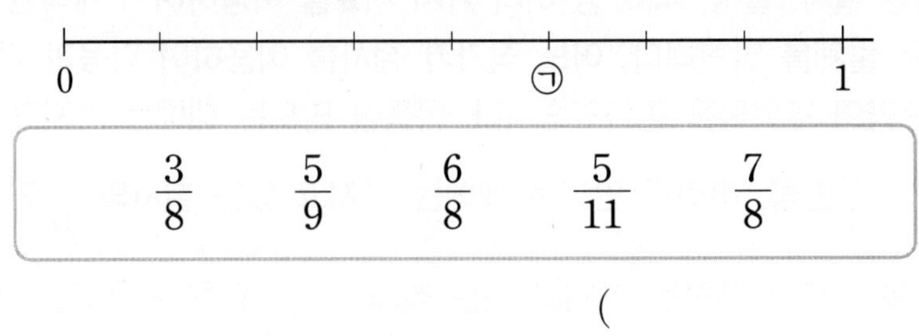


$\frac{3}{8}$ $\frac{5}{9}$ $\frac{6}{8}$ $\frac{5}{11}$ $\frac{7}{8}$

(                    )

**2** 다음과 같은 방법으로 $\frac{1}{2}$을 소수로 나타내면 $0.5$입니다. 오른쪽 그림을 이용하여 $\frac{2}{5}$를 소수로 나타내면 얼마인지 구해 보시오.

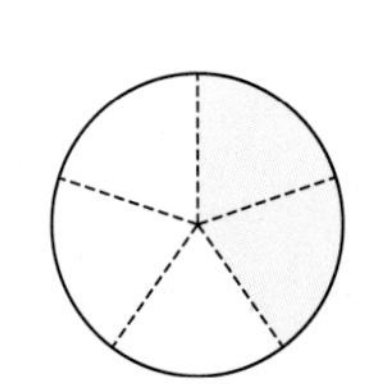

$\frac{1}{2}$ = $\frac{5}{10}$ ⇨ $\frac{1}{2}=\frac{5}{10}=0.5$

(                    )

**3** 정명이는 어제 사탕을 전체의 $\frac{1}{12}$만큼 먹었습니다. 오늘 사탕을 몇 개 더 먹었더니 전체의 $\frac{2}{3}$가 남았습니다. 오늘 먹은 사탕은 전체의 얼마인지 분수로 나타내어 보시오.

(                    )

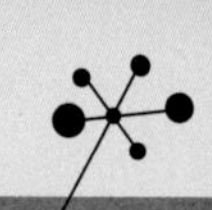



**4** [1] 부터 [8] 까지의 수 카드가 각각 1장씩 있습니다. 수 카드 2장을 뽑아 소수를 만들 때 4.3보다 크고 7.6보다 작은 소수는 모두 몇 개 만들 수 있는지 구해 보시오.

(　　　　　　)

**5** 준모, 서현, 예은이가 각각 다른 음료수를 마시고 있습니다. 세 사람이 지금까지 마신 음료수의 양이 같을 때 준모는 전체 음료수의 $\frac{1}{2}$, 서현이는 전체 음료수의 $\frac{1}{5}$, 예은이는 전체 음료수의 $\frac{1}{4}$을 마셨다고 합니다. 양이 가장 많은 음료수는 누구의 음료수인지 구해 보시오.

(　　　　　　)

**6** 규칙에 따라 수를 늘어놓은 것입니다. 16번째, 17번째, 23번째 수를 큰 수부터 차례대로 써 보시오.

$\frac{1}{2}, \frac{1}{4}, \frac{2}{4}, \frac{3}{4}, \frac{1}{6}, \frac{2}{6}, \frac{3}{6}, \frac{4}{6}, \frac{5}{6}, \frac{1}{8}$......

(　　　　　　)

Memo